保育士 完全合格 テキスト

下

汐見稔幸
（東京大学名誉教授）監修
保育士試験対策委員会 著

【保育士試験】 基礎知識のまとめ

ここでは、知っておくと便利な基礎知識をまとめています。国内、海外の保育の歴史や、統計データ等をおさえておくことが筆記試験合格への近道です！

● 保育の歴史

法律名や人物の業績については複数の科目で幅広く問われます。また、出来事の年度の順番を問う問題も出題されていますから、しっかりと整理しておきましょう。

○ 日本における保育・福祉の歴史

年度	事項
1710年	・貝原益軒が『和俗童子訓』を記す
1805年	・広瀬淡窓が咸宜園を開く
1838年	・緒方洪庵が適々斎塾（適塾）を開く
1856年	・吉田松陰が松下村塾を開く
1874（明治7）年	・恤救規則（日本初の福祉の法律とされている）
1876（明治9）年	・東京女子師範学校附属幼稚園が設立される
1887（明治20）年	・石井十次が岡山孤児院を設立
1889（明治22）年	・アメリカ人宣教師ハウが頌栄幼稚園を設立
1890（明治23）年	・赤沢鍾美が新潟静修学校を設立
1891（明治24）年	・石井亮一が滝乃川学園を設立
1899（明治32）年	・留岡幸助が東京の巣鴨に家庭学校を設立 ・幼稚園保育及設備規程
1900（明治33）年	・野口幽香・森島峰が二葉幼稚園を設立
1909（明治42）年	・石井十次が愛染橋保育所を設立
1916（大正5）年	・二葉幼稚園が二葉保育園へ名称を変更する
1918（大正7）年	・鈴木三重吉が『赤い鳥』を刊行
1926（大正15）年	・幼稚園令
1946（昭和21）年	・日本国憲法の公布 ・糸賀一雄が近江学園を設立
1947（昭和22）年	・児童福祉法 ・教育基本法
1948（昭和23）年	・保育要領 ・児童福祉施設の設備及び運営に関する基準が厚生労働省令として制定 ・学校教育法 ・民生委員法 ・里親等家庭養育運営要綱
1949（昭和24）年	・身体障害者福祉法
1950（昭和25）年	・新生活保護法
1951（昭和26）年	・児童憲章
1958（昭和33）年	・国民健康保険法

年度	事項
1960（昭和35）年	・精神薄弱者福祉法（現在の知的障害者福祉法）
1961（昭和36）年	・児童扶養手当法
1963（昭和38）年	・老人福祉法 ・糸賀一雄がびわこ学園を設立
1964（昭和39）年	・母子福祉法（現在の母子及び父子並びに寡婦福祉法） ・特別児童扶養手当法等の支給に関する法律
1965（昭和40）年	・保育所保育指針が作成される（６領域の保育内容が示される） ・母子保健法
1970（昭和45）年	・障害者基本法
1971（昭和46）年	・児童手当法
1983（昭和58）年	・少年による刑法犯の検挙数が戦後最高となる（約32万人）
1990（平成２）年	・福祉関係八法改正（老人福祉法等の一部を改正する法律） ・保育所保育指針改定（５領域の保育内容が示される）
1994（平成６）年	・児童の権利に関する条約（日本が批准） ・エンゼルプラン（少子化対策のための子育て支援策）
1999（平成11）年	・新エンゼルプラン
2000（平成12）年	・児童虐待の防止等に関する法律 ・保育所保育指針改定（乳幼児の最善の利益の考慮等が追加される）
2001（平成13）年	・配偶者からの暴力の防止及び被害者の保護等に関する法律
2002（平成14）年	・少子化対策プラスワン（父親の育児参加等への支援）
2003（平成15）年	・次世代育成支援対策推進法 ・保育士が名称独占の国家資格となる
2004（平成16）年	・発達障害者支援法 ・子ども・子育て応援プラン（チルドレン・ファーストの考え方）
2006（平成18）年	・障害者自立支援法
2007（平成19）年	・放課後子ども教室推進事業（文部科学省の推進する事業）
2008（平成20）年	・保育所保育指針改定（法的拘束力を持った指針となる） ・ファミリーホームの開始
2010（平成22）年	・子ども・子育てビジョン
2011（平成23）年	・障害者基本法
2012（平成24）年	・障害者虐待防止法 ・子ども・子育て関連3法が施行される
2013（平成25）年	・障害者総合支援法（障害者自立支援法を改正）
2014（平成26）年	・放課後子ども総合プラン（厚生労働省と文部科学省の一体的な事業）
2015（平成27）年	・子ども・子育て支援新制度が本格的に開始
2016（平成28）年	・障害者差別解消法 ・児童福祉法改正（原理の明確化、児童相談所の体制強化など）
2017（平成29）年	・保育所保育指針改定（平成30年４月施行） ・幼稚園教育要領改定（平成30年４月施行） ・幼保連携型認定こども園教育・保育要領（平成30年４月施行）
2019（令和元）年	・幼児教育・保育の無償化が開始される
2022（令和４）年	・成人年齢が20歳から18歳に引き下げ ・こども家庭庁設置法（令和５年４月施行） ・こども基本法（令和５年４月施行） ・こども大綱 ・こども未来戦略 ・困難な問題を抱える女性への支援に関する法律（女性支援新法、令和5年4月施行）

●試験によく出る人名のまとめ

○日本の人物

人名	業績
赤沢鍾美	新潟静修学校を設立すると同時に、子どもの保育を行うために常設託児所を開設した
石井十次	無制限主義を掲げ、日本初の児童養護施設「岡山孤児院」を創設した
石井亮一	知的障害児の養護と教育を行う「滝乃川学園」を創設した
留岡幸助	非行少年保護のため東京の巣鴨に家庭学校を設立した
野口幽香	貧しい家庭に向けて、四ツ谷に二葉幼稚園を開設した
高木憲次	整肢療護園を設立した。「療育」という言葉を作り出した
糸賀一雄	「近江学園」「びわこ学園」を設立。「この子らを世の光に」という言葉を残した
貝原益軒	江戸時代の儒学者で、特に『和俗童子訓』は日本最初の体系的な児童教育書とされている
片山潜	1897（明治30）年にセツルメントハウスであるキングスレー館を設立した
鈴木三重吉	唱歌を批判し、赤い鳥童謡運動を行った。雑誌『赤い鳥』を創刊した
倉橋惣三	「保育要領」作成にかかわった
松野クララ	東京女子師範学校附属幼稚園で保母の指導にあたり、フレーベルの理論を伝えた
東基吉	フレーベルの『人間の教育』等に基づいて、日本の恩物教育を批判した
橋詰良一	1922（大正11）年、大阪に「家なき幼稚園」を開設した
和田実	女子高等師範学校に勤務後、目白に幼稚園を創立し保母養成所を経営した

○海外の人物

人名	業績
フレーベル	ドイツの教育家。著書『人間の教育』。世界最初の幼稚園設立。教育玩具を創作し恩物と名づけた
コメニウス	現在のチェコに生まれ、『大教授学』や『世界図絵』などを著した
コルチャック	ポーランドの医者。ユダヤ人の孤児院運営で、「児童の権利条約」に影響を与えた人物
シュタイナー	シュタイナー教育の創設者。ドイツに「自由ヴァルドルフ学校」を創設した
デューイ	哲学者、教育学者。経験主義、実験主義を教育の基本原理と考えた
ソクラテス	古代ギリシャの哲学者。自分が無知であることを自覚する「無知の知」を唱えた
ピアジェ	スイスの発達心理学者。知能の発達を4つに分ける発達段階説を唱えた
ペスタロッチ	スイスの教育家。『隠者の夕暮』を著した。ルソーの影響を受け、孤児・民衆教育の改善に貢献した
ボウルビィ	イギリスの児童精神科医。アタッチメント理論（愛着理論）を提唱した
モンテッソーリ	イタリアの医師。保育施設「子どもの家」で、教育法（モンテッソーリ教育）を完成させた
リッチモンド	ケースワーク論を確立し、ソーシャルワークの科学化を推進した
ルソー	スイス出身のフランスの啓蒙期の思想家。著書に『エミール』『人間不平等起源論』『社会契約論』等がある
ロック	イギリスの哲学者。経験が意識内容として観念を与えると考える白紙説を唱えた
ヴィゴツキー	旧ソビエト連邦の心理学者。教育を重視し、発達を社会的に共有された認知過程を内部化する過程と捉えた

人名	業績
ゲゼル	アメリカの心理学者。人間の発達は、生まれついた遺伝的なものが自律的に発現したものとする考えを唱えた
エレン・ケイ	スウェーデンの社会思想家。『児童の世紀』を著し、子どもが幸せに育つ社会の構築を主張した
オーウェン	イギリスの社会改革思想家。紡績工場支配人。児童労働に関する工場法を制定。性格形成新学院を開設した
エインズワース	アメリカの発達心理学者。母子関係に関する実験観察法であるストレンジ·シチュエーション法を開発した
J.アダムス	アメリカの社会事業家。シカゴに「ハルハウス」を設立。そこを中心にセツルメント運動を広めた
バーナード	イギリスに孤児院「バーナードホーム」創設。現在の小舎制につながる生活環境を整備した
アリス・ペティ・アダムス	アメリカ人宣教師。来日後は医療・社会福祉等に従事し、「岡山博愛会」を創設した
オーベルラン	貧しい農家の幼児のための「幼児保護所」を創設した
エリクソン	発達心理学者。人生を８段階に区分し、それぞれの時期に発達課題があることを示した
パールマン	ケースワークの4つの構成要素として「4つのP（人、問題、場所、過程）」を示した
コノプカ	グループワークの基本原理14項目を提唱し、グループワークを「意図的なグループ経験を通じて、個人の社会的に機能する力を高め、また個人、集団、地域社会の諸問題に、より効果的に対処し得るよう、人びとを援助するものである」と定義した

● 乳幼児期の食べ方と食事の目安

○ 食べ方の目安

生後５、６か月頃	７、８か月頃	９か月～11か月頃	12か月～18か月頃
・子どもの様子を見ながら1日1回1さじずつ始める ・母乳やミルクは飲みたいだけ与える	・１日２回食で、食事のリズムをつけていく ・いろいろな味や舌触りを楽しめるように食品の種類を増やしていく	・食事のリズムを大切に、１日３回食に進めていく ・共食を通じて食の楽しい体験を積み重ねる	・１日３回の食事のリズムを整える ・手づかみ食べにより自分で食べる楽しみを増やす

（出典：厚生労働省「授乳・離乳の支援ガイド」）

○ 食事の目安

		生後５、６か月頃	７、８か月頃	９か月～11か月頃	12か月～18か月頃
調理形態		なめらかにすりつぶした状態	舌でつぶせる固さ	歯ぐきでつぶせる固さ	歯ぐきで噛める固さ
一回当たりの目安量	穀類	つぶしがゆから始める。すりつぶした野菜なども試してみる。慣れてきたら、つぶした豆腐・白身魚・卵黄等を試してみる	全粥50～80g	全粥90～軟飯80g	軟飯80～ご飯80g
	野菜・果物		20～30g	30～40g	40～50g
	魚 または肉 または豆腐 または卵 または 乳製品		10～15g 10～15g 30～40g 卵黄１個～ 全卵1/3個 50～70g	15g 15g 45g 全卵1/2個 80g	15～20g 15～20g 50～55g 全卵1/2～ 2/3個 100g

（出典：厚生労働省「授乳・離乳の支援ガイド」）

● 奏法に関する記号

記号	名称	意味
 *staccato (stacc.)*	スタッカート	その音を短く切る
 *tenuto (ten.)*	テヌート	その音の長さを十分に保って
> ∧	アクセント	その音を特に強く
 𝄐	フェルマータ (fermata)	その音符や休符を程よくのばす
	タイ (tie)	同じ高さの２つの音符をつなぐ
	スラー (slur)	違う高さの２つ以上の音符をなめらかに
V	ブレス	息つぎのしるし
	前打音 アッポジャトゥーラ	音の前について軽くひっかけるように演奏する
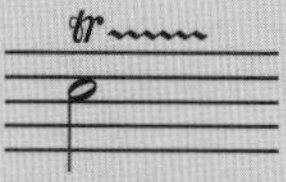 *tr*	トリル	 と演奏する (その音とその2度上の音を速く反復)
Ped. ✽	ペダル	*Ped.*で右のペダルを踏む ✽で足を離す
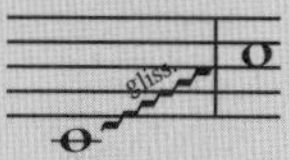 *gliss.* *(glissando)*	グリッサンド	２音間を滑るように弾く

	アルペジオ アルペッジョ (arpeggio)	和音をずらして順に弾く 下から演奏 上から演奏
	ポルタメント (portamento)	音をなめらかに移す

● 図式期の描画の特徴

並列表現

花や人物を基底線の上に並べたように描く

アニミズム表現（擬人化表現）

動物や太陽、花などを擬人化し目や口を描く

レントゲン表現（透視表現）

車の中や家の中など見えないものを透けたように描く

拡大表現

自分の興味・関心のあるものを拡大して描く

展開表現（転倒式描法）

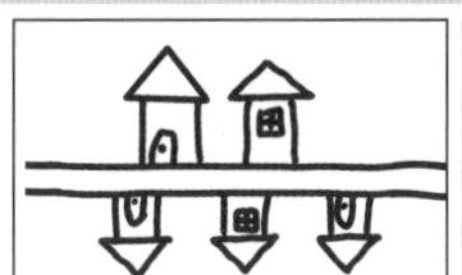

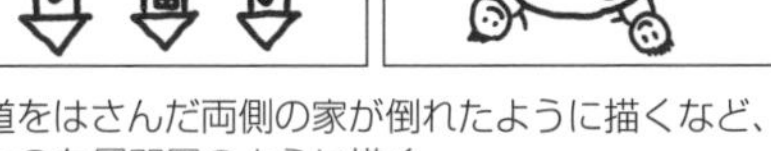

道をはさんだ両側の家が倒れたように描くなど、ものを展開図のように描く

積み上げ式表現

遠近の表現がうまくできないので、ものを上に積み上げたように描いて遠くを表す

視点移動表現（多視点表現）

横から見たところと上から見たところなど、多視点から見たものを一緒に描く

異時同存表現

時間の経過に合わせて異なる時間の場面を一緒に描く

本書内容に関するお問い合わせについて

このたびは翔泳社の書籍をお買い上げいただき、誠にありがとうございます。弊社では、読者の皆様からのお問い合わせに適切に対応させていただくため、以下のガイドラインへのご協力をお願い致しております。下記項目をお読みいただき、手順に従ってお問い合わせください。

●ご質問される前に

弊社Webサイトの「正誤表」をご参照ください。これまでに判明した正誤や追加情報を掲載しています。

正誤表　https://www.shoeisha.co.jp/book/errata/

●ご質問方法

弊社Webサイトの「書籍に関するお問い合わせ」をご利用ください。

書籍に関するお問い合わせ　https://www.shoeisha.co.jp/book/qa/

インターネットをご利用でない場合は、FAXまたは郵便にて、下記“翔泳社 愛読者サービスセンター”までお問い合わせください。
電話でのご質問は、お受けしておりません。

●回答について

回答は、ご質問いただいた手段によってご返事申し上げます。ご質問の内容によっては、回答に数日ないしはそれ以上の期間を要する場合があります。

●ご質問に際してのご注意

本書の対象を超えるもの、記述個所を特定されないもの、また読者固有の環境に起因するご質問等にはお答えできませんので、予めご了承ください。

●郵便物送付先およびFAX番号

送付先住所　〒160-0006　東京都新宿区舟町５
FAX番号　03-5362-3818
宛先　（株）翔泳社 愛読者サービスセンター

●免責事項

※著者および出版社は、本書の使用による保育士試験の合格を保証するものではありません。
※本書の記載内容は、2024年6月現在の法令等に基づいています。
※本書の出版にあたっては正確な記述に努めましたが、著者および出版社のいずれも、本書の内容に対してなんらかの保証をするものではありません。
※本書に記載されたURL等は予告なく変更される場合があります。

はじめに

保育所を巡っては、この20年ほど、最大で喫緊の問題は、待機児を解消することでした。しかし、子どもの出生数の減少が予想を上回る速さで進んでいることから、待機児問題はまもなく解消することがわかってきました。ただ、保育士不足の問題は解消されず、保育現場は保育士確保のために苦労する状況はまだまだ続きます。今年も、試験に受かればいずれかの保育所に採用される可能性が高い状況が続くでしょう。

新型コロナ問題で保育の現場は緊張した運営を続けてきましたが、近年は不適切保育の問題が社会問題化しています。一部での出来事なのですが、保育の質への社会的関心と期待が高くなっていることの反映といえます。

保育・幼児教育は、今、世界の多くの国が、教育政策の中で最重要であると考えています。理由は多くあるのですが、幼い子どもが日々の地域での生活の中で工夫して仲間と遊ぶということが次第にできなくなっているため、その過程で身につく非認知的能力 —— 社会に出たときにはこちらが大事 —— が育ちにくくなっており、保育・幼児教育がその非認知的能力をしっかりと育てなければならなくなった、ということが基本的な理由です。

そのための保育の内容の見直しや工夫を保育の質を上げるという言い方で国は訴えてきました。保育所保育指針の内容等は、そのための基本的方向と内容を示していますのでしっかり理解して受験してほしいと思います。

国はその機運に呼応するように、子どものウェルビーイングの育ちのためにこどもの問題に特化した行政機関「こども家庭庁」を令和５年４月からスタートさせました。保育所の管轄も厚生労働省からこども家庭庁に移りました。このこども家庭庁が中心になって、昨年の末に重要な法や施策が定められました。特に大事なのはこども家庭庁設置と同時に定められた「こども基本法」と、その規定に則って策定された「こども大綱」でしょう。「こども大綱」は、これはこれまで別々に作られてきた「少子化社会対策大綱」・「子供・若者育成支援推進大綱」・「子供の貧困対策に関する大綱」を束ねたものです。また「子ども・子育て支援法」が改訂され「支援金制度」などの財源確保方策ができました。

「こども基本法」には、子どもの権利条約の精神が多く書き込まれていて今後のこども施策の基本になります。ネット等できちんと読んで準備しておくことが大事になっているといえるでしょう。

監修　汐見稔幸

目次

社会的養護　195

保育実習理論　253

本書は、公表されている保育士試験の試験範囲と同じ構成となっています。

本書の使い方

本書は保育士試験の、筆記試験用のテキストです。下巻は科目「子どもの食と栄養」「保育原理」「教育原理」「社会的養護」「保育実習理論」の５科目について解説しています。まず、各科目の「傾向と対策」を確認しましょう。最初は何のことやら……かもしれませんが、一度学習した後に再度読み返すと、暗記のポイントをつかむことができます。頻出度と出題のポイントを確認して、本文を学習しましょう。そして、側注の補足説明を読んで知識を定着させ、記憶にとどめます。最後に一問一答を解いて、理解度をチェックしましょう。

紙面の構成

■ 本文

A 頻出度

出題頻度の高い順に☘☘☘、☘☘、☘の３段階で示しています。

B この節で学ぶこと＆イラスト

この節で学ぶことを記載しています。イラストでここで学ぶことをイメージすることができます。

C 補足説明のアイコン

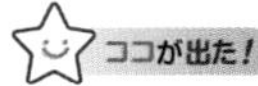

過去５回の試験で問われたキーワードごとに出題年を掲載しています。たとえば、2024（令和６）年前期試験は「R6年（前）」、2022年後期試験は「R4年（後）」と記載しています。

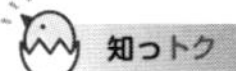

もっと詳しく知っておきたいこと、補足事項などです。

本文中の用語の意味を説明します。

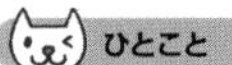

注意点や覚えるコツなど先生からのひとことです。

A　B

1　教育の意義・目的、子ども福祉等との関連性

教育の目的・意義については、日本国憲法や教育基本法などの法令中に定められているため、教育や保育に関係する条文を丁寧に読み込むことが必要不可欠です。また、改正前後の相違点についても注意を払いましょう。

日本国憲法、教育基本法、学校教育法

1 日本国憲法

日本国憲法*1は1946（昭和21）年に制定され、わが国の法体系上で最高の位置を占めています。戦前・戦中の反省を踏まえ国家の在り方を根本的に転換させました。その特徴は、国民主権、平和主義、基本的人権の尊重の３つを基本原理としている点にあります。基本的人権の一環として国民すべてに対し、「学問の自由」（第23条）及び「教育を受ける権利」（第26条）が明記されました。このうち、教育に直接関係する条項は、第26条（教育を受ける権利、教育を受けさせる義務、義務教育の無償）です。これと関

ココが出た！
*1 日本国憲法
R5年(後)(第26条)
R6年(前)(第23条)
過去には第13条、第25条についても出題されています。穴うめ問題として出題されることが多いので、本書の赤字部分を中心にキーワードを覚えておきましょう。

158

■ 理解度チェック　一問一答

○×式の過去問題と予想問題です。正解できたら□ にチェックを入れましょう。なお、本文に説明のない内容に関する問題も、補足のために一部掲載しています。また、過去問題の一部に変更を加えている場合があります。

D [出題回] [予想]

過去問題の場合は出題回をR○年と掲載し、2024（令和６）年前期試験は「R6年（前期）」、2015（平成27）年地域限定試験は「H27年（地限）」、予想問題は「予想」としています。

理解度チェック　一問一答

全問クリア　月　日

Q

□ ❶ オーエンはドイツに「性格形成学院」を開設し、子どもの保護と教育を行った。R4年(後期)

□ ❷ モンテッソーリは、スウェーデンの社会運動家であり教職に就く傍ら多くの著作を世に出した。代表作に「児童の世紀」がある。R5年(前期)

□ ❸ コダーイは、ハンガリーの作曲家である。民俗音楽による音楽教育法はのちに「コダーイ・システム」などにまとめられ、幼児教育にも活用された。R5年(前期)

□ ❹ オーベルランは最も恵まれない子どもを豊かに育む方法こそ、すべての子どもにとって最良の方法であるとする考えに基づき、「保育学校」を創設し、医療機関との連携を図って保育を進めた。R5年(後期) 改

□ ❺ デューイはその著作である「エミール」によって、当時の子ども観に対して大きな影響を与えた。H28年(前期)

□ ❻ フレーベルは「人間の教育」の中で、幼児期においては作業がこの時期の子どもの最も美しい表れであるとした。遊具（Gabe）は、明治時代に近藤真琴が編集した『幼稚園法二十遊嬉』等によって我が国に紹介された。H30年(前期) 改

□ ❼ 華族幼稚園は、野口幽香と森島峰（美根）が寄付を募り、1900年に設立した施設で、貧しい家庭の子どもたちを対象にフレーベルの精神を基本とする保育を行った。H30年(後期)

□ ❽ 倉橋惣三の主著は、「育ての心」であり、児童中心の進歩的な保育を提唱した。予想

□ ❾ 倉橋惣三は、1936（昭和11）年、保育問題研究会を結成し、その会長を務めた。H24年

□ ❿ 貧しい家庭の子どもたちのための幼稚園が明治期につくられ始めた。その一つ、二葉幼稚園は赤沢鍾美が慈善により開設したものである。R5年(前期)

A

❶ × ドイツではなくイギリスである。

❷ × 設問はエレン・ケイの内容である。モンテッソーリはイタリアの女性医師、教育家。

❸ ○ コダーイについての正しい説明である。

❹ × マクミラン姉妹に関する記述である。医療従事者であった姉のレイチェルと教育委員であった妹のマーガレットが20世紀初頭のイギリスで保育学校を創設した。

❺ × デューイではなくルソーである。

❻ × 作業ではなく遊び、近藤真琴ではなく関信三である。

❼ × 華族幼稚園ではなく、二葉幼稚園（のちの二葉保育園）である。

❽ ○

❾ × 倉橋惣三ではなく、城戸幡太郎である。

❿ × 設問にある二葉幼稚園は、野口幽香、森島峰（美根）によって設立された。赤沢は新潟静修学校を開設した。

136

D

連して、近年では教育における格差と貧困の問題（例えば、就学が困難な児童・生徒の問題）があり、第25条（生存権、国の生存権保障義務）も注視する必要があります*2 。

ひとこと
*2 過去に出題された主な条文を本科目第3節でも紹介していますので、目を通しておきましょう。

第25条（生存権、国の生存権保障義務）
すべて国民は、健康で文化的な最低限度の生活を営む権利を有する。
2　国は、すべての生活部面について、社会福祉、社会保障及び公衆衛生の向上及び増進に努めなければならない。
第26条（教育を受ける権利、教育を受けさせる義務、義務教育の無償）
すべて国民は、法律の定めるところにより、その能力に応じて、ひとしく教育を受ける権利を有する。
2　すべて国民は、法律の定めるところにより、その保護する子女に普通教育を受けさせる義務を負ふ。義務教育は、これを無償とする。

2 教育基本法

日本国憲法との強い一体性のもとに作成されたのが教育基本法*3 です。1947（昭和22）年に公布・施行され、その後約60年間にわたって変更なく教育の根本を明示し続けてきた法令です。2006（平成18）年に改正され、新たに「生涯学習の理念」「大学」「私立学校」「教員」「家庭教育」「幼児教育」「学校、家庭及び地域住民等の相互連携協力」「教育振興基本計画」に関する条文が追加されました。

ココが出た！
*3 **教育基本法**
R4年(前)（第4条）
R4年(後)（第3条）
R5年(前)（第11条）
R6年(前)（第1条）
過去に出題された前文や第4条などについては本科目第3節でも紹介していますので目を通しておきましょう。

第1条（教育の目的）
教育は、人格の完成を目指し、平和で民主的な国家及び社会の形成者として必要な資質を備えた心身ともに健康な国民の育成を期して行われなければならない。
第2条（教育の目標）
教育は、その目的を実現するため、学問の自由を尊重しつつ、次に掲げる目標を達成するよう行われるものとする。
（中略）
5　伝統と文化を尊重し、それらをはぐくんできた我が国と郷土を愛するとともに、他国を尊重し、国際社会の平和と発展に寄与する態度を養うこと。
第10条（家庭教育（一部抜粋））
父母その他の保護者は、子の教育について第一義的責任を有するものであって、生活のために必要な習慣を身に付けさせるとともに、自立心を育成し、心身の調和のとれた発達を図るよう努めるものとする。

（つづく）

教育原理

① 教育の意義・目的、子ども福祉等との関連性

159

C

● 赤いシート

付録の赤いシートを使って効率よく暗記しましょう。

● 法令等の基準について

本書の記載内容は、2024年6月現在の法令等に基づいています。変更される場合もありますので、厚生労働省、各都道府県・市町村の公表する情報をご確認ください。

● 表記

- **同法**：同法という場合は、それより以前に記載されている法律と同じ法のことを指しています。
- **和暦・西暦**：保育士国家試験では、年代は和暦で出題されることが多いです。本書では、覚えやすいように、西暦と和暦を併記しています。和暦表記は江戸時代以前は不要とし、明治時代以降のものについて併記しています（海外のできごとや江戸時代以前の年数は西暦表記のみ）。

資格・試験について

● 保育士について

■ 保育士とは

保育士とは、専門的知識と技術をもって子どもの保育を行うと同時に、子どもの保護者の育児の相談や援助を行うことを仕事としている人のことをいいます。保育士の資格は児童福祉法で定められた国家資格で、資格を持っていない人が保育士を名乗ることはできません。

女性が社会進出するのが当たり前になり、また子どもを育てる社会の支え合いの慣行がなくなってきつつある今日、保育の仕事は、その必要性が急速に高まっており、毎年数万人の人が資格を取得しています。また、保育所などで働いている保育士は約65.9万人にもなります。

■ 保育士の職場

保育の仕事の場は圧倒的に保育所が多いのですが、保育所は一律ではなく、大きく認可保育所と認可外保育所があります。認可保育所は現在、約2万4,000か所あります。認可保育所には公立と社会福祉法人立（私立）そして企業が経営しているものがあります。

また病院や種々の福祉関係の施設でも保育士が働いています。法的には保育の対象は18歳までの子どもです。最近は保育ママとして家庭的な保育の場で働く人も増えています。また、幼保連携型の認定子ども園を増やしていくことが国の方針になっていますので、認定子ども園で保育士を募集するところが増える可能性があります。幼稚園教諭免許と併有が条件ですが、2015（平成27）年からの10年間は特例で保育士資格だけでも働けます。

● 保育士になるには

■ 保育士試験による資格取得

保育士の資格を手にするには２つの方法があります。ひとつは厚生労働大臣の指定する保育士を養成する学校（短大、大学など）やその他の施設（指定保育士養成施設）を卒業する方法です。もうひとつは保育士試験に合格する方法です。働いていたりすると前者は難しく、後者が有力な方法になります。2024（令和６）年は４月と10月に筆記試験の実施が予定されています。2025（令和７）年の実施予定については刊行時点では未定となっていますので、詳細は保育士養成協議会のホームページを確認してください。

地域限定保育士試験は保育士試験と同じ実施機関、同じレベルの試験ですが、資格取得後3年間は受験した自治体のみで働くことができ、4年目以降は全国で働くことができるようになる資格です。

■ 受験資格

保育士試験の受験資格は、受験しようとする人の最終学歴によって細かく規定されています。学歴だけでなく、年齢、職歴等も関係してきますので、受験しようとする人は全国保育士養成協議会のホームページをぜひ参照してください。

http://hoyokyo.or.jp/exam/

受験の際には、受験の申し込みをしなければなりません。受験申請書を取り寄せ、記入して郵送する必要がありますから、申請の締切日に注意してください。上記、保育士養成協議会のホームページを必ず参照してください。

● 試験の実施方法

■ 試験方法

試験は、筆記試験と実技試験があり、筆記試験に合格した人だけが実技試験を受けることができます。実技試験に合格すると保育士の資格を得ることができます。

■ 試験会場

保育士試験：47都道府県、全国に会場が設けられます。筆記試験、実技試験とも同一都道府県での受験となります。

地域限定保育士試験：実施する自治体のみに会場が設けられます。

■ 筆記試験の出題形式

マークシート方式です。従来は選択肢の中から正解を１つ選ぶ方式でしたが、2024（令和6）年後期試験からは、問題文で指示された正答数の数だけ選択肢の番号に対応するマークを塗りつぶす形式となる予定です。

■ 試験日と試験科目、問題数、試験時間

試験日	科目		試験時間
4月、10月の2日間	1）	保育の心理学	60分
	2）	保育原理	60分
	3）	子ども家庭福祉	60分
	4）	社会福祉	60分
	5）	教育原理	30分
	6）	社会的養護	30分
	7）	子どもの保健	60分
	8）	子どもの食と栄養	60分
	9）	保育実習理論	60分

実技試験 ※幼稚園教諭免許所有者を除く、筆記試験全科目合格者のみ行います。		
7月、12月	音楽に関する技術 造形に関する技術 言語に関する技術	(幼稚園教諭免許所有者以外は、受験申請時に必ず2分野を選択する)

※令和6年保育士試験の実施予定は未定（2024年6月時点）

■ 合格基準と配点

・合格基準

各科目において、満点の6割以上を得点した者が合格となります。

※幼稚園教諭免許所有者は、「保育の心理学」・「教育原理」・「実技試験」に加え、幼稚園等における実務経験により「保育実習理論」が試験免除科目になります。

※社会福祉士、介護福祉士、精神保健福祉士の資格所有者は、「社会的養護」「子ども家庭福祉」「社会福祉」が試験免除科目になります。

■ 過去の受験者数と合格者数

	平成31／令和元年	令和2年	令和3年	令和4年	令和5年
受験者数	7万7,076名	4万4,915名	8万3,175名	7万9,378名	6万6,625名
合格者数	1万8,330名	1万890名	1万6,600名	2万3,758名	1万7,955名
合格率	23.8%	24.2%	20.0%	29.9%	26.9%

※令和2年の前期試験については、新型コロナウイルス感染症の状況を踏まえ全都道府県において筆記試験が中止となったため、実技試験のみの実施状況となっています

● 学習方法について

各科目ごとの出題傾向や対策については、それぞれテキストの各科目の中で説明されていますので必ず目を通しておいてください。ここでは受験のための勉強全般について述べます。

(1)

養成校に通わないでテキストで勉強し、保育士試験を受けて資格を取るという方法の最大のメリットは、自分の好きなときに好きなペースで勉強できるということです。毎日学校に通って勉強するよりはその意味で楽なのですが、このことが逆に自分を甘やかしてしまう最大の要因になりがちです。試験に向けて計画をしっかり立て、自分で自分を勇気づけて、サボらないで勉強し続けることが何よりも大事だということを、勉強を始める前に自分にしっかり言い聞かせましょう。計画性と意志の持続こそが試されます。

(2)

9科目も専門の勉強を続けるのは正直たいへんです。ですが、どれ

も保育士に必要な知識であるから課されるわけで、それをしっかり覚えておくことがあとで生きてくると納得しておくことが必要です。たとえば子どもの病気と対応の仕方の知識があるかないかで、大げさに言えば子どもの命を救えたり救えなかったりします。歴史の知識なども、実際につとめてもっとよい保育をしたいと思い始めると、そうした知識のあるなしで発想がまったく異なってくることがわかります。試験の勉強をしながらも、興味を持ったことは自分でもっと勉強してみようというぐらいの姿勢で学ぶことが合格への近道です。

(3)

どういう勉強の仕方が自分に合っているかということは、人によって違うでしょう。しかし、保育士試験の大部分は内容を理解した上で覚えておくことが要求されます。このことを常に念頭に置いておきましょう。短期にたくさんの知識を覚えなければならないわけですから、そのためには、自分でノートやカードに知識を整理するなど、書く努力をいとわないことが大事です。書くことで知識が定着する可能性が飛躍します。そしてその際、知識を自分なりに整理することができれば、合格の可能性は一段と高くなるでしょう。

(4)

似た内容が、別の科目でも何度も出てきます。一度見たことでも別の科目で登場したら、何度も反復学習し、違う側面から記憶にとどめていくと真の力がつくでしょう。「保育所保育指針」は、ほとんどの科目が関係しています。

(5)

できれば、土曜日などに、実際の保育の現場を見せてもらったり、手伝わせてもらったりして、保育の実際についてのイメージを持つといいでしょう。保育士試験受験者が養成校で学ぶ人に比べて不十分になるのは、現場の体験が少ないということだからです。保育の現場で自分が保育士になったらということをイメージしながら、子どもや保育の実際、保育の環境などを観察させてもらえば、テキストに書かれている知識に別の意味が見えてきたりします。

COLUMN

保育所保育指針の改定について（2018（平成30）年4月施行）

現在の保育所保育指針は2018（平成30）年に改訂実施されたものですが、それ以前の保育所保育指針に比べて、次のような特徴を持っています。

① 3歳以上の保育の目標・内容・方法が、幼稚園、認定こども園とほぼ同じ内容で改訂され、整合性が図られました。そのため、今回、保育所は「幼児教育を行う施設」という定義が文書に書き込まれました。保育所も幼稚園と異なるところがない、幼児教育施設であると認められるようになったということです。

② 同時に保育所は児童福祉施設でもあります。「福祉施設」ということを強調するために、今回「養護」機能を果たすことが重要であることが強調されました。養護というのは子どもたちの生命をていねいに保持することや、子どもたちの情緒の安定を図るために、保育士等が行う援助や働きかけのことです。わかりやすくいえば、どの子も自分は保育士等によって守られている、保護されている、愛されていると深く感じることができるような環境をつくり、日常的にそうした雰囲気のもとで保育を行うことです。そうした環境と配慮がある教育を行う施設が保育所であるということが強調されました。

③ 0歳児（乳児）の保育と3歳未満児の保育についての記述が充実しました。従来の保育所保育指針には、この0、1、2歳児の保育のねらいや内容は特段他の年齢と区別して書かれていなかったのですが、やはり4、5歳児等の保育とねらいや内容、方法が異なりますので、今回この部分が詳しく書かれました。このことは、幼い子の保育は、できるだけていねいに、温かく、受容的で応答的に行うべきであるという期待

とセットになっています。

④「幼児教育を行う施設」としての保育所への期待が５領域の「ねらい」の変化に現れています。今回、小学校以降の教育でも採用された「資質・能力」を育てるという立場が幼児教育でも採用され、５領域の各ねらいはこの「資質・能力」の３つの柱が書かれることになりました。具体的には「知識及び技能の基礎」「思考力、判断力、表現力の基礎」「学びに向かう力、人間性等」の３つで、詳細は巻末に掲載されている保育所保育指針を参照してください。「これまで以上に、子どもたちの広義の知的スキルについての育ちを細かに評価することが課せられたといっていいでしょう。

⑤ ④と関連して、「幼児の終わりまでに育つことが期待される姿」というカテゴリーが新たに登場しました。これは、学習指導要領の改定の方針を決めた中教審の答申（2016（平成28）年12月21日）で強調された「これからの教育は『社会に開かれた教育課程』を重視し、子どもたちが活躍する将来の社会に必要な能力をていねいに吟味して、その上でその基礎を幼い頃から育てていこうとする立場で行う」とされたことの具体化ですが、合わせて、小学校の低学年の生活課等と保育所の年長児のカリキュラムをできれば合同で開発していく際に共通に理解できる言葉による目標群として考案されたものです。幼児教育で考えられた「将来必要な能力の基礎」は10項目あり、それが「姿」（10の姿）という形で示されています。詳細は巻末に掲載されている保育所保育指針を参照してください。

⑥ キャリアパスづくりが課せられます。キャリアパスというのは職場で一定以上の勤務経験をつんだ人が定められた研修を受けた場合、たとえば〇〇主任という職位を与え給与も上げるといった仕組みのことです。従来の保育所等でのキャリア

パスは充実しているとはいえない状況でしたが、これからはきちんとキャリアパスをつくって、それによって職員の質を上げるとともに、働く人たちのモラールの向上を図ることになります。

以上のほかにも細かな変更点はありますが、最も大事なことは保育所が、幼稚園、こども園と同じように日本の大事な幼児教育機関として本格的に期待されるようになったことでしょう。2019（令和元）年10月から始まった幼児教育の無償化によって、保育所の公的責務は一層大きくなりましたが、そのことを自覚した働き方が求められます。

なお、厚生労働省は、指針の告示を行ったあと、保育の質を向上させる検討会を開いており、そこで話し合われた内容は、次のような報告書やガイドラインなどとして公表されています。

1）保育所等における保育の質の確保・向上に関する検討会
- 「子どもを中心に保育の実践を考える ～保育所保育指針に基づく保育の質向上に向けた実践事例集～」
- 「保育士の自己評価ガイドライン」の改定、そしてそれをわかりやすく説明した「保育をもっと楽しく 保育所における自己評価ガイドラインハンドブック」

2）保育の現場・職業の魅力向上検討会
- 厚生労働省のHPで報告書が公表されています

3）地域における保育所・保育士等の在り方に関する検討会
- 子どもの絶対数が減ったあとの保育所経営の案等について提案されています。これも厚生労働省のHPに掲載されています

これらについても、検討会の名前や資料名をインターネット上で検索することで、誰でも閲覧できますので、保育士試験を受ける人にぜひ目を通してほしいと考えています。

監修　汐見稔幸

試験に合格したら読みたい「先輩が教えてくれる」シリーズ

保育の先輩たちが「新人のときにこれを教えてほしかった！」という仕事のコツを集めて、わかりやすく解説したシリーズです。

「現場で必要な保育の知識や実習経験がないから、働くのが不安……」という方に、ぜひ読んでほしい情報が詰まっています。

「保育技術のきほん」だけでなく、園長や先輩とのコミュニケーションの取り方、仕事の優先順位の付け方、そして、気分転換の方法までを紹介しています。

【主な内容】

□ 保育現場の仕事の流れは？
□ 保護者の顔を覚えるコツは？
□ おたよりを書くポイントは？
□ 仕事の優先順位の付け方は？
□ 仕事を家に持ち帰らないためには？ など

連絡帳を上手に書くコツとともに、保護者に信頼される文章を書くための、“一生使えるきほん”が身につきます！

【主な内容】

□ 保護者の信頼を得る！連絡帳10のルール
□ 文章の「きほん」&時短テクニック
□ 実例でわかる！難しい質問・要望への応え方
□ 間違えると恥ずかしい！紛らわしい漢字・表現一覧
□ 印象がガラっと変わる！ポジティブワード変換表
□ これなら簡単！丁寧語、敬語変換表　など

実際の文例を使って、文章を書くときの注意点とコツをわかりやすく紹介しています！

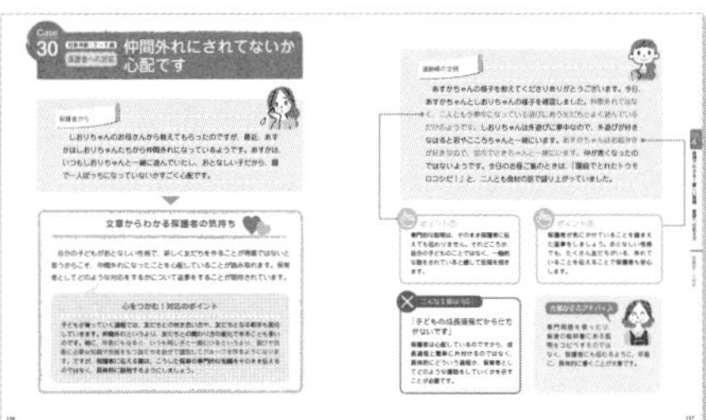

イラスト：うつみちはる

子どもの食と栄養

「子どもの食と栄養」は、子どもの心身の健康を作る基礎となる食生活を理解する分野です。子どものときから偏りのない食生活を送ることは、生活習慣病を防ぐことにもつながります。妊娠期から新生児、幼児期、学童期、思春期、20代の女性の食生活まで幅広く出題がありますが、次世代を担う子どもたちを育む栄養について学ぶ意義は大きいです。

出題の傾向と対策

過去５回の出題傾向と対策

毎年大きな変化はなく、「子どもの食と栄養」の６つの分野全てが出題対象です。各栄養素の働き・欠乏症・栄養素を多く含む食品・消化吸収の流れなどの基本事項を十分に理解できると、応用力がついて解きやすくなると思います。確認しておくべき資料としては、特に『日本人の食事摂取基準』からの出題は問題数も多く細部にわたりチェックが重要です。各栄養素について年齢別の理解と男女差が問われることもあります。

『授乳・離乳の支援ガイド』からの出題も頻出しています。離乳食の進め方は特に注意したい項目です。関連して母乳栄養や、調乳方法、妊娠期の栄養に関しても重要です。乳幼児期の食生活については、子どもの成長と合わせて理解しておきましょう。

厚生労働省発表の『乳幼児栄養調査結果』や『国民健康・栄養調査結果』『妊産婦のための食事バランスガイド』、農林水産省の『第４次食育推進基本計画』も出題対象です。他に、比較的出題頻度が高い体調不良の子どもや食物アレルギーのある子ども、障害のある子どもへの摂食の対応や指導、食中毒の種類と対策に関しても、ポイントを絞って解説しているのでテキストを熟読して理解を深めてください。「学校給食法」に示されている「学校給食の目標」についても２年続けて出題されています。７つの目標について理解しておきましょう。

原典を確認しておきたい法律・資料

出題頻度が高い法律、ガイドライン、統計データ等の原典を確認できるQRコードを紹介します。原典を確認しておくと、実際の試験で少し難しい設問に出合ったときの対応力が上がりますので、時間があるときに一読することをお勧めします。

「子どもの食と栄養」の過去５回の出題キーワード

問題	R6年（前期）	R5年（後期）	R5年（前期）	R4年（後期）	R4年（前期）
	2024年	2023年	2023年	2022年	2022年
1	炭水化物	乳幼児栄養調査「離乳食について困ったこと」	食生活指針	国民健康・栄養調査	乳幼児の栄養方法や食事に関する状況
2	ビタミンの主な働き	脂質	乳幼児栄養調査	食生活指針	ミネラル
3	日本人の食事摂取基準	日本人の食事摂取基準	栄養素（炭水化物）	乳幼児栄養調査	脂質
4	食品表示法	味の相互作用	栄養素（ミネラル）	栄養素（たんぱく質）	調理の基本
5	調乳	乳幼児栄養調査「授乳について困ったこと」	3色食品群	栄養素（ビタミン）	郷土料理
6	母乳	母乳分泌のしくみ	日本人の食事摂取基準	食品の表示	乳児用調整乳
7	授乳・離乳の支援ガイド	幼児期の健康と食生活	母乳の成分	調理用語	授乳・離乳の支援ガイド
8	幼児の食生活	乳幼児栄養調査「子どもの間食」	授乳・離乳の支援ガイド	母乳栄養	幼児期の間食
9	学校給食法	学童期の食生活	乳幼児栄養調査結果の概要	調乳	食物繊維
10	学童期・思春期の肥満とやせ	学校給食	食からはじまる健やかガイド	保育所における食育に関する指針	生涯発達における食生活
11	妊娠期の栄養と食生活	妊娠前からはじめる妊産婦のための食生活指針	学童期・思春期の身体の発達と食生活	全国学力・学習状況調査	妊産婦のための食生活指針
12	食育基本法	食育基本法	妊産婦のための食生活指針	学校給食実施基準	保育所における食育
13	第4次食育推進基本計画	食育推進基本計画	第4次食育推進基本計画	日本人の食事摂取基準	保育所保育指針食育の推進
14	保育所保育指針	保育所保育指針	郷土料理	第4次食育推進基本計画	緑黄色野菜
15	大豆に関する内容	保育所における地域の子育て家庭への支援	保育所保育指針	行事食	窒息・誤嚥事故防止
16	家庭でできる食中毒予防の6つのポイント	楽しく食べる子どもに～保育所における食育に関する指針～	食中毒	保育所保育指針	食物アレルギー
17	食品による子どもの窒息・誤嚥事故	児童福祉施設の設備及び運営に関する基準	子どもの窒息	食中毒	食物アレルギー
18	食品ロス及び食料自給率	果物に関する内容	児童福祉施設における食事の提供ガイド	保育所における食事の提供ガイドライン	体調不良の子どもの食事
19	乳児ボツリヌス症	児童福祉施設における食事の提供ガイド	食物アレルギー	食物アレルギー	授乳・離乳の支援ガイド
20	食物アレルギー	嚥下が困難な子どもの食事	調乳	嚥下が困難な子どもの食事	学童期・思春期の心身の発達と食生活

1 子どもの健康と食生活の意義

頻出度

子どもの成長は心身の健康と関係が深く、子どもにとって食生活を健全に営むことは、身体的成長や精神的な発達をうながすだけでなく、成人してからの生活習慣病の発症予防にも大きく関与します。保育者は子どもの食生活の重要性を理解することが大切です。

子どもの心身の健康と食生活

子どもは、新生児期・乳児期・幼児期・学童期・思春期とたどって大きく成長を遂げます。それぞれの時期にふさわしい食生活を送ることが重要です。さらに、子どもの成長には心身を健康に保つことがたいへん大切で、とりわけ食生活は、身体的・精神的成長、情緒発達*1 に関係が深いので注意深く見守り、子どもの成長を育む努力が必要です。

1 発育・発達過程に応じて育てたい“食べる力”

子どもは発育・発達過程にあり、授乳期から毎日「食」

*1 **情緒発達**
美味しい食事を口にする喜びや楽しみを通して、やさしい気持ちや慈しむ気持ちなどの心の豊かさを育みます。さらには親子間、友人間などにおけるコミュニケーションを円滑に進める力につながります。

にかかわっています。「食を営む力」として具体的にどのような“食べる力”を育んでいけばよいのかを以下に示します。

○ 楽しく食べる子どもに～食からはじまる健やかガイド～*2（厚生労働省）

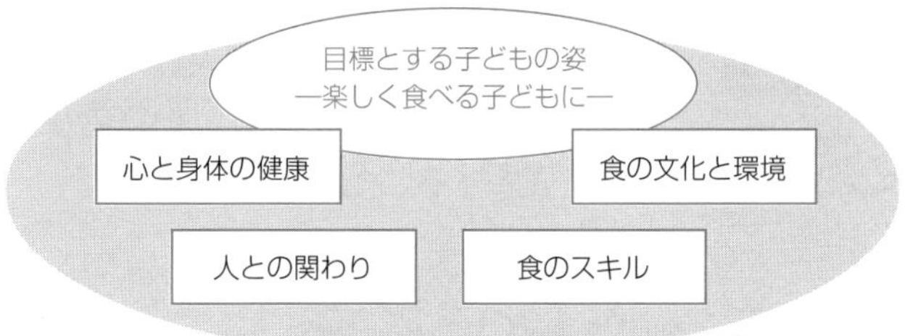

発育・発達過程において配慮すべき側面 *3

授乳期・離乳期 ―安心と安らぎの中で食べる意欲の基礎づくり―
・安心と安らぎの中で母乳（ミルク）を飲む心地よさを味わう ・いろいろな食べ物を見て、触って、味わって、自分で進んで食べようとする
幼児期 ―食べる意欲を大切に、食の体験を広げよう―
・おなかがすくリズムがもてる ・食べたいもの、好きなものが増える ・家族や仲間と一緒に食べる楽しさを味わう ・栽培、収穫、調理を通して、食べ物に触れはじめる ・食べ物や身体のことを話題にする
学童期 ―食の体験を深め、食の世界を広げよう―
・1日3回の食事や間食のリズムがもてる ・食事のバランスや適量がわかる ・家族や仲間と一緒に食事づくりや準備を楽しむ ・自然と食べ物との関わり、地域と食べ物との関わりに関心をもつ ・自分の食生活を振り返り、評価し、改善できる
思春期 ―自分らしい食生活を実現し、健やかな食文化の担い手になろう―
・食べたい食事のイメージを描き、それを実現できる ・一緒に食べる人を気遣い、楽しく食べることができる ・食料の生産・流通から食卓までのプロセスがわかる ・自分の身体の成長や体調の変化を知り、自分の身体を大切にできる ・食に関わる活動を計画したり、積極的に参加したりすることができる

（出典：厚生労働省　楽しく食べる子どもに～食からはじまる健やかガイド～より）

ココが出た！

＊2 楽しく食べる子どもに～食からはじまる健やかガイド～

R5年（前）　R6年（前）

幼児期、学童期に当てはまる内容はどれかという出題がありました。また選択肢に、授乳期・離乳期の内容が入っていましたので、各期の内容と子どもの発育・発達を関連させて理解しておきましょう。

＊3 発育・発達過程において配慮すべき側面

目標とする「楽しく食べる子ども」とは「心と身体の健康」を保ち「人との関わり」を通して社会的健康を培いながら「食の文化と環境」との関わりのなかで、いきいきとした生活を送るために必要な「食のスキル」を身につけていく子どもの姿です。

2 食生活指針の内容

食生活指針は2000（平成12）年に文部省（現在の文部科学省）・厚生省（現在の厚生労働省）・農林水産省が共同で作成したもので、どのような食生活を送ればよいかを示しています（2016（平成28）年に一部改定）。

○ 食生活指針[*4]

食事を楽しみましょう
・毎日の食事で、健康寿命をのばしましょう ・おいしい食事を、味わいながらゆっくりよく噛んで食べましょう ・家族の団らんや人との交流を大切に、また、食事づくりに参加しましょう
1日の食事のリズムから、健やかな生活リズムを
・朝食で、いきいきした1日を始めましょう ・夜食や間食はとりすぎないようにしましょう ・飲酒はほどほどにしましょう
適度な運動とバランスのよい食事で、適正体重の維持を
・普段から体重を量り、食事量に気をつけましょう ・普段から意識して身体を動かすようにしましょう ・無理な減量はやめましょう ・特に若年女性のやせ、高齢者の低栄養にも気をつけましょう
主食、主菜、副菜[*5]を基本に、食事のバランスを
・多様な食品を組み合わせましょう ・調理方法が偏らないようにしましょう ・手作りと外食や加工食品・調理食品を上手に組み合わせましょう
ごはんなどの穀類をしっかりと
・穀類を毎食とって、糖質からのエネルギー摂取を適正に保ちましょう ・日本の気候・風土に適している米などの穀類を利用しましょう
野菜・果物、牛乳・乳製品、豆類、魚なども組み合わせて
・たっぷり野菜と毎日の果物で、ビタミン、ミネラル、食物繊維をとりましょう ・牛乳・乳製品、緑黄色野菜、豆類、小魚などで、カルシウムを十分にとりましょう

（つづく）

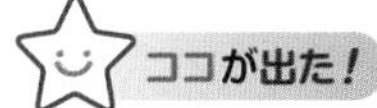

*4 **食生活指針**
R4年（後） R5年（前）
指針の目的のひとつとして、生活習慣病予防があることや、具体的な指針の内容に関する出題がありました。

用語解説

*5 **主食、主菜、副菜**
主食とは、ごはん・パン・麺類で、糖質を多く含み、主要なエネルギー源となるものです。主菜とは、肉・魚・卵・大豆および大豆製品等を主材料とするたんぱく質を多く含む料理です。副菜とは、野菜・きのこ・いも・海藻等を主材料とする料理で、ビタミンやミネラル、食物繊維等を多く含みます。

食塩は控えめに、脂肪は質と量を考えて
・食塩の多い食品や料理を控えめにしましょう。食塩摂取量の目標値は、男性で1日8g未満、女性で7g未満とされています ・動物、植物、魚由来の脂肪をバランスよくとりましょう ・栄養成分表示を見て、食品や外食を選ぶ習慣を身につけましょう
日本の食文化や地域の産物を活かし、郷土の味の継承を
・「和食」をはじめとした日本の食文化を大切にして、日々の食生活に活かしましょう ・地域の産物や旬の素材を使うとともに、行事食を取り入れながら、自然の恵みや四季の変化を楽しみましょう ・食材に関する知識や調理技術を身につけましょう ・地域や家庭で受け継がれてきた料理や作法を伝えていきましょう
食料資源を大切に、無駄や廃棄の少ない食生活を
・まだ食べられるのに廃棄されている食品ロスを減らしましょう ・調理や保存を上手にして、食べ残しのない適量を心がけましょう ・賞味期限や消費期限を考えて利用しましょう
「食」に関する理解を深め、食生活を見直してみましょう
・子供のころから、食生活を大切にしましょう ・家庭や学校、地域で、食品の安全性を含めた「食」に関する知識や理解を深め、望ましい習慣を身につけましょう ・家族や仲間と、食生活を考えたり、話し合ったりしてみましょう ・自分たちの健康目標をつくり、よりよい食生活を目指しましょう

（出典：文部省決定、厚生省決定、農林水産省決定　食生活指針（平成28年6月一部改正）より）

3 食事バランスガイド

6歳以上の子どもの食生活では、2005（平成17）年に厚生労働省と農林水産省が共同で策定した「食事バランスガイド」が指標となります。食事バランスガイドは、食事摂取基準*6による推定エネルギー必要量から対象者特性（3区分）別の料理区分における1日分の摂取の目安を示したものです。生活習慣病*7の予防を目的とした食生活指針をわかりやすく、具体的に実践するために作られています。

5つの料理グループ（主食、副菜、主菜、牛乳・乳製品、果物）とし、日常的に食べられている量を「1つ」「2つ」（“つ”はSV＝サービング*8（食事の提供量の単位））と数え、

用語解説

*6 **食事摂取基準**
厚生労働省が国民の健康の維持・増進、生活習慣病の予防を目的として、エネルギー及び各栄養素の摂取量の基準を示したものです。

*7 **生活習慣病**
毎日の生活習慣が引き起こす病気で、糖尿病・脂質異常症・高血圧・慢性腎臓病などです。

*8 **サービング**
Servingはserve（給仕する）の意味から、飲食物を出す量を表します。

全体の構成をコマの形で示して、必要量がわかりやすいのが特徴です。具体例をあげると、主食で「1つ」はご飯を茶碗小盛り1杯、または、おにぎり1つや食パン1枚などとなります。どの料理区分が不足してもコマが回らないので、各栄養素をバランスよく摂取することが大切です。コマの軸は「水・お茶」とし、体に欠かせない水分を示しています。また、コマを回すためのヒモは「菓子・嗜好飲料」として、1日200kcal以内を目安にします。

（★対象は6歳以上）

女　性	活動量低い	活動量ふつう以上	
男　性		活動量低い	活動量ふつう以上
エネルギー	1,600～2,000kcal	2,000～2,400kcal	2,400～2,800kcal
主食	4~5つ	5~7つ	7~8つ
副菜	5~6つ	5~6つ	6~7つ
主菜	3~4つ	3~5つ	4~6つ
牛乳・乳製品	2つ	2つ	2~3つ
果物	2つ	2つ	2~3つ

（出典：厚生労働省　食事バランスガイド：2010（平成22）年改定版より）

■ 食事バランスガイドにおける妊婦・授乳婦の1日の付加量

[単位：つ（SV）]	主食	副菜	主菜	牛乳・乳製品	果物
妊娠中期（16～28週）	－	+1つ	+1つ	－	+1つ
妊娠後期（28週以上）授乳期	+1つ	+1つ	+1つ	+1つ	+1つ

（出典：厚生労働省　妊産婦のための食事バランスガイドより）

妊娠初期は妊娠前と変わりありませんが、妊娠中期からは妊婦と胎児のために妊娠前の食事に付加量を加えて摂取する必要があります*9。単品ごとの量を増やすよりも食品の種類を増やした摂取を心がけてバランスを保つようにします。

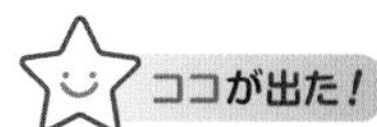

*9 **妊産婦のための食事バランスガイド**
R6年（前）
妊娠中期の1日分の付加量（SV）が出題されました。妊娠中期、妊娠後期の付加量の違いを理解しておきましょう。

*10 **妊娠前からはじめる妊産婦のための食生活指針**
R4年(前)　R5年(前)
R5年(後)
妊産婦が注意すべき食生活上の課題を明らかにし、生活全般や、からだや心の健康について配慮すべきことを示しています。2021(令和3)年3月に「妊産婦のための食生活指針」が改訂されて現在の名称になりました。

*11 **妊娠中の体重管理**
妊娠前の体格が「低体重(やせ)」や「ふつう」であり、妊娠中の体重増加量が7kg未満の場合には、低出生体重児を出産するリスクが高くなるといわれます。
非妊娠時の体格区分が「低体重」の場合の体重増加の目安は12～15kg、「ふつう」の場合は10～13kg、肥満でBMIが25～30未満は7～10kg、30以上は個別対応(上限5kgまで)です(妊娠前からはじめる妊産婦のための食生活指針)。

○ 妊娠前からはじめる妊産婦のための食生活指針[*10]

- ・妊娠前から、バランスのよい食事をしっかりとりましょう
- ・「主食」を中心に、エネルギーをしっかりと
- ・不足しがちなビタミン・ミネラルを、「副菜」でたっぷりと
- ・「主菜」を組み合わせてたんぱく質を十分に
- ・乳製品、緑黄色野菜、豆類、小魚などでカルシウムを十分に
- ・妊娠中の体重増加[*11]は、お母さんと赤ちゃんにとって望ましい量に
- ・母乳育児も、バランスのよい食生活のなかで
- ・無理なくからだを動かしましょう
- ・たばことお酒の害から赤ちゃんを守りましょう
- ・お母さんと赤ちゃんのからだと心のゆとりは、周囲のあたたかいサポートから

(出典：厚生労働省 妊娠前からはじめる妊産婦のための食生活指針より)

妊産婦の食事

妊娠期の食事量の目安として、食事バランスガイドにおける妊婦の一日の付加量を参考にすると良いでしょう。妊娠中期（16～28週）では妊娠５か月以降から胎動を感じ始め、胎児が活発に動き始めます。妊婦は、副菜・主菜・果物を一日で一皿ずつ多く摂取します。妊娠後期（28週以上）は８か月以降で胎児が平均で1,500gから3,200gに成長します。妊婦は一日で主食・副菜・主菜・牛乳、乳製品・果物全てを一日一皿ずつ多く摂取します。

子どもの食生活の現状と課題

1 朝食の欠食[*12]

厚生労働省が毎年実施している、国民健康・栄養調査では、2019（令和元）年の結果から朝食の欠食率は次の表のように示されました。

年齢	男性	女性
1～6歳	3.8%	5.4%
7～14歳	5.2%	3.4%
15～19歳	19.2%	5.9%

（出典：厚生労働省　国民健康・栄養調査（令和元年）より）

「朝食を欠食する人の割合の減少」は日本人の食生活改

善にあたっての課題の1つですが、毎年あまり変化がありません。特に中学・高校生の目標を0％としていますが、男女ともに大きく上回っており、朝食の欠食は成長期の食生活の課題であるといえます。関連して乳幼児栄養調査からは、子どもの就寝時刻が遅くなるほど欠食の割合が高率であること、親（母）の朝食習慣に欠食がある場合には子どもにおいても欠食傾向にあることが指摘されています。

2 乳幼児の食事で困っていること

乳幼児栄養調査[*13]では、保護者に「現在子どもの食事について困っていること」を聞いています。

○ 授乳について困っていること

1	母乳が足りているかどうかわからない	40.7%
2	母乳が不足気味	20.4%
3	授乳が負担、大変	20.0%

○ 離乳食

1	作るのが負担、大変	33.5%
2	もぐもぐ、かみかみが少ない（丸のみしている）	28.9%
3	食べる量が少ない	21.8%

○ 2～6歳児の食事

2～3歳未満の1位	遊び食べをする	41.8%
3～6歳児の1位	食べるのに時間がかかる	3～4歳未満32.4%、4～5歳未満37.3%、5歳以上34.6%

その他には、偏食する・むら食い・食事よりも甘い飲み物やお菓子を欲しがる等が上位

（出典：厚生労働省　2015（平成27）年　乳幼児栄養調査より）

3 乳幼児における主要食物の摂取状況での課題

乳幼児栄養調査では、次ページのデータが示されています。

＊12 **朝食の欠食**
・食事をしなかった場合
・錠剤などによる栄養素の補給、栄養ドリンクのみの場合
・菓子・果物・乳製品・嗜好飲料などの食品のみを食べた場合
を欠食としています。（厚生労働省「保育所における食事の提供ガイドライン」）

ココが出た！

＊13 **乳幼児栄養調査**
R4年(前)　R4年(後)
R5年(前)　R5年(後)
厚生労働省において6歳未満の子どもについて10年ごとに実施される調査で、本書では2015（平成27）年の調査結果を参考にしています。R2年（後）、R4年（後）では、「現在子どもの食事について困っていること」、R5年（前）では、「授乳について困っていること」、R5（後）「離乳食について困ったこと」が出題されました。出題頻度が高いので、子どもの年代別に「困っていること」を把握しておきましょう。

○ 主要食物の摂取状況

毎日2回以上摂取する		毎日1回摂取する	
穀物	97.0%	菓子（菓子パンを含む）	47.0%
お茶など甘くない飲料	84.4%	果物	27.3%
野菜	52.0%		
牛乳・乳製品	35.8%		

知っトク

*14 **むし歯が発生する原因**
歯垢の中に生息する細菌が糖分を餌に酸を生成して歯のエナメル質を溶かします。原因菌はミュータンス連鎖球菌です。

肉・卵は「週に４～６回」、魚・大豆・大豆製品は「週に１～３回」、ファストフード・インスタントラーメンやカップ麺は「週に１回未満」と回答した者の割合が最も高い結果でした。前回2005（平成17）年と比較すると、栄養バランスを考える保護者が増えてきていることがわかりますが、肉を摂取する割合に対して魚は少なく、魚は「週に１回未満」の摂取との回答が6.2％ありました。成長期の乳幼児は、毎日偏りのない栄養素の摂取を心がけましょう。

知っトク

*15 **子どものむし歯**
2022（令和4）年度学校保健統計調査結果（文部科学省発表）では、むし歯のある者の割合（処置完了者を含む）は、幼稚園（5歳）24.93%、小学校37.02%、中学校28.24%、高等学校38.30%でした。中学1年（12歳）のみの調査では永久歯の一人当たりの平均むし歯等数は0.56本で、毎年減少傾向です。

4 乳幼児のむし歯と間食に関する課題 *14 *15 *16

2015（平成27）年乳幼児栄養調査における２～６歳児の保護者による回答では、むし歯がある割合は19.2％でした。むし歯がある子どものうち、むし歯の本数は、１本が一番多く32.4％、２本は27.8％、３本は13.7％の順でした。むし歯と間食との関係を調べると、むし歯があると回答したグループの中では、「欲しがるときにあげることが多い」「甘い飲み物やお菓子に偏ってしまう」「特に気をつけていない」との回答の割合が多く、むし歯がないと回答したグループでは、「時間を決めてあげることが多い」「甘いものは少なくしている」「間食でも栄養に注意している」との回答の割合が多い結果でした。乳歯のむし歯は永久歯にも影響があります。乳歯が生えてきたら、むし歯にならないように手入れをして、間食の与え方にも注意を払いましょう。

*16 **むし歯予防と間食**
R5年（後）

5 児童生徒の食事状況の課題

2021（令和３）年に公表された「学校給食摂取基準の策定について（報告）」では、児童生徒について、以下のような課題が報告されています＊17 。

1	脂質については、過剰摂取の児童生徒が多い。
2	食塩は学校給食のある日もない日も過剰摂取であり、家庭においても食塩の使用を抑制する。
3	食物繊維が不足している児童生徒が多く、目標量の摂取を目指す。
4	カルシウム・鉄は特に不足している。他にビタミン類が不足している児童生徒が多い。

また、学校給食のない日はカルシウム不足が顕著であるので、カルシウム摂取に効果的である牛乳などの乳製品の摂取を心がけます。家庭の食事においても、積極的に牛乳・乳製品・小魚などを取り入れる工夫が大切です。

野菜類・豆類・果実類・きのこ類・藻類の摂取が少ないい傾向があるので、できる限り多くの摂取を心がけましょう。

なお、不足している栄養素の摂取は大切ですが、その際、特定の食品のみ過剰摂取することは控えましょう。

＊17 **学校給食実施基準**
R4年（後） R5年（後）
学校給食の食事内容の充実についての出題がありました。学校給食のある日とない日の栄養素摂取(特にカルシウム)の違いについては理解しておきましょう。献立作成や、栄養教諭、わが国の伝統的食文化、食物アレルギー児の対応についても内容を理解しておきましょう。

理解度チェック　一問一答

全問クリア　月　日

Q

□ ❶ 「楽しく食べる子どもに～食からはじまる健やかガイド～」（厚生労働省）の中で示されている、授乳期・離乳期にあてはまる姿は、「食べたいもの、好きなものが増える」である。 R5年（前期）

□ ❷ 「妊娠前からはじめる妊産婦のための食生活指針」では、「『主菜』を中心に、エネルギーをしっかりと」と記載されている。 予想

A

❶ × 「いろいろな食べ物を見て、触って、味わって、自分で進んで食べようとする」であるので誤り。

❷ × 主菜ではなく、主食である。

☐ ❸ 「妊娠前からはじめる妊産婦のための食生活指針」では、鉄や葉酸を多く含む食品を組み合わせて摂取に努める必要がある。 R4年（前期）

☐ ❹ 「食生活指針」では、「日本の気候・風土に適している米などの穀類を利用しましょう」と示している。 R3年（前期）

☐ ❺ 「食生活指針」の中では、「和食をはじめとした日本の食文化を大切にして、日々の食生活に活かしましょう」と示している。 R4年（後期）

☐ ❻ 「学校給食実施基準の一部改正について」（令和３年　文部科学省）では、「地域の食文化を学ぶ中で、世界の多様な食文化等の理解も含めることができるように配慮すること」と記載されている。 予想

☐ ❼ 「家族や仲間と一緒に食べる楽しさを味わう」は学童期に育てたい食べる力である。 R3年（前期）改

☐ ❽ 「楽しく食べる子どもに～食からはじまる健やかガイド～」で、発育・発達過程において配慮すべき側面に「生活の質」がある。 R3年（後期）改

☐ ❾ 「平成27年度乳幼児栄養調査結果の概要」（厚生労働省）の「子どもの間食（３食以外に食べるもの）の与え方（回答者：2～6歳児の保護者）」において、「欲しがるときにあげることが多い」と回答した保護者の割合が最も高かった。 R5年（後期）

☐ ❿ 「平成27年度乳幼児栄養調査結果の概要」（厚生労働省）では、妊娠中に「ぜひ母乳で育てたいと思った」と回答した者と「母乳が出れば母乳で育てたいと思った」と回答した者を合計すると、母乳で育てたいと思った者の割合は約6割であった。 予想

❸ ○

❹ ○

❺ ○

❻ ○

❼ × 幼児期に育てたい食べる力である。

❽ × 「心と身体の健康」「人との関わり」「食のスキル」「食の文化と環境」の4つがある。

❾ × 「欲しがるときにあげることが多い」のではなく、「時間を決めてあげることが多い」。

❿ × 約６割ではなく、９割以上が母乳で育てたいと回答している。

2 栄養に関する基本的知識

頻出度 ✿✿✿

栄養素の種類とその働きを理解して、年齢・性別・活動量などにあった必要量を理解することが大切です。栄養摂取に偏りが生じないように食生活を組み立て、子どもが健やかに成長できるように基礎的知識をしっかり身に付けましょう。

栄養の基本的概念と栄養素の種類と機能

1 五大栄養素*1

五大栄養素は、炭水化物（糖質）・脂質・たんぱく質・無機質（ミネラル）・ビタミンの５つです。分類すると、

- ・エネルギー源になる⇒炭水化物・脂質・たんぱく質
- ・生体組織を作りだす⇒脂質・たんぱく質・無機質
- ・生体機能を調節、維持する⇒たんぱく質・無機質・ビタミン

の３区分になります。

五大栄養素の摂取に大切なのが6つの基礎食品群*2 *3 です。

*1 五大栄養素
R4年（後） R5年（前）
R5年（後） R6年（前）
それぞれの栄養素の特徴について出題されました。

*2 6つの基礎食品群
R4年（前）
1群 （たんぱく質）魚・肉・卵・大豆製品
2群 （カルシウム）牛乳・乳製品・海藻・小魚
3群 （カロテン）緑黄色野菜
4群 （ビタミンC）淡色野菜・果物
5群 （糖質性エネルギー）穀類・イモ類・砂糖
6群 （脂肪性エネルギー）油脂類

○ 3大栄養素の消化の流れのイメージ（産生されるエネルギー量）

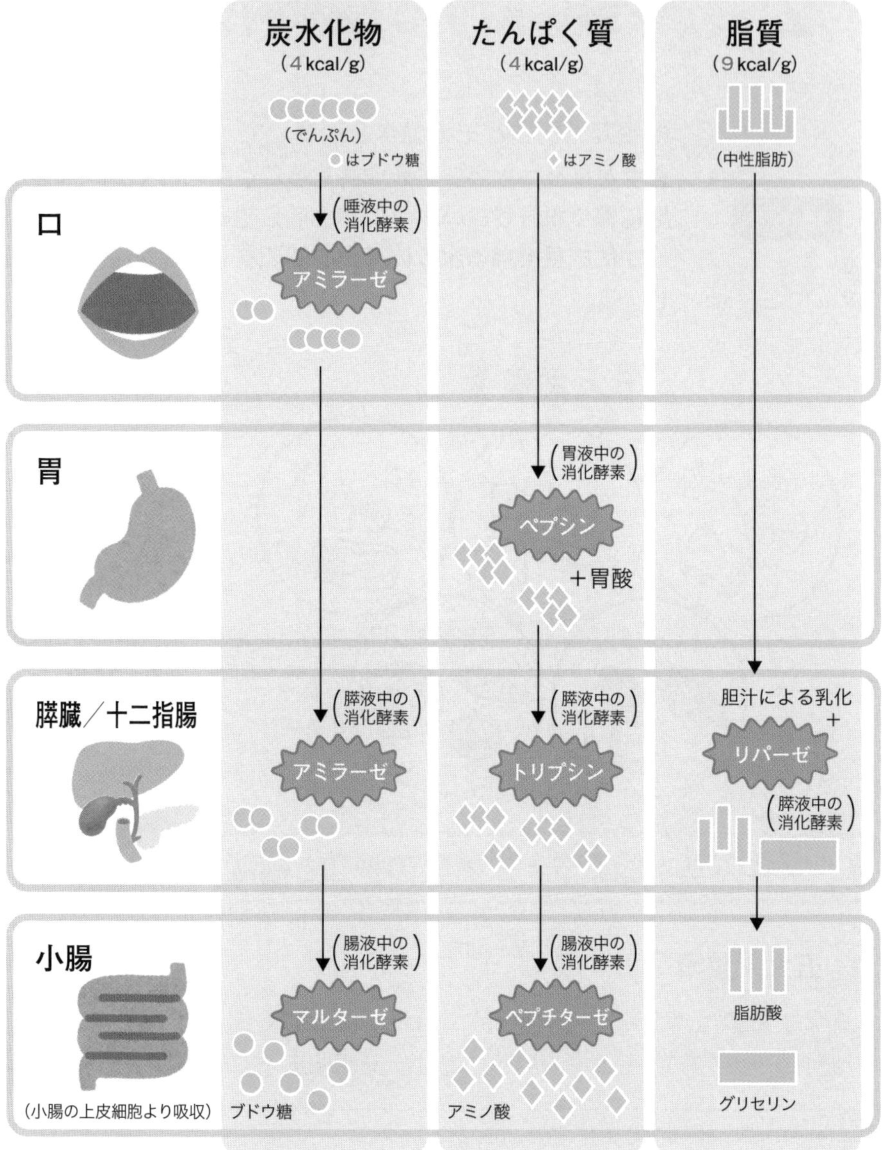

2 炭水化物[*4]

炭水化物は、体内で消化酵素[*5]の働きによってエネルギー源になる糖質と、多糖類に属するけれど消化されにくくエネルギー源にならない食物繊維に大別されます。炭素・水素・酸素から構成される化合物です。

■ 糖質の働きと種類

糖質はエネルギーとして最も重要な役割を持ち（糖質1g＝4 kcal）、全エネルギーの約60％を占めます。糖質は単糖類、少糖類、多糖類に分けられます。単糖類は糖質の最小単位、少糖類は単糖類が2～10個結合した化合物、多糖類は数百から数千の単糖が結合した高分子化合物です。単糖類、少糖類は水に溶けやすく、多糖類は水に溶けにくくほとんど甘味もありません。

単糖類	ぶどう糖		血液中にも血糖として存在して0.1％に維持されている。余剰分は肝臓や筋肉にグリコーゲンとして貯蔵される（果実）
	果糖		ショ糖としてぶどう糖との共存が多いが、糖類の中では最も甘味がある（果実・はちみつ）
	ガラクトース		ぶどう糖と結びついて乳汁中に存在する。脳や神経組織に多い糖脂質の構成成分で乳幼児の大脳発育に重要である
少糖類	二糖類	麦芽糖	ぶどう糖が二分子結合したもので唾液や膵液のアミラーゼがでんぷんに作用して生じる（水あめ・さつまいも）
		ショ糖	ぶどう糖と果糖が結合したもの（砂糖）
		乳糖	ぶどう糖とガラクトースが結合したもの（母乳・牛乳）
	オリゴ糖*6		ぶどう糖や果糖などの単糖類が数個結びついたもので、消化吸収されにくく、腸内の乳酸菌やビフィズス菌等の善玉菌のエサとなり腸内環境を正常化する働きがある
多糖類	でんぷん		ぶどう糖が多数直鎖状に結合したアミロース*7と分枝状に結合したアミロペクチン*8の2種類がある（穀類・イモ類）
	グリコーゲン		肝臓や筋肉に存在し血糖維持*9に働く。余剰なぶどう糖は肝臓でグリコーゲンとして合成され、エネルギー源として貯蔵される

※（　）は多く含む食品です。

でんぷんのアミロペクチンは水を加えて加熱すると粘ります（もち米はアミロペクチン100％）。でんぷんに水を

*3 3色食品群
R5年（前）
6つの基礎食品群を、赤、緑、黄のグループに分類したものです。赤のグループを1、2群 緑のグループを3、4群 黄のグループを5、6群と分類しています。分類だけでなく、合わせて各群の食品も理解しておきましょう。

*4 炭水化物
R5年（前）　R6年（前）
R6年（前）では、ヒトの消化酵素によって消化されやすい糖質と消化されにくい食物繊維について出題されました。

知っトク

*5 消化酵素
食べ物をすばやく溶かして分解し、腸が吸収しやすいように働きます。種類が多く、糖質・たんぱく質・脂質のそれぞれに働く酵素は異なります。前ページの図で確認しておきましょう。

用語解説

*6 オリゴ糖
胃や腸で消化されにくいため摂取エネルギーが低くなる特質を利用して、低カロリーの加工食品に使われることが多くあります。

用語解説

*7 **アミロース**
でんぷんの粒子が直鎖状に連なり米を硬くし粘り気を少なくします。

*8 **アミロペクチン**
でんぷんの粒子が枝分かれの多い構造を持つことで米の粘りを出します。

知っトク

*9 **血糖維持**
血糖値が下がってくると、肝臓でグリコーゲンが分解され血糖値を維持します。

*10 **食物繊維**
R4年（前）　R6年（前）
食物繊維が足りない場合には、便秘・痔・腸内環境悪化などが起こりやすく、摂り過ぎると下痢や鉄・カルシウム・亜鉛の吸収が妨げられます。

*11 **糖質の代謝**
R6年（前）
16ページのイラストで、消化の流れをイメージしましょう。

用語解説

*12 **小腸粘膜上皮細胞**
ここで消化の最終段階が終了し、単糖類・アミノ酸などが吸収されます。

加えて加熱すると消化されやすいαでんぷんになり（でんぷんの糊化）、水分が含まれたまま冷めるとβでんぷん（でんぷんの老化）になります。

■ 食物繊維の働き

食物繊維[*10]には水溶性と不溶性の２種類があり、体内での働きがそれぞれ異なります。

分類	働き	名称
水溶性食物繊維	熟した果物やこんにゃく、海藻などに多く、胃の中で膨らんで満腹感を得られ、食後の血糖値の上昇を抑える働きや血液中のコレステロールの上昇を抑制する働きがある	グルコマンナン・ペクチン等
不溶性食物繊維	豆類や野菜に多く、腸壁を刺激して蠕動（ぜんどう）運動を活発にし、便秘の改善に役立つ。腸内の有害物質の体外排出に働く	セルロース・リグニン・キチン等

■ 糖質の代謝[*11]

摂取された糖質は口腔内で咀嚼（そしゃく）されて唾液とよく混ざり、消化酵素の唾液アミラーゼにより分解が始まります。一部は麦芽糖（マルトース）になります。嚥下（えんげ）により食道から胃に運ばれ（胃では糖質の消化酵素は出ません）、次に十二指腸では分解しきれなかったでんぷんなども膵（すい）アミラーゼにより麦芽糖（マルトース）などに分解されます。小腸では腸液の消化酵素マルターゼの作用を受けてさらに分解されて単糖類になり小腸粘膜上皮細胞[*12]に取り込まれます（膜消化[*13]）。毛細血管を通り門脈から肝臓へ運ばれ、消化吸収されたぶどう糖はエネルギー源になり、全エネルギーの50～65％を糖質が提供します。または筋肉や肝臓でグリコーゲン（ぶどう糖が多数結合したもの）として蓄えられます。余剰分は内臓脂肪や皮下脂肪に変化して蓄積されるので過剰摂取は肥満の原因になります。

3 脂質*14

脂質は糖質と同様に炭素・水素・酸素から構成され、水には溶けない化合物です。効率のよいエネルギー源であり脂質1g＝9kcalで、エネルギーの貯蔵にも役立ちます。ほかに細胞膜、血液や脳・神経など細胞の構成成分となります。体温維持の役割や内臓を衝撃から守る働きもあります。脂溶性ビタミンA・D・E・Kは食品の脂質部分に含まれるので、脂溶性ビタミンの供給源にもなります。

○ 脂質の種類

分類	種類	生体機能
単純脂質	中性脂肪	体内に貯蔵されてエネルギー源となる
複合脂質	リン脂質 糖脂質	細胞膜などの構成成分となる リン脂質には乳化作用があり脂質の運搬に働く。糖脂質は脳や神経組織に広く分布する
誘導脂質	脂肪酸 コレステロール*15	脂肪として蓄積し分解してエネルギーを供給。ホルモンや胆汁酸の材料になる

○ 脂肪酸の種類*16

飽和脂肪酸	バター・牛脂（ヘット）・豚脂（ラード）などの動物性油脂に多く常温で固体。多用すると血液中のコレステロール濃度、中性脂肪濃度が上昇して冠動脈疾患や脳血管疾患を誘発する
一価不飽和脂肪酸	不飽和脂肪酸は植物油に多く常温で液体。一価不飽和脂肪酸は炭素の二重結合が1か所である。主にオリーブ油などに含まれるオレイン酸として摂取。血中コレステロールを低下させる作用がある
多価不飽和脂肪酸（必須脂肪酸*17）	多価不飽和脂肪酸は炭素の二重結合が2か所以上ある。さらに、炭素の二重結合の位置でn−6系とn−3系に分類される。n−6系は、ごま油などに存在するリノール酸が代表。n−3系*18は、なたね油などに存在するα−リノレン酸が代表で、エイコサペンタエン酸（EPA）とドコサヘキサエン酸（DHA）は魚油に存在する。また、体内ではα−リノレン酸により変換される

■ 脂質の代謝

食事から摂取する脂質の大部分を占める中性脂肪の消化は、十二指腸から出る胆汁の働きで乳化され、膵液の脂肪

用語解説

*13 **膜消化**
小腸の粘膜で行われる消化を膜消化といいます。

*14 **脂質の種類と生体機能**
R4年（前）　R5年（後）

用語解説

*15 **コレステロール**
肝臓に蓄えられた脂質からコレステロールが作られますが、一部は食物から摂取します。コレステロールはホルモンの材料になるなど生きるために欠かせない働きを担っていますが、増えすぎると動脈硬化の原因になります。

*16 **トランス脂肪酸**
天然で食品に含まれるものと油脂を加工精製する工程でできるものがあり、摂り過ぎた場合の健康への悪影響が注目されています。マーガリンやショートニングにも含まれます。

分解酵素リパーゼの働きを受けて分解が進み、小腸で吸収されます。一部は門脈を通り直接肝臓に運ばれますが、大半はコレステロールやリン脂質、たんぱく質と一緒にリポたんぱく質[*19]に変化してリンパ管に入った後、血液に合流して肝臓に運ばれます。肝臓では脂質の貯蔵やコレステロールの生成などに働きます（主に胆汁の成分）。血液によって身体各部へ運ばれ、エネルギーに利用されずに余剰になった脂肪酸は中性脂肪として貯蔵脂肪となります。

4 たんぱく質[*20]

たんぱく質は炭素・水素・酸素・窒素などから構成される高分子化合物です。細胞の基本成分で、筋肉・臓器の構築材料、酵素・ホルモン・免疫抗体の主成分です。血液成分中の栄養素の運搬の役割も果たします。体を構成するたんぱく質の働きの他に、糖質・脂質と同じくエネルギー源になります（たんぱく質１g＝４kcal）。

■ アミノ酸[*21]

たんぱく質を構成するアミノ酸は約20種類あり、鎖状に多数結合しています。そのうち体内で合成できず食事から摂取する必要があるものを必須アミノ酸[*22]といいます。必須アミノ酸は、イソロイシン・ロイシン・リジン・メチオニン[*23]・フェニルアラニン[*24]・トレオニン・トリプトファン・バリン・ヒスチジンの９種類のアミノ酸です。また、アルギニンは準必須アミノ酸といわれており、成長の早い乳幼児期に体内での合成が十分でなく不足しやすいアミノ酸です。

■ たんぱく質の栄養価

必須アミノ酸の理想的な量を評点パターンとし、各食品における必須アミノ酸の含有量を評点パターンと比較する方法でアミノ酸価[*25]を求めてたんぱく質の栄養価を判定します。評点パターンより少ないアミノ酸を制限アミノ酸といいます。その中で比率が最も低いアミノ酸が第一制限

*17 **必須脂肪酸**
食品から摂取が必要な必須脂肪酸が不足すると、疲れやすい・肌や粘膜が乾燥する・風邪をひきやすいなどさまざまな症状が現れます。特にn-3系脂肪酸は不足しがちです。

*18 **n-3系**
妊娠中は胎児の神経系の器官形成に役立つのでn-3系脂肪酸の摂取が必要とされています。

用語解説

*19 **リポたんぱく質**
水にも油脂にもなじむたんぱく質やリン脂質によりコレステロールや中性脂肪の周りを覆った粒子で、リンパ液や血液中において脂質を運ぶ働きをします。

*20 **たんぱく質**
たんぱく質は、炭素50～55％、水素6.9～7.3％、酸素19～24％、窒素15～16％で構成されています。

アミノ酸です。

■ たんぱく質（アミノ酸）の補足効果

アミノ酸価の低い食品を摂取した時に、その食品の制限アミノ酸を多く含む他の食品を一緒に摂取することで、たんぱく質の栄養価が高くなることをたんぱく質（アミノ酸）の補足効果といいます。具体例では、ご飯と納豆やパンと牛乳の組み合わせで、ご飯やパンに不足する必須アミノ酸のリジンを補うことができます。

■ たんぱく質の代謝

たんぱく質は、胃で胃酸とたんぱく質分解酵素ペプシンの働きで消化が始まり、ペプトンなどになります。次に、十二指腸で膵液のトリプシンなどの働きでさらに消化が進み、アミノ酸が3つ結合したトリペプチドや2つ結合したジペプチドなどになります。次に、小腸の腸液ペプチターゼの働きでアミノ酸に分解、吸収されて毛細血管に入り、門脈を通って肝臓に運ばれて貯蔵やたんぱく質の再構成、免疫物質の生成が行われます。血液で全身に運ばれ体内では合成・分解・排泄を繰り返します。

5 無機質*26

人体に存在する元素のほとんどは炭素・水素・酸素・窒素で、それ以外を無機質（ミネラル）といいます。体内に多く存在する無機質の多量元素は、カルシウム・リン・カリウム・マグネシウム・ナトリウムで、微量元素は鉄・マンガン・ヨウ素・銅・亜鉛・セレン・クロム・モリブデンです。無機質は体内で合成されないので食品から摂取しますが不足するとそれぞれ欠乏症が発生します。

○ 主な無機質の特徴

種類	生理作用	欠乏症	多く含む食品
ナトリウム	浸透圧・体液のpHの調節 過剰摂取により高血圧のリスク	食欲減退・脱力感	塩・調味料・加工食品

（つづく）

*21 アミノ酸
R4年（後）
たんぱく質を構成するアミノ酸についての問題が出題されました。

*22 必須アミノ酸
R4年（後）
必須アミノ酸は不可欠アミノ酸ともいい、それ以外のアミノ酸を可欠アミノ酸といいます。

*23 メチオニン
栄養的にはその一部を可欠アミノ酸のシスチンに置き替えることができるため、メチオニン+シスチンで含硫アミノ酸といいます。

*24 フェニルアラニン
栄養的にはその一部を可欠アミノ酸のチロシンに置き替えることができるため、フェニルアラニン+チロシンで芳香族アミノ酸といいます。

ココが出た！

*25 アミノ酸価
R4年（後）
たんぱく質の栄養価が高い食品としてはアミノ酸価100の卵や牛乳が代表です。
精白米と小麦のアミノ酸価はそれぞれ82と50で、第一制限アミノ酸はともにリジンです。

＊26 **無機質（ミネラル）**
R4年（前） R4年（後） R5年（前）
無機質は体内に約5%存在し、ミネラルともいいます。食品を焼くと無機質は灰として残るので、灰分ともいいます。さまざまな種類の無機質が出題されていますので、この表にあるものは覚えておきましょう。

＊27 **カルシウム**
カルシウムはリンとの摂取比率が1：1の時が最も吸収が良く、またマグネシウムとカルシウムは1：2〜3がよいとされています。また、牛乳にはカゼインというたんぱく質が含まれ（母乳より多い）、カルシウムの吸収率を高める働きがあります。

種類	生理作用	欠乏症	多く含む食品
カリウム	浸透圧の維持、筋肉の機能維持 神経の興奮・伝達に関与	疲れやすい、筋力低下	果実類、野菜類、イモ類、豆類、魚類、肉類
マグネシウム	骨の形成、筋肉収縮・神経系の機能維持、酵素の活性化	骨形成異常、骨粗鬆症、心疾患	種実類、魚介類、藻類、野菜、豆類
カルシウム＊27	骨と歯の形成、神経の興奮伝導、血液凝固、酵素の活性化	くる病、骨粗鬆症、骨・歯の発育不全	牛乳、小魚、海藻、大豆・大豆製品、緑黄色野菜
リン	骨と歯の形成、体液のpHの調節、糖質・脂質・たんぱく質の代謝に関与	骨折を起こしやすい、骨・歯が弱い	魚類、牛乳・乳製品、大豆、肉類
鉄	ヘモグロビンの成分として酸素の運搬、血中の酸素を筋肉に運ぶ	鉄欠乏性貧血	レバー、魚、貝、大豆、緑黄色野菜、海藻
亜鉛	たんぱく質の合成、味覚を正常に保つ	味覚障害、皮膚炎、成長障害	魚介類、肉類、藻類
ヨウ素	甲状腺ホルモンの成分、発育の促進	甲状腺機能障害	昆布、ヒジキ、青のり

6 ビタミン

微量で代謝の調節や体の発育・活動を正常に保つ働きがある有機化合物で、エネルギー源の代謝に重要な働きを持ちます。ビタミンは体内で合成されないので食品から摂取します。脂溶性ビタミンはA・D・E・K。水溶性ビタミンはB_1・B_2・B_6・B_{12}・C・ナイアシン・葉酸・パントテン酸・ビオチンです。脂溶性ビタミンは主に肝臓に蓄積するので、過剰摂取は過剰症を起こします。水溶性ビタミンは過剰摂取しても尿中に排泄されるので、毎日一定量を摂取する必要があります。しかし、ビタミンB_6・葉酸・ナイアシンなどについては多量な過剰摂取では健康障害が心配されるために日本人の食事摂取基準においては耐容上限量が示されています。摂取不足の場合はそれぞれ欠乏症が発生します。また、βカロテン（緑黄色野菜に多い）は体内でビタミンAに変換されますが、このような栄養素をプロビタミンといいます。また、特にビタミンB_1とビタミンCは調理によるビタミン損失*28 があるので注意が必要です。

○ 主なビタミンの生理作用と欠乏症*29

	種類	生理作用	欠乏症	多く含む食品
脂溶性	ビタミンA	正常な成長、発育促進、視覚機能維持、免疫機能関与	角膜乾燥症（乳幼児）、成長阻害、夜盲症*30	レバー、うなぎ、バター、チーズ、卵、緑黄色野菜
	ビタミンD	カルシウムやリンの吸収促進、骨の形成に関係	くる病*31（小児）、骨軟化症、骨粗鬆症	魚介類、卵、きのこ類
	ビタミンE	不飽和脂肪酸の酸化抑制等に関係	神経機能低下、筋無力症	ナッツ類、植物油、魚介類
	ビタミンK	血液凝固に関係するプロトロンビンの肝臓での生成に関係	血液凝固の遅れ、乳児ビタミンK欠乏性出血症	納豆、緑黄色野菜
水溶性	ビタミンB_1	消化液の分泌促進、糖質代謝に関係	脚気、食欲減退、神経障害	胚芽、豚肉、レバー、豆類
	ビタミンB_2	発育促進、糖質・アミノ酸・脂質の代謝に関係	発育障害、口角炎、口唇炎、舌炎	レバー、うなぎ、卵、納豆、乳製品
	ビタミンC	免疫機能強化、副腎皮質ホルモン・コラーゲン生成に関係、カルシウムの吸収促進	心臓血管系障害、壊血病、皮下出血	果物、野菜、イモ類
	ナイアシン	糖質・アミノ酸・脂質の代謝に関係、皮膚を健康に保つ	ペラグラ*32、皮膚炎、舌炎	レバー、魚、肉
	葉酸	胎児の神経管閉鎖障害リスク低減	貧血、口内炎など	緑黄色野菜、納豆

7 水分

体重に占める水分量の割合は、乳児ではおよそ80％、成人で60％です。水分の働きは、栄養素を溶かして消化・

***28 ビタミン損失**
ビタミンB_1やCは水溶性であるため、煮汁の中に溶出しやすく、水洗いでも損失があります。

***29 ビタミンの生理作用と欠乏症**
R4年（後） R6年（前）
さまざまなビタミンについて問われていますので、この表の内容は覚えておきましょう。夜盲症、脚気、胎児の神経管閉鎖障害のリスクなどは、出題回数も多い傾向にあります。

用語解説

***30 夜盲症**
網膜の明暗を感じる機能に障害が起こり、薄暗くなると見えにくくなります。

***31 くる病**
小児期に発症して、骨の発達障害、骨変形が起こります。

***32 ペラグラ**
手足・顔・首に起こる皮膚炎。さらに下痢・頭痛・神経障害も引き起こします。

吸収に関与すること、栄養素や老廃物の運搬や体温保持、発汗による体温調節などです。水分の調整は腎臓で行われ、腎臓機能が悪いと水分が溜まり、むくみが出ます。また、水分が不足すると脱水症になります。呼吸や皮膚からの不感蒸泄[*33]でも排泄されます。

用語解説

*33 不感蒸泄
自覚することなく気道や皮膚、粘膜から蒸発する水分のことです。常温安静時で成人1日当たり約900mlの水分が喪失されます。

食事摂取基準と献立作成・調理の基本

1 日本人の食事摂取基準[*34]

*34 日本人の食事摂取基準
R4年(後) R5年(前) R5年(後) R6年(前)
1～17歳を小児、18歳以上を成人としています。推奨量はほとんどの人(97～98%)が充足している量を指します。
乳幼児・学童期・思春期と幅広く成長期の各年齢にわたり、詳細な出題がありました。R5年(前)には、高齢者の低栄養やフレイル予防についての問題が出題されました。

国民の健康の維持・増進・生活習慣病の発症予防と、重症化予防を目的として、エネルギー及び各栄養素の摂取量の基準が厚生労働省により示されています。日本人の食事摂取基準2020年版が最新で、2024（令和6）年まで使用します。2020年版は、欠乏の回避や過剰摂取の回避とフレイル[*35]予防の観点からの設定が新たに加わりました。年齢区分は、乳児については成長に合わせて詳細な区分設定を必要とするエネルギー及びたんぱく質を3区分（0～5か月・6～8か月・9～11か月）とし、他の栄養素は2区分（0～5か月、6～11か月）で設定され、成長期は年齢区分を細かく、18歳以上は年台を大きく分けて摂取基準を示しています。1～17歳を小児、18歳以上は成人としています。高齢者は65～74歳、75歳以上の2区分です。対象は健康な個人及び健康な者を中心として構成されている集団です。各栄養素について示される摂取量は、全て各性・年齢区分における参照体位で身体活動レベルⅡ（ふつう）を想定した値です。

用語解説

*35 フレイル
加齢により心身が老い衰えた状態であるが、適切な介護・支援により生活機能の維持向上が可能な状態像です。

■ 設定指標

食事摂取基準で示されるエネルギーの指標はBMI[*36]です。栄養素の各指標は、推定平均必要量・推奨量・目安量・目標量・耐容上限量があります。

知っトク

*36 BMI
体格の指標で、体重(kg)÷(身長(m))^{2}で計算します。

○ 栄養素の指標

摂取不足の回避	
推定平均必要量	半数の人が必要量を満たす量
推奨量	ほとんどの人（97～98％）が充足している量
目安量	上記を推定できない場合の代替え指標

過剰摂取の回避	
耐容上限量	過剰摂取による健康障害の回避のための指標
生活習慣病の発症予防	
目標量*37	生活習慣病の発症予防

■ 小児の推定エネルギー必要量の算出

身体的・精神的に安静な状態で代謝される最小のエネルギー代謝量である基礎代謝量は、体重1kgあたりの基礎代謝量を示す基礎代謝基準値*38（kcal/kg体重/日）に参照体重（kg）を掛け合わせて体重(kg)で算出され、推定エネルギー必要量は基礎代謝量*39（kcal/日)×身体活動レベル（指数）*40の値に、成長期である小児（1～17歳）では、身体活動に必要なエネルギーに、成長に伴う組織増加分のエネルギー（エネルギー蓄積量）を加えます。

小児の推定エネルギー必要量（kcal/日）
＝基礎代謝量×身体活動レベル＋エネルギー蓄積量

○ 推定エネルギー必要量（kcal/日）*41

性別	男性			女性		
身体活動レベル	Ⅰ（低い）	Ⅱ（普通）	Ⅲ（高い）	Ⅰ（低い）	Ⅱ（普通）	Ⅲ（高い）
0～5（月）	—	550	—	—	500	—
6～8（月）	—	650	—	—	600	—
9～11（月）	—	700	—	—	650	—
1～2（歳）	—	950	—	—	900	—
3～5（歳）	—	1,300	—	—	1,250	—
6～7（歳）	1,350	1,550	1,750	1,250	1,450	1,650
8～9（歳）	1,600	1,850	2,100	1,500	1,700	1,900
10～11（歳）	1,950	2,250	2,500	1,850	2,100	2,350
12～14（歳）	2,300	2,600	2,900	2,150	2,400	2,700
15～17歳	2,500	2,800	3,150	2,050	2,300	2,550

常に男性の方が多い

（出典：厚生労働省　日本人の食事摂取基準　2020（令和2）年版）

知っトク

*37 **目標量**
高血圧の一次予防を積極的に進める観点から1歳以上にナトリウムの目標量が設定されています。

*38 **基礎代謝基準値**
基礎代謝基準値は、体重1kgあたりの数値であることに留意しましょう。1～2歳と3～5歳を比べると、基礎代謝量は3～5歳の方が高いですが、基礎代謝基準値は、1～2歳の方が高いです。

*39 **基礎代謝量**
基礎代謝量は早朝空腹時に快適な室内（室温など）において安静仰(ぎょう)臥(が)位(い)・覚醒状態で測定されます。

*40 **身体活動レベル（指数）**
1～17歳までは成長に伴う組織の増加を考慮しエネルギー蓄積量を追加するため、年齢により指数値が異なります。身体活動レベルⅠは低い（静的活動中心）、Ⅱは普通、Ⅲは高い（活発な活動）を表します。

ココが出た！

*41 **推定エネルギー必要量**
R4年（前）　R5年（後）
R6年（前）

知っトク

*42 **炭水化物の食事摂取基準**
炭水化物が総エネルギーに占める割合について出題されました。

ココが出た！

*43 **食物繊維の食事摂取基準**
R4年(前)
3歳以上の目標量が出題されました。

■ 炭水化物の食事摂取基準*42（総エネルギーに占める割合（%エネルギー））

1歳以上に目標量が示されており、総エネルギーに占める炭水化物の割合を50～65%エネルギーとしています。

■ 食物繊維の食事摂取基準（g/日）*43

食物繊維の摂取不足が生活習慣病の発症に関連するという報告が多いことから食物繊維の食事摂取基準は目標量が3歳以上に示されています。小児期の食習慣が成人後の循環器疾患に影響する可能性を考慮して設定されています。

性別	男性	女性
年齢等	目標量（g/日）	目標量（g/日）
3～5（歳）	8以上	8以上
6～7（歳）	10以上	10以上
8～9（歳）	11以上	11以上
10～11（歳）	13以上	13以上
12～14（歳）	17以上	17以上
15～17（歳）	19以上	18以上

15～17歳では男性が多い

（出典：厚生労働省　日本人の食事摂取基準　2020（令和2）年版）

知っトク

*44 **たんぱく質の摂取基準**
年齢だけでなく男女差についても問われます。日本人の食事摂取基準2020年版では、1～9歳まで推定平均必要量と推奨量に男女差がない設定になっています。

■ たんぱく質の摂取基準（g/日）*44

1歳以上では全エネルギー摂取量に対するたんぱく質の目標量を％エネルギーで示しています。1歳以上49歳以下は13～20％。50歳以上64歳以下は14～20％。65歳以上は15～20％で男女とも同一の％エネルギーです。

性別	男性			女性		
年齢等	推定平均必要量	推奨量	目安量	推定平均必要量	推奨量	目安量
0～5（月）	―	―	10	―	―	10
6～8（月）	―	―	15	―	―	15
9～11（月）	―	―	25	―	―	25
1～2（歳）	15	20	―	15	20	―
3～5（歳）	20	25	―	20	25	―
6～7（歳）	25	30	―	25	30	―
8～9（歳）	30	40	―	30	40	―
10～11（歳）	40	45	―	40	50	―

9歳までは男女とも同じ数値

12～14(歳)	50	60	―	45	55	―
15～17(歳)	50	65	―	45	55	―

※ たんぱく質の摂取基準の推奨量は、男性の 18 ～ 64 歳では 65 g、65 歳以上は 60g です。女性の 18 歳以上は 50 g です。

※ 乳児の目安量は、0～5か月児は母乳中のたんぱく質濃度と基準哺乳量から算定。6～11 か月児は母乳由来のたんぱく質摂取量に離乳食のたんぱく質量を加えて算定した値です。

（出典：厚生労働省　日本人の食事摂取基準　2020（令和2）年版）

■ 総脂質：総エネルギーに占める脂肪エネルギーの割合(%)

脂質の摂取基準は、総エネルギーに占める脂肪エネルギーの割合で示し、1歳未満の目安量は、0～5（月）は50%、6～11（月）は40%。1歳以上は目標量として20～30%としています。そのうち、飽和脂肪酸の割合は3～14歳が10%エネルギー以下、15～17歳が8%エネルギー以下、18歳以上が7%エネルギー以下で男女とも同一です。

■ n-6系脂肪酸とn-3系脂肪酸の食事摂取基準(g/日)

不飽和脂肪酸で必須脂肪酸であるn-6系脂肪酸とn-3系脂肪酸については、目安量が示されています。

	n-6系脂肪酸		n-3系脂肪酸	
性別	男性	女性	男性	女性
年齢等	目安量	目安量	目安量	目安量
0～5（月）	4	4	0.9	0.9
6～11(月)	4	4	0.8	0.8
1～2（歳）	4	4	0.7	0.8
3～5（歳）	6	6	1.1	1.0
6～7（歳）	8	7	1.5	1.3
8～9（歳）	8	7	1.5	1.3
10～11(歳)	10	8	1.6	1.6
12～14(歳)	11	9	1.9	1.6
15～17(歳)	13	9	2.1	1.6

（出典：厚生労働省　日本人の食事摂取基準　2020（令和2）年版）

■ カルシウムの食事摂取基準（mg/日）*45

8～11歳では、推奨量*46は女性の方が男性よりも多く、12歳以上では男性の方が女性よりも多く設定されています。

***45 カルシウムの摂取**
カルシウムは1歳未満には目安量、1歳以上には推奨量を目指すように示されています。

***46 無機質の推奨量**
無機質の中で1歳以上に推奨量が設定されている栄養素は、カルシウム・マグネシウム・鉄・亜鉛・銅・ヨウ素・セレン・モリブデンです。また、カリウムはナトリウムの尿中排泄を促す作用があることから、生活習慣病予防のため3歳以上に目標量が設定されています。

性別	男性			女性		
年齢等	推定平均必要量	推奨量	目安量	推定平均必要量	推奨量	目安量
0～5（月）	—	—	200	—	—	200
6～11(月)	—	—	250	—	—	250
1～2（歳）	350	450	—	350	400	—
3～5（歳）	500	600	—	450	550	—
6～7（歳）	500	600	—	450	550	—
8～9（歳）	550	650	—	600	750	—
10～11(歳)	600	700	—	600	750	—
12～14(歳)	850	1,000	—	700	800	—
15～17(歳)	650	800	—	550	650	—

※ 耐容上限量として男性・女性ともに 18 歳以上で 2,500mg/ 日が定められています。

（出典：厚生労働省　日本人の食事摂取基準　2020（令和2）年版）

■ 鉄の食事摂取基準（mg/日）

女性では月経の有無により、推奨量が異なります（10歳から設定されている）。

性別	男性			女性				
年齢等				月経なし		月経あり		目安量
	推定平均必要量	推奨量	目安量	推定平均必要量	推奨量	推定平均必要量	推奨量	
0～5(月)	—	—	0.5	—	—	—	—	0.5
6～11(月)	3.5	5	—	3.5	4.5	—	—	—
1～2(歳)	3	4.5	—	3	4.5			—
3～5(歳)	4	5.5	—	4	5.5			—
6～7(歳)	5	5.5	—	4.5	5.5			—
8～9(歳)	6	7	—	6	7.5	—	—	—
10～11(歳)	7	8.5	—	7	8.5	10	12	—
12～14(歳)	8	10	—	7	8.5	10	12	—
15～17(歳)	8	10	—	5.5	7	8.5	10.5	—

10歳 ～17歳では月経がある場合は女性の方が男性より多い

（出典：厚生労働省　日本人の食事摂取基準　2020（令和2）年版）

■ ナトリウムの食事摂取基準（食塩相当量 g/日）*47

ナトリウムは食塩相当量（g/日）を設定して、食生活において塩分を減らす目的で１歳以上に目標量が示されています。18歳以上の目標量は、男性7.5g未満、女性6.5g未満です。

性別	男性		女性	
年齢等	目安量	目標量	目安量	目標量
0～5（月）	0.3	—	0.3	—
6～11(月)	1.5	—	1.5	—
1～2（歳）	—	3.0未満	—	3.0未満
3～5（歳）	—	3.5未満	—	3.5未満
6～7（歳）	—	4.5未満	—	4.5未満
8～9（歳）	—	5.0未満	—	5.0未満
10～11(歳)	—	6.0未満	—	6.0未満
12～14(歳)	—	7.0未満	—	6.5未満
15～17(歳)	—	7.5未満	—	6.5未満

（出典：厚生労働省　日本人の食事摂取基準　2020（令和２）年版）

■ ビタミンの食事摂取基準

１歳以上に推定平均必要量と推奨量を設定する栄養素は、ビタミンA・B_1・B_2・B_6・B_{12}・C・ナイアシン・葉酸です。０～５か月・６～11か月においては目安量が示されています。

ビタミンD・E・Kにはすべての年齢区分に目安量が示されています。また、母乳栄養児で日光照射の少ない乳児ではビタミンD欠乏の頻度が高いので注意が必要です*48。

■ 耐容上限量が設定されている栄養素

栄養機能食品や、特定の栄養素が強化された食品の摂取は乳幼児においては成人以上に慎重な対処が必要です。また、小児において過剰摂取が心配される要素としては、サプリメントの摂取等も考えられます。耐容上限量が設定されている栄養素を次ページに示しました。摂取基準内で必要量を満たす食生活が健康維持につながります。

＊47 ナトリウムの食事摂取基準
高血圧及び慢性腎臓病の重症化予防のための食塩相当量は、男女ともに6.0g/日未満です。

＊48 日照を受ける機会が少ない乳児
ビタミンDは紫外線を浴びると皮膚で生成されます。人工乳にはビタミンDがあらかじめ添加されていますが、母乳栄養児では注意が必要です。帽子なしの着衣状態で週2時間、おむつだけをした状態で週30分の日光照射が必要といわれます。

脂溶性ビタミン	ビタミンA・ビタミンD（すべての年齢区分において） ビタミンE（1歳以上の年齢において）
水溶性ビタミン	ナイアシン・ビタミンB_6（1歳以上の年齢において） 葉酸（1歳以上の年齢において通常の食品以外に含まれる葉酸に適用）
ミネラル	カルシウム・リン・亜鉛・銅・マンガン・クロム・モリブデン（18歳以上の年齢区分において） 鉄・セレン（1歳以上の年齢において） ヨウ素（すべての年齢区分において）

（出典：厚生労働省　日本人の食事摂取基準　2020（令和2）年版）

ココが出た！

*49 **妊産婦のための食生活の注意点**
R4年（前）　R5年（後）

■ 妊産婦のための食生活の注意点*49 *50

妊娠時において鉄欠乏性貧血は多く、妊婦健診の結果で治療が行われます。鉄の吸収率*51 は動物性食品に多く含まれるヘム鉄の方が植物性食品に多く含まれる非ヘム鉄よりも高いので、赤身の肉や魚などの鉄分を含む食品の摂取に心がけます。

水溶性ビタミンの葉酸*52 は、造血作用があり不足すると貧血につながります。非妊娠時の推奨量の240μg/日よりも妊婦は+240μg/日、授乳婦は+100μg/日の付加量が必要です。

ビタミンAは上皮細胞・器官の成長や分化に関与するために妊婦にとって重要ですが、過剰摂取*53 により先天奇形が増加することが報告されているので、ビタミンAを含む栄養機能食品やサプリメントの大量摂取に注意します。

◯ 食事摂取基準における妊婦・授乳婦の主な栄養素の付加量

<table>
<tr><th></th><th>単位</th><th>妊娠初期</th><th>妊娠中期</th><th>妊娠後期</th><th>授乳期</th></tr>
<tr><td>推定エネルギー</td><td>kcal／日</td><td>50</td><td>250</td><td>450</td><td>350</td></tr>
<tr><td>たんぱく質</td><td>g／日</td><td>0</td><td>5</td><td>25</td><td>20</td></tr>
<tr><td>ビタミンA</td><td>μgRAE／日</td><td>0</td><td>0</td><td>80</td><td>450</td></tr>
<tr><td>ビタミンB_1</td><td>mg／日</td><td colspan="3">0.2</td><td>0.2</td></tr>
<tr><td>ビタミンB_2</td><td>mg／日</td><td colspan="3">0.3</td><td>0.6</td></tr>
<tr><td>ビタミンB_6</td><td>mg／日</td><td colspan="3">0.2</td><td>0.3</td></tr>
<tr><td>ビタミンB_{12}</td><td>μg／日</td><td colspan="3">0.4</td><td>0.8</td></tr>
</table>

知っトク

*50 **魚介類と水銀**
魚介類を通じた水銀摂取が胎児に影響を与える可能性があるため、「妊婦への魚介類の摂取と水銀に関する注意事項」が示されています。

*51 **鉄の吸収率**
ビタミンCは鉄の吸収を促進するので鉄を含む食品と一緒に摂取するとよいです。

*52 **葉酸**
妊娠を計画している女性、妊娠の可能性のある女性、妊娠初期の女性は胎児の神経管閉鎖障害リスク低減のため通常よりも+400μg/日の葉酸摂取が望まれます。

*53 **妊娠時の過剰摂取注意**
ビタミンAなど、サプリメントの過剰摂取を避けることについて出題されています。

	単位	妊娠初期	妊娠中期	妊娠後期	授乳期
ビタミンC	mg／日	10			45
ナイアシン	mgNE／日	0			3
葉酸	μg／日	★	240		100
マグネシウム	mg／日	40			0
鉄	mg／日	2.5	9.5		2.5
ヨウ素*54	μg／日	110			140
銅	mg／日	0.1			0.6
亜鉛	mg／日	2			4
セレン	μg／日	5			20
モリブデン	μg／日	0			3

※推定エネルギー必要量は身体活動レベルⅠ、Ⅱ、Ⅲともに付加量は同じ
※各栄養素は、推奨量の数値
妊娠初期：（～13週6日）
妊娠中期：（14週0日～27週6日）
妊娠後期：（28週0日～）
★：葉酸は、妊娠初期には付加量が設定されていないが、妊娠を計画している女性、妊娠の可能性がある女性及び妊娠初期の妊婦は、胎児の神経管閉鎖障害のリスク低減のために、通常の食品以外の食品に含まれる葉酸（狭義の葉酸）を400μg/日摂取することが望まれる。

（出典：厚生労働省　日本人の食事摂取基準　2020（令和2）年版）

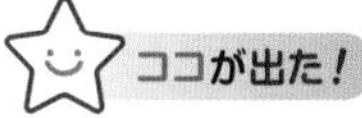

*54 **ヨウ素**
R4年（後）
甲状腺ホルモンの成分となり、海藻類に多く存在します。
R4年（後）では、授乳婦の付加量の設定について出題されました。
食事摂取基準において、妊婦・授乳婦に付加が必要となる栄養素について、把握しておきましょう。

栄養に関する基本的知識

「日本人の食事摂取基準」は、それまで用いられていた「日本人の栄養所要量」に代わって2005（平成17）年に厚生労働省が策定しました。その後5年ごとに時代を反映した栄養状況の問題点等の改善を考慮した改定が行われ、日本人の一日に必要なエネルギーや栄養素量を示した基準となっています。現在は2020年版を使用しています。エネルギーは推定エネルギー必要量を、その他の栄養素は、推奨量や目安量を目指します。

2 献立作成・調理の基本

■ 献立作成時の注意点

献立作成時に配慮することは、子ども一人ひとりの健康状態や発育状況を把握して必要な栄養素を過不足なく摂取できるように工夫することです。日本人の食事摂取基準を参考にし、成長期に欠かすことのできない栄養素を満たす

ように努力します。また、子どもが食生活に関心を持ち、自ら食材や調理に関心を示すような献立が望まれます。行事食を伝え、季節の旬の食材を味わう楽しさも取り入れたいものです。

給食には、カルシウムなどの家庭での食事で不足しやすい栄養素を補う目的もあります。特に注意が必要なのは、衛生面で問題のない食品や調理法の選択です。食中毒を避けるために、徹底した衛生管理や管理栄養士・栄養士・調理員らの連携のみならず、食品の搬入や配食の際にも注意が必要です。文部科学省では学校給食衛生管理の基準を制定して、指導を強化しています。

■ 調理の時に配慮すること

調理は、計画された献立にしたがって作業手順を効率よく進めます。食材の調達も重要で、用意した素材を活かした調理法が要求されます。食材の切り方１つで、食べやすさが異なることもあります。また硬さも調理法で調節でき、火の通し方にも、茹でる·煮る・蒸す・焼く・炒める・揚げるなど多種類の方法があるので、子どもの咀嚼能力に応じた方法を選んで美味しさと食べやすさを引き出す工夫が必要です。成長期の子どもたちが、積極的に食事を楽しむために、調理には味付けや調理法の工夫だけでなく、食材の切り方や温度、盛り付けや配膳においても配慮が大切です。

理解度チェック　一問一答

全問クリア　月　日

Q

□ ❶ ビタミンCは抗酸化作用を持ち、欠乏すると壊血病を引き起こす。 R3年(後期)

□ ❷ 「日本人の食事摂取基準2020年版」では、欠乏の回避や過剰摂取の回避と骨粗しょう症予防の観点からの設定が新たに加わった。 R5年(前期)

□ ❸ 脂質は、1gあたり約6kcalのエネルギーを産生する。 R5年(後期)

□ ❹ たんぱく質は、構成元素として炭素(C)、水素(H)、酸素(O)の他に、窒素(N)を約50%含む。 H29年(後期)

□ ❺ カリウムは浸透圧の調節に関わり、野菜類に多く含まれる。 R4年(前期)

□ ❻ 摂取した食品中のたんぱく質は小腸で最初の消化作用を受ける。 H30年(後期)

□ ❼ ビタミンKは、血液の凝固に関与する。 R6年(前期)

□ ❽ 1〜2歳の基礎代謝基準値は、3〜5歳より高い。 R2年(後期)

□ ❾ 学童期のナトリウム(食塩相当量)の目標量は、男女ともに成人(18歳以上)と同じである。 H27年

□ ❿ エネルギー源として利用されなかった糖質は、グリコーゲンや脂肪に変えて体内に蓄積される。 R3年(前期)

□ ⓫ ビタミンDは、カルシウムの吸収を促進する。 R6年(前期)

□ ⓬ マグネシウムは、骨や歯の構成成分であり、乳製品に多く含まれる。 H30年(前期)

A

❶ ○

❷ × 「骨粗しょう症予防」ではなく「フレイル予防」なので、誤り。

❸ × 脂質は1gあたり約9kcalのエネルギーを産生する。

❹ × たんぱく質は、窒素を15〜16%含む。

❺ ○

❻ × 小腸ではなく、胃の誤り。

❼ ○

❽ ○

❾ × 学童期の6〜7歳、8〜9歳、10〜11歳のそれぞれの年齢区分において、また男女において目標量は異なる。

❿ ○

⓫ ○

⓬ × マグネシウムは骨や歯を作り出す栄養素の1つだが、種実類・魚介類などに多く含まれる。なお、問題文はカルシウムの説明である。

3 子どもの発育・発達と食生活

子どもの発達は、乳児期・幼児期・学童期・思春期などそれぞれの時期に特徴があります。成人になるまでの大切な発育期に心身を健康に成長させるためには、発達過程をしっかり理解して適切な食生活を送ることが必要です。

頻出度

乳児期の授乳・離乳の意義と食生活

胎児期・乳児期の栄養摂取は子どもが成人してからの健康状態にも影響を及ぼすとされるほど大切です。特に授乳期を経て離乳期に入ると、自ら食べる力を身に付けて健康な身体の基礎を作る重要な時期となります。

1 乳児期の発育

新生児には原始反射*1 があり、哺乳反射もその１つです。母親の乳首をくわえて強く吸い込む反射で、母乳を飲み込む能力が生まれた時から備わっています。生後４～５か月未満で乳児の90％以上は首がすわり、次に手の動きが発達して物をつかめるようになります。そして、足の力が発

知っトク

*1 **原始反射**
哺乳反射の他にも複数あります。モロー反射とはビックリした時に両手を広げて何かに抱きつくような動きをいい、手のひらに何かが触れると握り締める反射は手掌把握反射といいます。

達してはいはいや、つかまり立ちを経て生後１年３～４か月未満の幼児の90％以上がひとり歩きが可能になります。一般的に体重に関しては、出生後一時的に出生体重の５～10％が生理的体重減少*2 を起こしますが生後２～４日ほどで回復し、その後、新生児の体重は毎日25 ～ 30ｇ増えるようになります。

■ 乳児における参照体位

出生時*3 は平均身長約50cm、平均体重約３kgですが、乳児期の成長の速度は速く、体重は生後２～３か月で出生時の２倍、生後１年で約３倍になります。身長は生後３か月で10cm伸び、１年で出生時の1.5倍の約75cmになります。乳児の参照体位を下の表で示しました。成長量は身長・体重ともに月齢が早い時期の方が大きく、少しずつ緩やかになることがわかります。しかし、成長の速度は個体差が大きいことを十分理解することが必要です。

性別	男児		女児	
年齢	参照身長（cm）	参照体重（kg）	参照身長（cm）	参照体重（kg）
０～５（月）	61.5	6.3	60.1	5.9
６～８（月）	69.8	8.4	68.3	7.8
９～11（月）	73.2	9.1	71.9	8.4

（出典：厚生労働省　日本人の食事摂取基準　2020（令和２）年版）

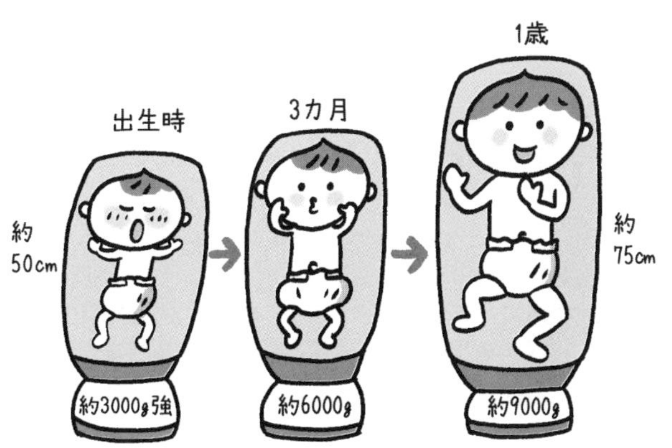

*2 **生理的体重減少**
新生児が胎便や尿を排泄し、また母子ともに哺乳が上手に十分に行えない期間であることが原因です。

*3 **出生時の脳重量**
脳の重さはおよそ350gあり、7～8か月で2倍になります。

*4 **カウプ指数**
生後3か月からの乳幼児に用います。

*5 **パーセンタイル値**
計測値の全体を100%とした時、小さい方から数えて何パーセントかを示す値。3パーセンタイルは100人中小さい方から3番目、50パーセンタイルは中央の値になります。

*6 **食物アレルギー**
第6節「特別な配慮を要する子どもの食と栄養」の「食物アレルギーのある子どもへの対応」を参照。

成長の目安としてカウプ指数*4 または身体発育曲線を参考にします。身体発育曲線とは、身長・体重等の身体発育値（3、10、25、50、75、90及び97パーセンタイル値*5）をグラフ化したものです。厚生労働省が、乳幼児の発育と栄養状態を評価するため、全国的に乳幼児を乳児と１～６歳児に分けて身長・体重・頭囲・胸囲の発育状態を調査し、身体発育値と身体発育曲線を公表しています（詳細は上巻「子どもの保健」を参照）。母子健康手帳には帯の中に94%の子どもの値が入るグラフが示されています。

■ 子どもの食べる機能・消化吸収機能の発達

乳児は、指をしゃぶったり、おもちゃを口に入れたりして遊びます。これらは食べる・話すなどの口の発達をうながすための大切な発達行動です。また、母乳には、脂肪・糖質･たんぱく質などの栄養素が豊富に含まれていますが、乳児の未熟な消化吸収機能に負担をかけないような成分になっています。離乳食が始まった乳幼児には、濃い味付けを避けて薄味で塩分摂取を控えるように気を配ります。腎機能が不十分なために血液中のナトリウム濃度が上昇すると腎臓に負担がかかり､発熱や脱水の原因になります。また､生魚なども避けて、寄生虫や細菌感染、食物アレルギー*6 を引き起こさないように注意します。

胎便	生後2日位までに出る黒褐色の便。無臭でねばりがある
母乳栄養児の便	卵黄色で水分が多く、ねっとりしていて無臭または弱酸性臭がある。緑色の場合もある。便中にはビフィズス菌が含まれる
人工栄養児の便	母乳栄養児の便よりも水分は少なめである場合が多い
乳児の胃の形態	徳利状に近い形態。この形態であることが乳児に溢乳（いつにゅう）（食道を逆流して口からタラーと出る）･吐乳が多いことの原因の1つである。他に嚥下反射が未発達、噴門*7（胃入口）･幽門*8（十二指腸への出口）の機能が不完全であることも溢乳･吐乳の原因である。哺乳時には､空気も一緒に吸い込んでいるので､授乳後にしっかり抱いて「げっぷ」をさせるとよい

*7 **噴門**
胃の入り口で食道とつながる部位であって、胃からの逆流を防ぐ働きがあります。

*8 **幽門**
胃の出口で十二指腸への食物の通過を調節する働きがあります。

乳児の排尿・排便	乳児期前半は1日20回以上排尿をする。1歳半〜2歳頃に、本人の意思で排尿・排便ができるようになる子どももいる。母乳栄養児の方が排便回数が多い
生後5〜6か月の頃	大脳の発達に伴い哺乳反射が次第に消失していくと自分の意思で動かすことができる随意動作が行えるようになり離乳開始期となる
生後6〜7か月の頃	乳中切歯*9（前歯）が生え始める乳児もいるが咀嚼はまだできない。唇を閉じることができる
生後7〜9か月の頃	7か月頃には舌が上下に動かせるようになり、9か月頃には、舌を左右に動かせるようになる。手づかみで物を食べるようになる
乳幼児の消化器官	乳児期の腎臓*10 は未熟なため、腎臓に負担をかけないように育児用ミルクのたんぱく質・無機質は母乳レベルに調節配合している。膵臓からのインスリンの分泌（糖質代謝）は生後まもなく開始される。また乳汁中の乳糖を分解するラクターゼは、胎児期から活性があり、満期出生時にはその活性は高いレベルに達しているとされる

■ **乳児期の感覚機能の発達**

新生児は明るい方を見たり、近くの物を目で追ったりすることができます。生後3か月頃には人の顔をよく見るようになり、4～5か月頃には大人と同じように見る力ができてきます。また、声のする方に顔を向けたり、話しかけられると喜びます。音に対しては胎児の25週頃には体内で母親の声を認識しているといわれます。味覚も新生児からすでに発達していて甘味を好みます。嗅覚もすでに発達していて、母乳の匂いのする方に口を持っていこうとします。触覚もしっかりしていて温かさや柔らかさに敏感で、抱かれることを好むのは安心感を得られるからです。

2 乳汁栄養（母乳*11 栄養・人工栄養・混合栄養）

■ **初乳*12**

生後1週間位までの乳のことを初乳といいます。黄白色で粘りがあります。たんぱく質・無機質を多く含み、乳糖が少なくて胎便をうながす作用があります。また、感染防御因子（免疫グロブリンやラクトフェリンなど）を含みます。

用語解説

*9 **乳中切歯**
前中央の2本の歯です。（上下とも）最初に生える歯である場合が多いです。

知っトク

*10 **乳児期の腎臓**
未熟なために、負担を掛けないように育児用ミルクではたんぱく質・無機質を母乳と同じような成分に調整しています。

*11 **母乳**
母乳育児を成功させるために、母乳を母親が分娩後30分以内に飲ませられるように援助することとしています。また、食品成分表では人乳の約90%は水分です。

*12 **初乳**
R5年（後）
母乳・特に初乳の利点について理解しておきましょう。

■ 成熟乳

水分88％、固形分12％（栄養素をすべて適正な量で含みます）。初乳に比べ、たんぱく質が少なく、乳糖が多く、淡黄白色、芳香、甘味があります。また、乳児の腸内に乳酸菌[*13]の繁殖をうながす働きがあります。

■ 授乳回数

新生児は１日７～10回、生後１か月では３時間おきに１日６～７回。夜間の授乳は次第になくなります。１回10～15分位がよく、授乳時間が長い場合は母乳不足の疑いがあります。基本的には自律授乳方式で乳児の要求に応じ、ほしがるだけ与えます。乳児は乳と一緒に空気を飲み込むので軽く背中をたたき、排気をさせて吐乳を防ぎます。

■ 母乳（育児）の利点[*14]

母乳による育児には、次のような利点があります。

1	乳児に最適な成分組成で代謝負担が少ない
2	感染防御因子を含み感染症の発症および重症度の低下
3	小児期の肥満やのちの2型糖尿病の発症リスクの低下
4	産後の母体の回復の促進
5	母子関係の良好な形成

（厚生労働省「授乳・離乳の支援ガイド」2019.3 改訂版より筆者作成）

■ 乳児期の哺乳量[*15]

乳児期の哺乳量を下の表に示します。

0～5か月	6～8か月	9～11か月
780ml/日	600ml/日	450ml/日

（出典：厚生労働省　日本人の食事摂取基準 2020 年版）

■ 授乳の支援

授乳は、子どもの「飲みたい要求」に対し、その「要求に応えて与える」という両者の関わりが促進されることによって安定して進行していきます。その過程で生じる不安等に対し、母親等が安心して授乳できるように支援を行うことは意義があります。医師・助産師・保健師等のアドバ

*13 **乳酸菌**
乳児の腸内は乳酸菌のような善玉菌が占めています。蠕動（ぜんどう）運動を活発にして便秘を解消します。

*14 **母乳（育児）の利点**
R5年（後）
感染抑制作用、母体の回復に役立つ、代謝負担が少ないといった母乳の利点について出題されました。
授乳時の利点だけでなく、成長したのちにつながる利点まで理解しておきましょう。
また母乳栄養児は人工栄養児に比べ、乳幼児突然死症候群の発症率も低いとされています。

*15 **乳児期の哺乳量**
乳児は推定平均必要量や推奨量を決定するための実験ができないので、食事摂取基準は目安量を算定しています。また、5か月までの乳児の栄養は、100%乳汁に依存します。

イスだけでなく、家族を含めた周りの支援者の力添えは育児を支えます。

授乳の支援に当たっては、母乳や育児用ミルクといった授乳の種類にかかわらず、母子の健康の維持とともに健やかな母子・親子関係の形成を促して育児に自信を持てるように支援することが基本になります。

■ 授乳の終わり

1～1歳半頃には離乳食が主体となります。自然に子どもが乳をほしがらなくなるのが理想です。

■ 冷凍母乳の解凍

自然解凍または流水解凍後に哺乳瓶を湯せんで温めます。母乳中の免疫物質を破壊しないようにするためです。

■ 新生児黄疸と母乳

一般に新生児黄疸は生後1週間～10日で消えますが、母乳栄養児の場合に軽い黄疸が長引くことがあります（1～2か月）。黄疸が重い場合は母乳を中止します。母乳の中にヘモグロビンが代謝されてできるビリルビン*16 の排泄を阻害する因子があるからです。

■ 乳児ビタミンK欠乏性出血症*17

ビタミンKの不足により起こる病気に、出生後数日では新生児メレナ（消化管出血）や約1か月後では特発性乳児ビタミンK欠乏症（頭蓋内出血）が知られています。母乳栄養児は腸内のビフィズス菌が多いためにビタミンKが産生されにくくなっています。また、ビタミンKは胎盤を通過しにくく、新生児においてはビタミンKの貯蔵が少ないまま出生することも原因となります。母親がビタミンKを含む食品の摂取を心がけることが大切です（納豆･小松菜･春菊・ほうれん草など）。

■ アルコールと授乳

母親が摂取したアルコールは母乳中に分泌されるのでアルコール摂取はできるだけ控えた方がよいです。

用語解説

*16 **ビリルビン**
血液に含まれる黄色の色素です。赤血球の中のヘモグロビンから作られます。ビリルビンの量が過剰になると黄疸となります。

*17 **乳児ビタミンK欠乏性出血症**
現在は、1か月検診などで新生児にビタミンKを経口投与するのが一般的で発生はほとんどなくなっています。

■ 喫煙と授乳

母親の喫煙により、ニコチンが母乳に移行して、母乳分泌に影響を与えます。また、乳児のそばでの喫煙は「乳幼児突然死症候群（SIDS）」のリスクを高めることが知られているので気を付けます。

■ 母親の薬剤服用

母親の服用した薬剤の多くが母乳に分泌されます。特に長期間の服用が続く場合は医師に相談する必要があります。

■ 混合栄養*18

母乳と育児用ミルクを併用する場合をいいます。母乳不足や母親の就労などで育児用ミルクで補う必要があれば混合栄養にします。なるべく母乳を与えるよう心がけます。

■ 育児用ミルク

母乳の成分にできるだけ近づけてあり、乳幼児に必要な鉄分を強化しています。育児用ミルクは、日本人の母乳組成や各栄養素の吸収率を考慮して研究されているので、特定の栄養素に欠乏が起こることはないと考えられます。各月齢とも同一濃度で用います。授乳時間は、１回10～15分で終わるように哺乳瓶の乳首を選択します。自律授乳で乳児がほしがるだけ与えますが、飲み残しや２時間以上経ったミルクは処分します。

■ 調乳の方法*19

無菌操作法は、哺乳瓶や哺乳瓶の乳首などを鍋で煮沸消毒してから調合する方法で、家庭などで一般的に行われます。終末殺菌法は、１日分または何回分かをまとめて調乳する方法で、哺乳瓶に調合した乳を入れて鍋に入れ、沸騰させ、煮沸した後、冷水で冷やして冷蔵庫に保存します。授乳時に適温に温めて、保育所などで使う方法です。

乳児用液体ミルク*20は、調乳の手間がないため、すぐに使用でき、常温でも保存可能です。

＊18 混合栄養
できれば先に母乳を吸わせて、足りない分をミルクにします。ミルクの方が飲みやすい場合もありますが、分量などは個体差があります。

＊19 粉ミルクの調乳方法
R4年（後） R5年（前） R6年（前）
サカザキ菌の感染リスク低減のため、湯は70℃以上に保ったものを使用し、粉ミルクを加えて混ぜた後、冷まして用います。調乳温度や、調乳後に使用しなかったミルクについての問題が出題されました。

＊20 液体ミルク
R5年（後）
水がない時やお湯が用意できない時など災害時にも役立ちます。常温保存可能。メーカーにより保存期間は異なります。

■ フォローアップミルク*21

1歳頃に、育児用ミルクを牛乳に切り替える時期に、離乳用・幼児期用ミルクとして用います。たんぱく質・鉄・ビタミンなどを補います。使用は早くても9か月以降です。

■ ペプチドミルク*22

乳児の未熟な腸管機能を考慮して牛乳のたんぱく質を消化吸収しやすいように小さく分解し（ペプチド）、アレルゲンの濃度を下げてアレルギー性を低くしたミルクです。アレルギーを発症している乳児用のミルク*23 ではありません。

■ ミルク嫌い

生後2、3か月頃に知恵が付いてくると食欲に変化が生じ、ミルクをあまり飲まなくなることがあります。乳汁の違いや哺乳瓶の乳首の変化にも敏感になってきます。無理強いしない方がよいといえます。

3 離乳の意義と離乳食

■ 離乳の意義と時期

生後5～6か月までは、乳汁だけで健康で正常な発育ができますが、その後は乳だけでは栄養が満たされません。乳児自身も乳以外の食物に関心を示し始めます。離乳食は乳児の消化機能を高め、咀嚼機能の発達（乳歯の生える時期や舌の動き、顎（あご）の発達とも関係）や嗅覚・味覚の発達もうながします。食事の時間を決めて、生活リズムを作ることも大切です。また、離乳開始時期は哺乳反射が消え始める時期である5～6か月頃が適当です。この頃は首のすわりもしっかりし、支えると座ることができ、スプーン等を口に入れても舌で押し出すことが少なくなります。はじめは食物を飲み込みやすいように姿勢を少し後ろに傾けるように支援します。離乳時期は生後12～18か月で完了するとよいとされています。

*21 **フォローアップミルク**
R4年(前)
たんぱく質や無機質（カルシウム・ナトリウム・カリウムなど）を多く含むので早くから与えると、乳児の腎臓には負担になります。
なお、さまざまなミルクの種類について、よく出題されていますので、それぞれの特徴をしっかりと覚えましょう。

*22 **ペプチドミルク**
たんぱく質を分解しているがアレルゲンを完全に除去していないので牛乳アレルギーの子どもには使用できません。

*23 **アレルギー用調製粉乳**
牛乳アレルギーがある場合には医師に相談して治療用ミルクを使用する必要があります。
R1年(後)では、アレルゲンとなるたんぱく質を含まないアミノ酸混合乳について出題されました。

*24 **離乳食**
R5年(前)　R6年(前)
離乳食にベビーフードを利用するときは、以下の点に留意しましょう。
- 子どもの月齢や固さのあったものを選び、与える前には一口食べて確認を
- 離乳食を手作りする際の参考に
- 用途に合わせて上手に選択を
- 料理名や原材料が偏らないように
- 開封後の保存には注意して、食べ残しや作りおきは与えない

また、はちみつに関する出題もたびたびみられます。

*25 **生歯が始まる**
兆候としてよだれが出たり、歯茎が腫れたりすることもあり、早ければ3か月頃から出始める乳児もいます。

*26 **離乳食の味つけ**
離乳を開始する頃は調味料は必要ない。

■ 離乳食を作る時の注意

離乳食*24 は水分含量が多く薄味です。すりつぶす、きざむなどの調理法により、細菌汚染を受けやすいので衛生管理に注意を払います。乳児の摂食機能の発育に合った与え方が大切です。また、はちみつの中には微生物のボツリヌス菌が混入している場合があります。消化管の未熟な１歳未満の幼児には、はちみつを与えないように注意します。

■ 離乳食の進め方の目安（授乳・離乳の支援ガイドから）

離乳食の開始は、食物アレルギーの心配の少ないおかゆから始め、新しい食品を始める時には、一さじずつ与えて様子を観察しながら徐々に増やすようにします。離乳食を始めて１日１回食、２回食の時期は、食事の後に母乳または育児用ミルクで不足分を補います。そろそろ生歯（せいし）が始まり*25（歯が生え始める）、哺乳瓶を自分で持って飲める子どもが増えてきます。３回食の頃は、離乳食の後に母乳は子どもがほしがるだけ与えます。育児用ミルクの場合は１日２回程度与えます。この頃はスプーンに興味を示したり、食べ物を手づかみで食べようとしますが、これは食べる意欲の表れであり、自分で食べる力を養う時期ですから食べ物を口に運び、食べる楽しさを体験することができるように応援します。生後９か月以降では、鉄分が不足しやすいので、赤身の魚・肉・レバー等も取り入れます。育児用ミルクを調理に用いるのも効果的です。味は薄味を心がけて、食べられる食品を増やしていきます*26 。

○ 食べ方の目安

離乳初期（生後5、6か月頃）	離乳中期（7、8か月頃）	離乳後期（9～11か月頃）	離乳完了期（12～18か月頃）
・子どもの様子を見ながら1日1回1さじずつ始める ・母乳やミルクは飲みたいだけ与える	・1日2回食で、食事のリズムをつけていく ・いろいろな味や舌触りを楽しめるように食品の種類を増やしていく	・食事のリズムを大切に、1日3回食に進めていく ・共食を通じて食の楽しい体験を積み重ねる	・1日3回の食事のリズムを整える ・手づかみ食べにより自分で食べる楽しみを増やす

（※こちらに示す事項は、あくまでも目安であり、子どもの食欲や成長発達に応じて調節する）
（出典：厚生労働省「授乳・離乳の支援ガイド」2019.3 改訂版*27）

○ 食事の目安[*28]

		離乳初期（生後5、6か月頃）	離乳中期（7、8か月頃）[*29]	離乳後期（9～11か月頃）	離乳完了期（12～18か月頃）
調理形態		なめらかにすりつぶした状態	舌でつぶせる固さ	歯ぐきでつぶせる固さ	歯ぐきで噛める固さ
1回当たりの目安量	穀類	つぶしがゆから始める。すりつぶした野菜なども試してみる。慣れてきたら、つぶした豆腐・白身魚・卵黄等を試してみる	全粥50～80g	全粥90～軟飯80g	軟飯90～ご飯80g
	野菜・果物		20～30g	30～40g	40～50g
	魚[*30]		10～15g	15g	15～20g
	または肉		10～15g	15g	15～20g
	または豆腐		30～40g	45g	50～55g
	または卵		卵黄1個～全卵1/3個	全卵1/2個	全卵1/2～2/3個
	または乳製品		50～70g	80g	100g
摂取機能の目安		口を閉じて取り込みや飲み込みが出来るようになる	舌と上あごで潰していくことが出来るようになる	歯ぐきで潰すことが出来るようになる	歯を使うようになる

（出典：厚生労働省「授乳・離乳の支援ガイド」2019.3 改訂版）

時短&レシピの幅が広がるベビーフードの活用

乳児期の子育ては時間との戦いでもあります。5～6か月頃から離乳食が始まるとさらに忙しい日々が始まります。そんな時、ベビーフードを活用した時短の工夫をお勧めします。ドライタイプや調理完成品の瓶詰め・レトルトなどの種類があります。冷凍食品で出ている野菜ペーストはほうれん草や人参などの緑黄色野菜をペースト状にして一回分ずつ小分けしてあるので解凍して使います。お粥やスープに混ぜるなど、メニューの幅を広げる効果もあります。

𝄞♪ 幼児期の心身の発達と食生活

乳児は1歳で身長約75cm、体重約9kg（出生時の約3倍）に成長します。満1歳を過ぎると幼児と呼ばれるようになり、4歳で身長約100cm、体重約15kg（出生時の約5倍）になります。走る・跳ぶなどの運動機能が次々に発達します。言葉の発達も著しく、1歳半から2歳の頃に急激に話せる言葉が増え、大人とコミュニケーションが取れるよう

*27 **授乳・離乳の支援ガイド**
R4年（前）　R6年（前）
ほぼ毎年出題されており、授乳に関する支援や離乳の進め方についての理解は必須です。一度、自分で目を通しておくとよいでしょう。

*28 **食事の目安**
授乳・離乳の支援ガイドでは、1歳くらいになったら主食・副菜・主菜を大人の2分の1弱、果物を2分の1程度あげると量もバランスも整うとしています。

*29 **7、8か月の支援のポイント**
平らなスプーンを下くちびるにのせ、上くちびるが閉じるのを待ちます。

*30 **離乳食の魚**
魚は白身魚から始め、赤身魚、青皮魚へと進めます。

になります。遊びも積み木などを使った一人遊びから、2歳頃には友達をほしがり、おままごとやお店屋さんごっこのように複数で一緒に遊ぶことができるようになります。

このような精神的・身体的成長の著しい幼児期は、行動範囲が急激に拡大するために、エネルギー消費量が増すことになります。成長に必要な栄養素の摂取にも十分に気を配ることが大切になってきます。

◯ 幼児期の身長と体重（平均値）

年齢	身長（cm）		体重（kg）	
	男	女	男	女
2歳0～6か月未満	86.7	85.4	12.03	11.39
2歳6～12か月未満	91.2	89.9	13.10	12.50
3歳0～6か月未満	95.1	93.9	14.10	13.59
3歳6～12か月未満	98.7	97.5	15.06	14.64
4歳0～6か月未満	102.0	100.9	15.99	15.65
4歳6～12か月未満	105.1	104.1	16.92	16.65
5歳0～6か月未満	108.2	107.3	17.88	17.64
5歳6～12か月未満	111.4	110.5	18.92	18.64

（出典：厚生労働省「平成22年乳幼児身体発育調査*31 報告書（概要）」）

用語解説

*31 **乳幼児身体発育調査**
厚生労働省が10年ごとに実施しています。母子健康手帳に掲載されるデータとなります。2024（令和6）年10月に新しい調査結果の公表が予定されていますので、従来の傾向から変更がないか確認しておきましょう。

幼児期の体格は乳児期と同様、カウプ指数または身体発育曲線を参考に発育状態を観察していきます。

■ 幼児期の食生活*32 の特徴

幼児期前半では、自分が手にとった食物を、その大きさに応じて前歯で噛みとり、固さに応じて生えている奥歯で咀嚼（そしゃく）するという一連の食べる動きの練習を繰り返して食べ方を習得していく時期です。そして、スプーンやフォークを握るようになると、その持ち方は、手のひら握り、指握り、鉛筆持ちへと発達していきます。

知っトク

*32 **幼児期の食生活**
幼児の偏食・間食や、スプーンやフォークの握り方の変化などについて出題されています。手指機能が発達し、指先に力を入れられるようになったら、お箸の練習を始めていきます。

◯ 食べ方の発達の目安

1歳～1歳半	スプーンを握って持ち、口に運ぶ 手づかみ食べが始まる コップを持って飲むことができるようになる

1歳半～2歳	スプーンとフォークを使い、一人で食べようとする フォークは食べ物に突き刺して口に運ぶ 茶碗を持って食べることもできるようになる
2歳～2歳半	スプーンやフォークを自由に使えるようになる
3歳	箸を握ってすくうように食べるようになる
4歳	箸を使える幼児も出てくるが個人差が大きい
5歳	ほとんどの幼児が箸を使える 食事の手伝いやマナーが守れるようになる

■ **幼児期の咀嚼**

幼児は離乳が完了しても固形物をすぐに噛めるわけではありません。２歳半～３歳頃までに乳歯が生え揃い、乳歯は上下10本ずつ合計20本となります。乳臼歯(にゅうきゅうし)*33 で噛み砕くことができるようになると咀嚼機能が獲得されます。３歳頃までは、さまざまな食品を体験して、食物にあった噛み方を習得していく咀嚼の発達過程にあります。また、咀嚼で顎の発達をうながし、消化機能を発達させる効果があります。しかし、まだ咀嚼や消化機能が不十分なために下痢もよく起こします。細菌に対する抵抗力も弱いなど未成熟であることを理解する必要があります。

幼児期の食体験は３歳頃までにできるだけ多くの食材をできるだけ素材そのままの味で食べることが大切です。食べる意欲を大切にして、食の体験を広げていくように努めます。４歳頃には家族以外の友達と食事ができるようになります。永久歯に生え変わり始めるのは6歳前後からが多いです。

*33 **乳臼歯**
R6年（前）
1歳～1歳6か月頃に初めて出る奥歯が第一乳臼歯です。2歳5～6か月頃に第二乳臼歯が出ます。
20本の乳歯が生え揃う時期が出題されました。

■ **間食の意義と課題**

幼児は体の大きさに対してエネルギーや栄養素の必要量が多いですが、胃袋が小さく、消化機能は未熟です。不足分を間食で補う必要があります。間食は幼児にとって楽しみな時間であり、食に対する興味関心を高め、精神的安定感や社会性を育む働きがあります。量と時間を決めて肥満・むし歯を予防することも大切です。

間食*34 は１日のエネルギーの10 ～ 20％に留めるようにします。１～２歳は午前と午後の２回、３～５歳は午後

*34 **間食**
R4年（前）
間食の量や回数、必要性についてなどが出題されています。

用語解説

*35 **人工甘味料**
食品衛生法で使用が認められているものですが、加工品には多く含まれるので摂り過ぎに気を付けます。

*36 **着色料**
食品が美味しそうに見えるように、着色料を使用している食品が多いので、原材料表示を確認して食品添加物の少ない物を選ぶようにします。

知っトク

*37 **リン**
リンは食品添加物として加工食品に多く含まれています。リンの摂取が多いと、カルシウムの体内での吸収が低下します。

１回程度とし、幼児期に食品の自然な美味しさを知って味覚を育てることが望まれます。また、市販品を用いる場合は、糖分・塩分・脂肪・人工甘味料*35 や着色料*36 などの添加物の多い食品を避けるようにします。

■ 幼児期の栄養上の問題と健康への対応

１～２歳では「遊び食べ」が多く３歳頃になると減少しますが、３歳以上では偏食が多くなります。幼児期は、自制心に乏しく、食欲不振、過食、偏食などに陥りやすい時期であることも考慮する必要があります。十分活動（遊ぶなど）して空腹感を感じ、食事に集中できる環境づくりが大切です。

幼児の体重１kg当たりのエネルギー・たんぱく質・鉄・カルシウムにおける食事摂取基準は成人の２～３倍となります。成長期の幼児にとって特に重要な栄養素は、骨や筋肉を作り出すために必要なたんぱく質、カルシウム、リン*37、ビタミンDなどです。カルシウム・鉄に関しては、摂取量が不足する傾向にあります。また、穀類の摂取が減少して、肉類を中心とした動物性食品の摂取が増加傾向にあります。動物性脂肪の摂取が多いために飽和脂肪酸量が増加しないように注意しなければなりません。塩分摂取量も目標量を超える傾向にあるので注意が必要です（目標量は１～２歳3.0g未満、３～５歳3.5g未満）。

また、幼児期の肥満は成長期であるため極端な食事制限を行わない方がよいです。

𝄞♪ 学童期の心身の発達と食生活

小学校６年間の学童期は、乳児期に次いで成長の著しい時期です。思考能力が発達し、物事をじっくり考える力や記憶力、判断力なども備わって、集団行動ができるようになり、社会性も身に付くようになります。小学校高学年になると第二発育急進期に入り、この時期は思春期と呼ばれます。個人差が非常に大きく、第二発育急進期は平均的には女子の方が早く出現する傾向にあり、男子は２～３年遅く出現する傾向があります。

■ 学童期の体格の全国平均値

年齢	身長（cm）				体重（kg）			
	平均		標準偏差		平均		標準偏差	
	男	女	男	女	男	女	男	女
6歳	117.5	116.7	4.99	4.97	22.0	21.5	3.69	3.46
7歳	123.5	122.6	5.29	5.28	24.9	24.3	4.65	4.25
8歳	129.1	128.5	5.54	5.69	28.4	27.4	5.80	5.20
9歳	134.5	134.8	5.79	6.44	32.0	31.1	6.96	6.36
10歳	140.1	141.5	6.35	6.84	35.9	35.4	8.16	7.40
11歳	146.6	148.0	7.29	6.52	40.4	40.3	9.28	7.86

（出典：文部科学省統計情報　学校保健統計調査 2020（令和２）年度全国表）

上の表からもわかるように、学童期は乳児期に次いで成長量が著しい時期です。6歳～11歳の平均値でみると6年間に身長が男子29.1cm、女子31.3cm、体重が男子18.4kg、女子18.8kg増加しています。さらに成長量に個人差が大きく現れることが標準偏差*38 から理解できます。11歳男子の身長では、およそ132～161.2cmの間に全体の95.45％が分布しています。年齢が上がると標準偏差も大きくなる傾向にあり、個体差が顕著になります。

身長は９～11歳では女子の方が男子よりも上回りますが、その後男子に追い越されます。

■ 学童期の食生活

学童期は乳歯から永久歯*39 に生え変わる時期です。咀嚼能力や消化吸収力が増し、成人と同じ物を食べられるようになります。しかし、永久歯が全部揃うのにはまだ時間がかかるので、咀嚼能力は未熟なところがある点に注意します。

日本人の食事摂取基準によると、６～７歳からは推定エネルギー必要量を３区分の身体活動レベル*40 で示します。活動量に個体差が出てくるからです。身体活動レベル

用語解説

*38 **標準偏差**
データのばらつきを数値で示します。標準偏差が大きな方がばらつきも大きくなるので、上の表では、6歳女子より11歳女子の体重の方がばらつきが大きいことがわかります。

知っトク

*39 **永久歯**
永久歯の28本は小学生の1～6年の間に生え揃うことが多いです。親知らずの奥歯4本がその後20歳位までに生えると合計32本になります。

*40 **3区分の身体活動レベル**
6歳以上で、身体活動レベルを低い・ふつう・高いの3区分に分けています。それぞれの指数を基礎代謝量に掛けてエネルギー必要量を求めます。

用語解説

*41 **脂質異常症**
血液中の脂質の値が異常に多いことをいいます。自覚症状がないまま動脈硬化が進むことがあります。

ココが出た！

*42 **ローレル指数**
R4年（前）
学童期の肥満の判定に用いられるもので、体重（kg）÷身長（cm）^{3} ×10^7で求めます。

*43 **学校給食とカルシウム**
R5年（後）
家庭での摂取量が少ない傾向にあるので給食で補うように意識された数値となっています。

Ⅲ（高い）ではスポーツなどで活動量の大きい児童が対象となります。

学童期は食生活の基礎が完成する時期です。多くの食品の味覚を体験し、偏食をせずにバランスのよい食生活によって、成長期の身体作りをしたいものです。この時期には、母親が仕事に従事する場合も多く、簡単な加工食品や中食などの食事も増える傾向です。スナック菓子や菓子パンなどを食べすぎないようにして、カルシウム不足や肥満に気を付けます。学童期の肥満は大きな問題です。まとめ食いや過食症が原因になる場合が多く、そのまま継続して大人になった場合に肥満が改善されず、成人してからの高血圧・脂質異常症*41・糖尿病につながる危険性があります。家族や学校を含めて肥満を改善する対処法を話し合うことが必要です。身長と体重のバランスはローレル指数*42 または肥満度の算出などを用いて参考にします。

■ 学校給食

学校給食摂取基準でエネルギーは、学校保健統計調査を基に児童生徒の平均身長から求めた標準体重と食事摂取基準で用いている身体活動レベルⅡ（ふつう）により算出した推定エネルギー必要量のおよそ３分の１に相当します。

たんぱく質は学校給食による摂取エネルギー全体の13～20％、脂質は学校給食による摂取エネルギー全体の20～30％、その他の栄養素は１日の食事摂取基準を基本として計算します。ナトリウム（食塩相当量）は目標量の３分の１未満、カルシウム*43 は推奨量の50％、マグネシウムは推奨量の３分の１程度（児童）と40％（生徒）、鉄は推奨量の40％程度、ビタミンA、ビタミンB_1、ビタミンB_2は推奨量の40％、ビタミンCは推奨量の３分の１、食物繊維は目標量の40％以上、亜鉛は推奨量の３分の１です。

学校給食は成長期における児童生徒の心身の健全な発達のために栄養バランスの取れた食事を提供し、健康増進・体位向上を図って食に関する指導を進め、生涯にわたり健康な生活を送るための食事のモデルを学ぶ場でもあります*44。

○ **学校給食摂取基準**

区分	基準値			
	6~7歳	8~9歳	10～11歳	12～14歳
エネルギー（kcal）	530	650	780	830
たんぱく質（%）	学校給食による摂取エネルギー全体の13~20%			
脂質（%）	学校給食による摂取エネルギー全体の20～30%			
ナトリウム（食塩相当量）（g）	1.5未満	2未満	2未満	2.5未満
カルシウム（mg）	290	350	360	450
マグネシウム（mg）	40	50	70	120
鉄（mg）	2	3	3.5	4.5
ビタミンA（μgRAE）	160	200	240	300
ビタミンB_1（mg）	0.3	0.4	0.5	0.5
ビタミンB_2（mg）	0.4	0.4	0.5	0.6
ビタミンC（mg）	20	25	30	35
食物繊維（g）	4以上	4.5以上	5以上	7以上

（出典：学校給食実施基準（2021（令和3）年2月21日改正））

知っトク

***44 学校給食の実施状況**

「学校給食実施状況等調査(2023(令和5)年度」(文部科学省)において、小学校では学校総数の98.8%、中学校では学校総数の89.8%が完全給食を受けています。また、完全給食を実施している国公私立学校において、米飯給食の週当たりの実施回数は3.6回です。

生涯発達と食生活

1 中学生・高校生の頃の食生活

■ 心身の発達

中学・高校の頃の成長にも個体差が大きく現れます。一般的に女子は中学校後半には成長の伸びは緩慢になりますが、男子の成長は高校まで続くことが多くあります。10～14歳の頃には第2臼歯(きゅうし)が生え、親知らずといわれる第3臼歯も15歳くらいから生え始め、この頃には咀嚼能力が増して成人と同じような食事を消化吸収できるようになります。

思春期は女子が10～16歳、男子が12～18歳頃になります。性成熟に伴う心身の変化が始まり、女子は皮下脂肪が厚くなり女性らしい体型になります。乳腺が発育して乳房が大きくなり、骨盤が発達して月経も始まります。女性

*45 **女性ホルモン**
女性ホルモンの代表であるエストロゲンは卵胞ホルモンとも呼ばれ、月経の終わりから排卵前にかけて分泌量が増えます。

用語解説

*46 **第二反抗期**
第一反抗期は2～3歳頃、第二反抗期は12～15歳頃の思春期の頃に現れます。

*47 **エネルギー必要量の最高値**
R5年（前）
女子の方が成長のピークが男子よりも早く現れるために、エネルギー必要量の最高値の出現は男子15～17歳に対し、女子12～14歳と早くなります。カルシウムの推奨量は12～14歳の男性1,000、女性800(mg/日)で最大値となります。

ホルモン（エストロゲン）*45 の分泌が促進されるようになります。半面男子は骨格が大きくなり、筋肉はたくましく男性的体型になります。声変わりが起こる頃には、ひげが生えて男性ホルモン（アンドロゲン）の分泌が促進されるようになります。身体的変化によって不安や情緒不安定に陥ることもあり、家族に対して不平や不満を表す等、第二反抗期*46 にも当たります。

■ 夕食を一人で食べている状況

小学生の男女では、夕食を一人で食べる者は僅かですが、学年が進み中学生や高校生になると増加傾向がみられます。「孤食」により、好きな食べ物や手軽な食事に偏ると、成長期に大切な栄養素の摂取が不足する可能性があります。核家族化や共働き家庭の増加も原因になりますが、共食の機会を増やして、家族団らんによりコミュニケーション能力を培い、家族を思いやる心を育てたいものです。

■ 中学生・高校生の体格の全国平均値

次の表に12歳から17歳の身長と体重の平均値を示しました。平均では、男子は６年間に身長が16.4cm、体重が16.8kg増加し、女子では身長が5.3cm、体重が7.8kg増加しています。この時期の男子の成長量が著しいことがわかります。文部科学省の学校保健調査は毎年実施されます。

年齢	身長（cm）				体重（kg）			
	平均		標準偏差		平均		標準偏差	
	男	女	男	女	男	女	男	女
12歳	154.3	152.6	8.09	5.83	45.8	44.5	10.52	8.01
13歳	161.4	155.2	7.48	5.40	50.9	47.9	10.68	7.71
14歳	166.1	156.7	6.50	5.36	55.2	50.2	10.60	7.72
15歳	168.8	157.3	5.93	5.37	58.9	51.2	10.95	7.90
16歳	170.2	157.7	5.77	5.36	60.9	51.9	10.85	7.68
17歳	170.7	157.9	5.86	5.35	62.6	52.3	11.01	7.93

（出典：文部科学省統計情報　学校保健統計調査 2020（令和2）年度全国表）

■ 食生活と課題

エネルギーとたんぱく質の必要量は、男子は高校生、女子は中学生の頃に全年齢の中で最高値*47 を示します。ミネラルやビタミンも同様です。成人の身体の基礎ができ上がるこの時期に、必要な栄養をしっかり摂取する食生活が大切です。

小学生・中学生・高校生の食生活で問題になるのは、食事時間の乱れ・欠食・孤食*48・個食*49 ・間食や夜食・外食（買い食い）などが原因で、１日の食事摂取量が基準値を満たさない場合に引き起こされる体調の崩れや栄養の偏りから発生する病気、あるいは過食による肥満等です。朝食を欠食する生徒に健康不良の訴えが多く、朝食の孤食は小学校１年生からありますが、学年が進むにつれて増加しています。受験などのストレスや家族関係の問題から欠食や過食を引き起こすこともあります。このような食生活の問題は核家族が多い家庭環境において、両親の就労により、ゆっくりと食事時間が持てない場合や、児童生徒自身も塾や部活で忙しく、家族で食卓を囲む機会が減っていることなどが原因としてあげられます。その結果、学校生活で頭痛・腹痛・胃痛・めまい・便秘・風邪をひきやすい・疲労感を訴えるなどの子どもが増えています。学校給食はこれらの改善に役立つ効果も期待できます。給食時間は友人と楽しくテーブルを囲んで、栄養バランスのよい食物を摂取することが望まれます。１日の食事摂取基準を満たすために、家庭の食事と学校給食の連携が大切です。給食のメニューを家庭でもチェックして、１日の必要量を満たすことができるように工夫して生活を送りたいものです。

■ 肥満児の増加

文部科学省の学校保健統計調査の発表（2022（令和４）年の結果）によると、肥満傾向児*50の出現率は調査対象の６～17歳（小・中・高校生）の中で、男子10歳の15.11％が一番多く、女子では11歳の10.47％が一番多い

用語解説

*48 **孤食**
「平成29年度食育白書」（農水省）によると、週に半分以上一日全ての食事を一人で食べている「孤食」の人は約15%でした。

用語解説

*49 **個食**
同じテーブルについても、それぞれが別々のものを食べることをいいます。

知っトク

*50 **肥満傾向児**
肥満傾向児とは性別、年齢別、身長別標準体重から肥満度を求め、肥満度が20%以上であることをいいます。肥満度の算出法は、第6節を参照してください。

年齢であることがわかりました。児童生徒では男子の方が女子より割合が多いです。

■ 貧血の増加

鉄欠乏性貧血の児童生徒の数が多くなっています。急激な成長・発育が影響すると考えられます。筋肉や血液量の増加に伴う鉄分の不足が原因です。改善するには獣肉、魚肉に含まれる吸収率の高いヘム鉄*51 の摂取が望まれます。ほかに、たんぱく質・ビタミンC・B6・B12・葉酸・銅の補給が必要です。欠食・偏食・ダイエット・インスタント食品の多食などが原因と考えられます。バランスのよい食事の工夫が大切です。

■ 子どものダイエット

ダイエットが話題になり、小学生などの年齢が低い頃からダイエットを開始した場合や、成長期に繰り返しダイエットを続けると、骨密度が低くなり成人してから骨粗鬆症（こつそしょうしょう）の予備軍となる可能性が高くなりますので適切な指導が必要です。小児期に無理なダイエットを続けると、栄養失調や神経性食欲不振症（拒食症）*52 に陥る場合があるので注意します。

■ 思春期の課題

思春期には、不定愁訴（ふていしゅうそ）*53 の症状が現れることもあり、疲労感などを訴えて保健室に通う児童が出てきます。このことは環境や季節の変化、蓄積疲労、ストレスなどにより自律神経が乱れること（自律神経失調）と食生活の乱れが影響している場合もあり、周囲の理解が必要です。また、買い食いや不規則な間食・夜食の摂取、偏った食品選択などにより栄養素のバランスが崩れやすく、成長の著しい時期なので栄養教育が必要とされています。

思春期の神経性食欲不振症では、嘔吐や下痢を繰り返すために電解質異常をきたすことがあります。さらには初潮の遅延や月経不順、無月経になることもあるので、改善に向けた取り組みが必要です。

＊51 ヘム鉄
ヘム鉄は肉や魚などの動物性食品に含まれる鉄分です。野菜や海藻に含まれる非ヘム鉄よりも体内への吸収率がよいです。第2節の「妊産婦のための食生活の注意点」も参照してください。

＊52 神経性食欲不振症（拒食症）
R6年（前）
若年女性の発症が多いとされています。早期発見と適切な治療、周囲の理解とサポートが重要です。

用語解説

＊53 不定愁訴
原因がわからない体の不調を訴えるもので、検査をしても異常がみつからない場合が多いことです。「朝なかなか起きられず、午前中身体の調子が悪い」「イライラする」「身体のだるさや疲れやすさを感じる」などの症状があります。

2 生涯発達と食生活の課題

青年期後期と呼ばれる大学生の頃は、アルバイトなどで夜型の生活をする者が増え、朝食の欠食や、不規則な食生活が多くなる時期です。一人暮らしによる自炊生活が始まると、野菜や果物の摂取が減り、食事に偏りが生じやすくなります。厚生労働省による国民健康・栄養調査の令和元年の結果では、20～29歳のやせの者（BMI<18.5）の割合は女性20.7％、男性6.7％であり、特に若い女性の痩せたいという意識が強いことがわかります。妊娠時に備えて、胎児に悪影響が出ないように必要な栄養はしっかり摂取する食生活を送りたいものです。

逆に、肥満者（BMI≧25）の割合は、20歳以上では男性33.0％、女性22.3％でした。なお、肥満者の割合が最も多いのは男性40～49歳の39.7％で、女性に限定すると60～69歳が最も多いという結果でした。

また、朝食の欠食率は男性40～49歳、女性30～39歳が最も多く、高齢になると少なくなります。男性20～29歳の朝食欠食率27.9%のうち、19.1%は何も食べない、8.7%は菓子・果物などのみでした*54。また糖尿病が強く疑われる者の割合は、男性19.7%、女性10.8%です。年齢が高くなるとともに増加する傾向で、70歳以上の男性の26.4%、女性の19.6%でした。食習慣、運動習慣、休養、喫煙、飲酒等の生活習慣が病気の発症や進行に関与する疾患群のことを生活習慣病といいます。健康寿命を延ばすために、生活習慣病*55 *56 予防を考えた食生活を若い時から実行したいものです。

高齢期に増加する骨粗鬆症の予防のためにも、骨密度を高め骨を作るカルシウム・ビタミンD・ビタミンK・たんぱく質などの摂取を怠らないように心がけることが大切です。

知っトク

*54 **食物の購入の状況**
2014（平成26）年国民健康・栄養調査では、経済的理由で食物（菓子・嗜好飲料を除く）の購入を控えた、または購入できなかった経験のある者の割合は男性35.5%、女性40.6%でした。

*55 **日本人の死因**
「人口動態統計」で日本人の死因が発表されています。2023(令和5)年の結果は、
第1位 悪性新生物
第2位 心疾患
第3位 老衰
第4位 脳血管疾患
第5位 肺炎
でした。

*56 **生活習慣病（メタボリックシンドローム）**
ウエスト周径値が男性85cm、女性90cm以上で、血圧・血糖・脂質の3つのうち2つ以上が基準値から外れた場合です。
なお、小児期のメタボリックシンドロームの診断基準における腹囲の基準は男女ともに同じです。

理解度チェック　一問一答

全問クリア　　月　　日

Q

□ ❶ 乳児用液体ミルクは、液状の人工乳を容器に密封したものであり、常温での保存が可能なものである。 R5年（後期）

□ ❷ 「授乳・離乳の支援ガイド」（2019年改定版 厚生労働省）では、離乳開始前に果汁を与え、離乳の準備を行うことが推奨されている。 R5年（後期）

□ ❸ 体重1kgあたりのエネルギー必要量は、幼少期の方が成人より多い。 H30年（後期）

□ ❹ 授乳・離乳の支援ガイドでは、出産直後から母乳は決まった時間に飲ませられるように支援する。 H29年（後期）

□ ❺ 母乳のたんぱく質含量は、普通牛乳より少ない。 R2年（後期）

□ ❻ 乳歯は、永久歯に抜けかわるため、むし歯（う歯）になっても治療は控えてよい。 H30年（前期）

□ ❼ 「学校給食摂取基準」については、厚生労働省が策定した「学校保健統計調査」を参考にする。 R2年（後期）

□ ❽ 乳児用調製粉乳は、月齢により与える調整濃度が異なる。 H30年（前期）

□ ❾ 思春期の過度な食事制限により、カルシウムの摂取不足が起こると、将来の骨粗しょう症の原因になる場合がある。 R4年（前期）

□ ❿ 離乳が進むにつれて、卵は卵白（固ゆで）から全卵へ進めていく。 H30年（前期）

□ ⓫ 幼児期の間食の量は、1日の摂取エネルギーの30～40%を目安にするとよい。 H31年（前期）

□ ⓬ 離乳完了期の離乳食1回当たりのご飯の目安量は80gである。 R3年（後期）

A

❶ ○

❷ × 離乳開始前の子どもにとって最適な栄養源は乳汁であり、離乳開始前に果汁を与えることに栄養学的な意義は認められない。

❸ ○

❹ × 赤ちゃんが欲しがる時、母親が飲ませたい時に、母乳を飲ませられるように支援する。

❺ ○

❻ × 乳歯のむし歯を放置すると、永久歯や歯並びに悪影響を及ぼす。

❼ × 「日本人の食事摂取基準」を参考にする。

❽ × 乳児用調整粉乳（粉ミルク）は各月齢において同一濃度で用いる。

❾ ○

❿ × 卵白ではなく、卵黄から全卵へと進めていくので誤り。

⓫ × 1日の摂取エネルギーの10～20%が目安。

⓬ ○

4 食育の基本と内容

頻出度

子どもの集団生活における保育所での給食は、献立や調理、食材などを通して学ぶ食育の他に、食事マナーの習得や、他の同級生達と同じ食事を一緒に味わう体験を通して食べる楽しさも学びます。食育基本法・保育所保育指針・児童福祉施設における食事の提供ガイドなどの食育についての記載を参考にしましょう。

保育における食育の意義・目的と基本的考え方

2005（平成17）年に食育基本法[*1]が制定されました。保育所は食育推進の拠点の１つとなることが求められています。以下に前文を抜粋して示します。

> **食育基本法　前文抜粋**
> 子どもたちが豊かな人間性をはぐくみ、生きる力を身に付けていくためには、何よりも「食」が重要である。今、改めて、食育を、生きる上での基本であって、知育、徳育及び体育の基礎となるべきものと位置付けるとともに、様々な経験を通じて「食」に関する知識と「食」を選択する力を習得し、健全な食生活を実践することができる人間を育てる食育を推進することが求められている。もとより、食育はあらゆる世代の国民に必要なものであるが、子どもたちに対する食育は、心身の成長及び人格の形成に大きな影響を及ぼし、生涯にわたって健全な心と身体を培い豊かな人間性をはぐくんでいく基礎となるものである。

知っトク

＊1 **食育基本法**
食育を国民運動として推進していくために、学校・保育所・農林漁業者・食品関連事業者等の協力が必要です。この法律で掲げた目標をもとに、現在も引き続き食育推進施策が展開されています。食育推進会議は農林水産省に置かれ、会長は農林水産大臣です。

食育基本法　目的

この法律は、近年における国民の食生活をめぐる環境の変化に伴い、国民が生涯にわたって健全な心身を培い、豊かな人間性をはぐくむための食育を推進することが緊要な課題となっていることにかんがみ、食育に関し、基本理念を定め、及び国、地方公共団体等の責務を明らかにするとともに、食育に関する施策の基本となる事項を定めることにより、食育に関する施策を総合的かつ計画的に推進し、もって現在及び将来にわたる健康で文化的な国民の生活と豊かで活力ある社会の実現に寄与することを目的とする。

食育基本法　基本理念

- 国民の心身の健康の増進と豊かな人間形成
- 食に関する感謝の念と理解
- 食育推進運動の展開
- 子どもの食育における保護者、教育関係者等の役割
- 食に関する体験活動と食育推進活動の実践
- 伝統的な食文化、環境と調和した生産等への配意及び農山漁村の活性化と食料自給率の向上への貢献
- 食品の安全性の確保等における食育の役割

用語解説

＊2 保育所保育指針
厚生労働省が告示する保育所における保育の内容に関する事項及び運営に関する事項を定めたものです。

＊3 保育所における食育
R4年（前）　R4年（後）
R5年（前）　R5年（後）
よく出題されますので、保育所保育指針の食育に関する表の記述は確実におさえておきましょう。

■ 保育所保育指針＊2 に示される食育

保育所保育指針の中で、食育の推進が示されています。近年の家族形態の変化や共働き夫婦の増加、女性の就労変化などの要因により、保育所の需要が大幅に増加しています。食事が生活に占める割合の大きい乳幼児にとって、保育所における食育＊3 は重要です。

（1）保育所の特性を生かした食育

保育所における食育は、健康な生活の基本としての「食を営む力」の育成に向け、その基礎を培うことを目標とすること。
子どもが生活と遊びの中で、意欲をもって食に関わる体験を積み重ね、食べることを楽しみ、食事を楽しみ合う子どもに成長していくことを期待するものであること。
乳幼児期にふさわしい食生活が展開され、適切な援助が行われるよう、食事の提供を含む食育計画を全体的な計画に基づいて作成し、その評価及び改善に努めること。栄養士が配置されている場合は、専門性を生かした対応を図ること。

（2）食育の環境の整備等

子どもが自らの感覚や体験を通して、自然の恵みとしての食材や食の循環・環境への意識、調理する人への感謝の気持ちが育つように、子どもと調理員等との関わりや、調理室など食に関わる保育環境に配慮すること。
保護者や地域の多様な関係者との連携及び協働の下で、食に関する取組が進められること。また、市町村の支援の下に、地域の関係機関等との日常的な連携を図り、必要な協力が得られるよう努めること。
体調不良、食物アレルギー、障害のある子どもなど、一人一人の子どもの心身の状態等に応じ、嘱託医、かかりつけ医等の指示や協力の下に適切に対応すること。栄養士が配置されている場合は、専門性を生かした対応を図ること。

■ 食育推進基本計画における食育の推進に当たっての目標*4 *5

食育推進基本計画は、食育基本法に基づき、食育の推進に関する基本的な方針や目標について定めています。第4次食育推進基本計画（令和３年度）の重点事項や目標を示します。

○ 第4次食育推進基本計画重点事項

1	生涯を通じた心身の健康を支える食育の推進
2	持続可能な食を支える食育の推進
3	「新たな日常」やデジタル化に対応した食育の推進

○ 第4次食育推進基本計画の目標

1	食育に関心を持っている国民を増やす
2	朝食又は夕食を家族と一緒に食べる「共食」の回数を増やす
3	地域等で共食したいと思う人が共食する割合を増やす
4	朝食を欠食する国民を減らす
5	学校給食における地場産物を活用した取組等を増やす
6	栄養バランスに配慮した食生活を実践する国民を増やす
7	生活習慣病の予防や改善のために、ふだんから適正体重の維持や減塩等に気をつけた食生活を実践する国民を増やす
8	ゆっくりよく噛んで食べる国民を増やす
9	食育の推進に関わるボランティアの数を増やす
10	農林漁業体験を経験した国民を増やす

（つづく）

ココが出た！

*4 **第4次食育推進基本計画**
R4年（後） R5年（前） R5年（後） R6年（前）
第4次食育推進基本計画について出題されています。3つの重点事項や目標にについて把握しておきましょう。

知っトク

*5 **栄養バランスに配慮した食生活の目標（令和7年度までの目標）**
- 主食・主菜・副菜を組み合わせた食事を一日2回以上ほぼ毎日食べている国民の割合（50%以上、若い世代は40%以上）
- 一日当たりの食塩摂取量平均値（8g以下）
- 一日当たりの野菜摂取量平均値（350g以上）
- 一日当たりの果物摂取量100g未満の者の割合（30%以下）

11	産地や生産者を意識して農林水産物・食品を選ぶ国民を増やす
12	環境に配慮した農林水産物・食品を選ぶ国民を増やす
13	食品ロス削減のために何らかの行動をしている国民を増やす
14	地域や家庭で受け継がれてきた伝統的な料理や作法等を継承し、伝えている国民を増やす
15	食品の安全性について基礎的な知識を持ち、自ら判断する国民を増やす
16	推進計画を作成・実施している市町村を増やす

食育の内容と計画及び評価

厚生労働省では2010（平成22）年に、「児童福祉施設における食事の提供ガイド」を発表し、その中で「食育の観点からの食事の提供の考え方」を示しています。

○ 食育の観点からの食事の提供の考え方

児童福祉施設における日々の食事は、入所する子どもにとって、乳幼児期から発達段階に応じて豊かな食の体験を積み重ねていくことにより、生涯にわたって健康で質の高い生活を送る基本となる「食を営む力」を培うために重要な役割を担っている。（中略）
食育の取組は、調理実習（体験）や芋ほりなど、行事等を通して行うものと、日々の食事や日常の生活の中で食について考え、実践を積み重ねていくものがあり、この2つは両方共に大切である。すなわち、提供する食事の内容はもちろんのこと、子どもや保護者等に対する献立の提示等、食に関する情報提供や、食事環境、さらに起床・就寝時刻、食事の時間なども含めた生活全般に目を向け「おいしく、楽しい食事」とは何かを考えて行動することが必要である。より広く食育を実践するためには、多くの職種が関わったり、食の専門家の協力を得ることも必要である。（一部抜粋）

（出典：厚生労働省　児童福祉施設における食事の提供ガイドより）

＊6 保育所における食育に関する指針
R4年（前）　R4年（後）
R5年（前）　R5年（後）
5つの期待する子ども像や1歳3か月～2歳未満児の食育の内容について出題されました。

○ 保育所における食育に関する指針＊6

食育の5項目

1　食と健康（自らが健康で安全な生活をつくり出す力を養う）
　①できるだけ多くの種類の食べものや料理を味わう。
　②自分の体に必要な食品の種類や働きに気づき、栄養バランスを考慮した食事をとろうとする。
　③健康、安全など食生活に必要な基本的な習慣や態度を身につける。

2　食と人間関係（自立心を育て、人とかかわる力を養う）
　①自分で食事ができること、身近な人と一緒に食べる楽しさを味わう。
　②様々な人々との会食を通して、愛情や信頼感を持つ。
　③食事に必要な基本的な習慣や態度を身につける。

3　食と文化（食を通じて、人々が築き、継承してきた様々な文化を理解し、つくり出す力を養う）

①いろいろな料理に出会い、発見を楽しんだり、考えたりし、様々な文化に気づく。
②地域で培われた食文化を体験し、郷土への関心を持つ。
③食習慣、マナーを身につける。

4　いのちの育ちと食（食を通じて、命を大切にする力を養う）

①自然の恵みと働くことの大切さを知り、感謝の気持ちを持って食事を味わう。
②栽培、飼育、食事などを通して、身近な存在に親しみを持ち、すべてのいのちを大切にする心を持つ。
③身近な自然にかかわり、世話をしたりする中で、料理との関係を考え、食材に対する感覚を豊かにする。

5　料理と食（調理に目を向けて、素材や調理に関心を持つ力を養う）

①身近な食材を使って、調理を楽しむ。
②食事の準備から後片付けまでの食事づくりに自らかかわり、味や盛りつけなどを考えたり、それを生活に取り入れようとする。
③食事にふさわしい環境を考えて、ゆとりある落ち着いた雰囲気で食事をする。

（出典：厚生労働省　保育所における食育に関する指針）

健康な心と体を育てるためには望ましい食習慣の形成が重要です。さまざまな食品に慣れて食に関心を持てる工夫が大切で、子どもの食生活の実情に配慮して和やかな雰囲気の中で保育士等や他の子どもと食べる喜びや楽しさを味わい、進んで食べようとする気持ちを育みながら食の大切さに気付けるような食育を計画します。評価に関しては、食育の計画が適正に進められたかどうか、経過や結果を把握して評価します。このことを通して次回の改善策を見出すことができれば、さらによい計画を立てることができて実践に活かせることになります。

◯ 5つの期待する子ども像

1　お腹がすくリズムのもてる子ども
2　食べたいもの、好きなものが増える子ども
3　一緒に食べたい人がいる子ども
4　食事づくり、準備にかかわる子ども
5　食べるものを話題にする子ども

（出典：厚生労働省　保育所における食育に関する指針）

保育所では子どもの心身の成長を支えるために、養護（生命の保持、情緒の安定）と教育（健康、人間関係、環境、

言葉、表現）が一体的に行われています。食育においても、保育の一環として、養護的側面と教育的側面が切り離せるものでないことを踏まえ、乳幼児期の子どもの心と身体の土台作りに取り組んでいくことが求められます。このように、食べるという行為が中心になる食育では、養護と教育が一体となって実践されるものとなります。

さまざまな食に関する体験ができるように環境づくりを進めて、食に関して学ぶ内容が、子どもの成長にかかわる教育に大きく関係してくることを理解します。

◎ 食育のねらい及び内容

〈6か月未満児〉

ねらい	内容	配慮事項
①お腹がすき、乳（母乳・ミルク）を飲みたい時、飲みたいだけゆったりと飲む。 ②安定した人間関係の中で、乳を吸い、心地よい生活を送る。	①よく遊び、よく眠る。 ②お腹がすいたら、泣く。 ③保育士にゆったり抱かれて、乳（母乳・ミルク）を飲む。 ④授乳してくれる人に関心を持つ。	①一人一人の子どもの安定した生活のリズムを大切にしながら、心と体の発達を促すよう配慮すること。 ②お腹がすき、泣くことが生きていくことの欲求の表出につながることを踏まえ、食欲を育むよう配慮すること。 ③一人一人の子どもの発育・発達状態を適切に把握し、家庭と連携をとりながら、個人差に配慮すること。 ④母乳育児を希望する保護者のために冷凍母乳による栄養法などの配慮を行う。冷凍母乳による授乳を行うときには、十分に清潔で衛生的に処置をすること。 ⑤食欲と人間関係が密接な関係にあることを踏まえ、愛情豊かな特定の大人との継続的で応答的な授乳中のかかわりが、子どもの人間への信頼、愛情の基盤となるように配慮すること。

〈6か月～1歳3か月未満児〉

ねらい	内容	配慮事項
①お腹がすき、乳を吸い、離乳食を喜んで食べ、心地よい生活を味わう。	①よく遊び、よく眠り、満足するまで乳を吸う。 ②お腹がすいたら、泣く、または、喃語によって、乳や食べものを催促する。	①一人一人の子どもの安定した生活のリズムを大切にしながら、心と体の発達を促すよう配慮すること。 ②お腹がすき、乳や食べものを催促することが生きていくことの欲求の表出につながることを踏まえ、いろいろな食べものに接して楽しむ機会を持ち、食欲を育むよう配慮すること。

②いろいろな食べものを見る、触る、味わう経験を通して自分で進んで食べようとする。	③いろいろな食べものに関心を持ち、自分で進んで食べものを持って食べようとする。 ④ゆったりとした雰囲気の中で、食べさせてくれる人に関心を持つ。	③一人一人の子どもの発育・発達状態を適切に把握し、家庭と連携をとりながら、個人差に配慮すること。 ④子どもの咀嚼や嚥下機能の発達に応じて、食品の種類、量、大きさ、固さなどの調理形態に配慮すること。 ⑤食欲と人間関係が密接な関係にあることを踏まえ、愛情豊かな特定の大人との継続的で応答的な授乳及び食事でのかかわりが、子どもの人間への信頼、愛情の基盤となるように配慮すること。

〈1歳3か月〜2歳未満児〉

ねらい	内容	配慮事項
①お腹がすき、食事を喜んで食べ、心地よい生活を味わう。 ②いろいろな食べものを見る、触る、噛んで味わう経験を通して自分で進んで食べようとする。	①よく遊び、よく眠り、食事を楽しむ。 ②いろいろな食べものに関心を持ち、手づかみ、または、スプーン、フォークなどを使って自分から意欲的に食べようとする。 ③食事の前後や汚れたときは、顔や手を拭き、きれいになった快さを感じる。 ④楽しい雰囲気の中で、一緒に食べる人に関心を持つ。	①一人一人の子どもの安定した生活のリズムを大切にしながら、心と体の発達を促すよう配慮すること。 ②子どもが食べものに興味を持って自ら意欲的に食べようとする姿を受けとめ、自立心の芽生えを尊重すること。 ③食事のときには、一緒に噛むまねをして見せたりして、噛むことの大切さが身につくように配慮すること。また、少しずついろいろな食べ物に接することができるよう配慮すること。 ④子どもの咀嚼や嚥下機能の発達に応じて、食品の種類、量、大きさ、固さなどの調理形態に配慮すること。 ⑤清潔の習慣については、子どもの食べる意欲を損なわぬよう、一人一人の状態に応じてかかわること。 ⑥子どもが一緒に食べたい人を見つけ、選ぼうとする姿を受けとめ、人への関心の広がりに配慮すること。

〈2歳児〉

ねらい	内容	配慮事項
①いろいろな種類の食べ物や料理を味わう。 ②食生活に必要な基本的な習慣や態度に関心を持つ。	①よく遊び、よく眠り、食事を楽しむ。 ②食べものに関心を持ち、自分で進んでスプーン、フォーク、箸などを使って食べようとする。	①一人一人の子どもの安定した生活のリズムを大切にしながら、心と体の発達を促すよう配慮すること。 ②食べものに興味を持ち、自主的に食べようとする姿を尊重すること。また、いろいろな食べものに接することができるよう配慮すること。 ③食事においては個人差に応じて、食品の種類、量、大きさ、固さなどの調理形態に配慮すること。

（つづく）

③保育士を仲立ちとして、友達とともに食事を進め、一緒に食べる楽しさを味わう。	③いろいろな食べものを進んで食べる。 ④保育士の手助けによって、うがい、手洗いなど、身の回りを清潔にし、食生活に必要な活動を自分でする。 ⑤身近な動植物をはじめ、自然事象をよく見たり、触れたりする。 ⑥保育士を仲立ちとして、友達とともに食事を進めることの喜びを味わう。 ⑦楽しい雰囲気の中で、一緒に食べる人、調理をする人に関心を持つ。	④清潔の習慣については、一人一人の状態に応じてかかわること。 ⑤自然や身近な事物などへの触れ合いにおいては、安全や衛生面に留意する。また、保育士がまず親しみや愛情を持ってかかわるようにして、子どもが自らしてみようと思う気持ちを大切にすること。 ⑥子どもが一緒に食べたい人を見つけ、選ぼうとする姿を受けとめ、人への関心の広がりに配慮すること。また、子ども同士のいざこざも多くなるので、保育士はお互いの気持ちを受容し、他の子どもとのかかわり方を知らせていく。 ⑦友達や大人とテーブルを囲んで、食事をすすめる雰囲気づくりに配慮すること。また、楽しい食事のすすめ方を気づかせていく。

（出典：厚生労働省：楽しく食べる子どもに～保育所における食育に関する指針～（概要））

食育のための環境

1 食育のために望ましい環境

食育には、以下の環境が望ましいとされています。

- 子どもが自らの感覚や体験から、美味しい料理を調理し、食事を整えてくれた人への感謝の気持ちが育つよう、子どもと調理員とのかかわりを持てるようにすること。または料理の作り方を教わるなどの機会を経験して食への関心を高めることができる環境があること
- 調理室などから実際に調理する音や匂いを体感したり、実際に調理する様子を見る機会を持つことができ、調理への関心を高めることができる環境であること
- 食材料に関し、自然の恵みを受けて食材を育てる経験を体験する機会を持ち、また生産者への感謝の気持ちを持って命を大切にする気持ちなどを育む環境であること
- 情緒の安定のために、ゆとりのある食事時間の確保、採光・テーブル・椅子・食器・食具などに気を配り、食事の部屋が温かな親しみとくつろぎの場となるような環境であること

・子ども同士や保育士・栄養士・調理員・保護者・地域の人々と一緒に食べたり、作ったりする中で、子どもが人とかかわる力を育む環境であること

2 栄養教育を学ぶ環境としての学校給食

学校給食で使用する食品は、多様に組み合わせて、食に関する指導や食事内容の充実を図り、学校給食が日常や将来の食事作りの参考になるように明確な献立名や食品名を示します。嗜好の偏りをなくすように調理方法に工夫を凝らし、調理にあたっての衛生・安全面の注意点や食器具の安全性、調理内容に適した食器具の使用、盛り付けの工夫、食事の楽しみ方等を含めて児童生徒に伝えることが望まれます。

また、学校給食において日本型食生活の実践も大切で、伝統的な食文化の継承*7 に配慮するように工夫して、地場産物や郷土料理の活用により郷土に関心を寄せる心を育むように努めます。それぞれ生活環境の異なる児童生徒が同じ給食を食することの意義は、家庭料理とは異なった味や調理法、盛り付け、食事マナーを体験しながら、食育を学べることにあります。

また給食は、欠食・孤食・個食・偏食の改善に成果があります。友人とテーブルを囲みながら食べることの楽しさを十分に味わって、記憶にしっかり刻み、家庭での食生活に役立ててほしいものです。そして栄養教諭には肥満・アレルギー・貧血等がある児童生徒に対する健康問題と食生活との関係指導に重点を置いた取り組みが求められます。

学校給食法 第2条（学校給食の目標 *8 ）
1　適切な栄養の摂取による健康の保持増進を図ること。
2　日常生活における食事について正しい理解を深め、健全な食生活を営むことができる判断力を培い、及び望ましい食習慣を養うこと。
3　学校生活を豊かにし、明るい社交性及び協同の精神を養うこと。
4　食生活が自然の恩恵の上に成り立つものであることについての理解を深め、生命及び自然を尊重する精神並びに環境の保全に寄与する態度を養うこと。

知っトク

***7 生涯にわたる食の営み（農林水産省・食育ガイドから）**
・乳幼児期（食べる意欲の基礎を作り、食の体験を広げる）
・学童・思春期（食の体験を深め、自分らしい食生活を実現する）
・青年期・成人期（健全な食生活を実践し、次世代へ伝える）
・高齢期（食を通じた豊かな生活の実現、次世代へ食文化や食に関する知識や経験を伝える）

***8 学校給食の目標**
R5年（後） R6年（前）

5　食生活が食にかかわる人々の様々な活動に支えられていることについての理解を深め、勤労を重んずる態度を養うこと。
6　我が国や各地域の優れた伝統的な食文化についての理解を深めること。
7　食料の生産、流通及び消費について、正しい理解に導くこと。

地域の関係機関や職員間の連携

保護者の協力のもとに家庭や地域社会との連携を図り、保育士・看護職・調理員・栄養士などの全職員が専門性を活かしながら、保育所における食を通じた子どもの健全育成を図ります。保護者や家庭との密接な連携のもと、家庭の状況、子どもの食欲、食べられる量、食べ物の嗜好(しこう)など個人差に十分配慮し、一人ひとりの発育、発達に応じた食育を推進します。食を通じた地域文化の伝承や地域の産物などその土地における特有の食材を用いた調理法や味付けを伝える機会を設けて、地域の関係機関の協力を得ることもよい試みです。旬の食材の美味しさや新鮮な食材を見分ける力を養うためには地域の生産者の協力を得ることも必要です。また、子どもの個人の疾病や食物アレルギーなどの情報は、職員間でしっかりと共有し、連携して対処することが大切です。

食を通じた保護者への支援

子どもの食を考える時、保育所だけでなく、家庭と連携・協力して食育を進めていくことが不可欠です。食に関する子育ての不安・心配を抱える保護者は決して少なくありません。保育所保育指針では１つの柱として、保護者に対する支援を重視しています。今までの保育所で蓄積してきた乳幼児期の子どもの「食」に関する知識、経験、技術を「子育て支援」の一環として提供し、保護者と子どもの育ちを共有し、健やかな食文化の担い手を育んでいくことが求められています。具体的な食を通した活動として次のような活動が展開されています。

○ 食を通じた「子育て支援の活動」

1 食を通した保育所機能の開放（調理施設活用による講習･情報の提供･体験保育など）
2 食に関する相談や援助の実施
3 食を通じた子育て家庭の交流の場の提供及び交流の促進
4 地域の子どもの食育活動に関する情報の提供
5 食を通じた地域の人材の積極的な活用による地域の子育て力を高める取り組みの実施

出典：農林水産省「令和元年度 食育白書」

食を通して保護者同士の交流の場の提供や促進を図っていくことでかかわりの機会を提供し、意識が高まることが期待されます。また、保育所で育児相談や育児講座などを開催し、保護者の育児不安を軽減する活動が展開されています。

野菜を育てて食育を学ぶ

身近でできる食育として、子どもと一緒に野菜を育てることも意義があります。ホームセンターには一通りの材料が揃っています。苗の成長の観察の面白さに加えて、生命のある物を育てる楽しさと日々の手入れで生まれた愛情が、野菜の収穫時の喜びと食した時の美味しさにプラスされることでしょう。さらに調理の工夫や味付けの工夫の体験は、食に対する関心を引き出します。

理解度チェック　一問一答

全問クリア　　月　　日

Q

□ ❶ 子どもたちに対する食育は、心身の成長及び人格の形成に大きな影響を及ぼし、生涯にわたって適切な判断力を培い豊かな人間性をはぐくんでいく基礎となるものである。 H30年（後期）

□ ❷ 保育所における食育の計画と評価に関して、保護者や地域に向けて、食事内容を含めて食育の取り組みを発信し、食育の計画・実施を評価して次の計画へとつなげる。 H29年（前期）

□ ❸ 食育基本法は、食育を生きるための基本であって、知育・徳育及び体育の基礎となるべきものと位置づけている。 R3年（後期）

□ ❹ 保育所保育指針の食育の推進では、「保健師が配置されている場合は、専門性を生かした対応を図る」と示している。 R4年（前期）

□ ❺ 「楽しく食べる子どもに～保育所における食育に関する指針～」における5つの期待する子ども像の1つとして、「好き嫌いがない子ども」がある。 R5年（後期）

A

❶ ×「適切な判断力」ではなく、「健全な心と身体」を培いの誤り。

❷ ○

❸ ○

❹ × 保健師ではなく栄養士が正しい。

❺ × 食べたいもの、好きなものが増える子どもが目標。

5 家庭や児童福祉施設における食事と栄養

頻出度

子どもに提供する家庭での食事は、成長する心や身体の基本を作ります。また児童福祉施設における食事も家庭での食事と同様です。それぞれの子どもの特質をよく理解して必要な栄養が過不足なく摂取できるように努力します。また、食中毒予防など衛生面での注意が重要です。

家庭における食事と栄養

最近の社会的動向では、女性の就業率が高まり、既婚女性が仕事を続けながら、育児や家事も担うことは少なくありません。それに伴い男性における働き方の変化や、育児や家事への参加は増える傾向で、男女の役割分担の形態は以前と異なり、夫婦で協力する姿がみられるようになりました。さらに、外食産業の拡大や加工食品の増加、便利な調理器具の開発など、食生活にも著しい変化がみられます。

家庭で素材から手作りして調理する内食[*1]が減り、調理済み食品の惣菜や弁当、調理パンなどを自宅で食べる中食[*2]が急増し、レストランなどでの外食も増えています。冷凍

用語解説

*1 **内食**
家庭で材料を料理して食べる形態で、減少しています。

*2 **中食**
調理済みの食料品を購入後に自宅で食べる形態で、電子レンジの普及が進み急激に増加しています。

*3 **調理**
焼く・揚げる・炒める等水を利用しないで水以外を媒体として熱を伝える方法を乾式加熱といい、ゆでる・煮る・蒸す・炊く等水を媒体として熱を伝える方法を湿式加熱といいます。電子レンジは食品に含まれる水の分子にマイクロ波を照射して摩擦熱で食品を温めるものです。

*4 **子どもの様子を観察**
子どもの窒息事故が多発しています。原因となった食品には、菓子類・果実類・パン類などがあります。

*5 **食中毒**
カレーやシチューで起こる食中毒はウェルシュ菌が原因です。煮込み料理は鍋底の酸素濃度が低くなり、空気が嫌いなウェルシュ菌が発生するおそれがあります。

*6 **食中毒の予防**
R4年（後）　R5年（前）
R5年（後）

食品の種類が増え、電子レンジの利用で手軽に調理*3 ができるようになりました。

また、半加工食品を使った調理も多くなっています。ここで問題になるのは、加工食品に含まれる食品添加物の量などを含めた食品の安全性です。できるだけ摂取する食品の種類を増やし、偏った食生活にならないようにバランスよく食材を選ぶ努力を怠らないことが大切です。特に成長期にある子どもにとって家庭での食事は、体を作る源になる栄養摂取の目的だけでなく、精神的にも豊かな時間を過ごせる環境の中で、家庭の味を楽しめると心身の成長にもよい効果が期待できます。保護者は子どもと一緒に食卓を囲みながら子どもの様子を観察*4 し、理解を深める場にしてほしいと思います。食事バランスガイドを利用して、主食・副菜・主菜の数を整えるようにして栄養が偏ることがなく、変化のある楽しい食事を提供できるようにしましょう。

1 食中毒の予防*5 *6

食品は鮮度のよいものを購入し、消費期限に気を付けて保存方法に十分に気を配ること、台所の衛生管理を徹底すること、手洗いを励行して食中毒を予防することが大切です。予防の三原則は「付けない」「増やさない」「やっつける（殺菌する）」です。食中毒には、病原微生物による食中毒、化学物質による食中毒、自然毒による食中毒があり、自然毒の食中毒では、ジャガイモの芽の部分に含まれるソラニンなどがあります。

■ 腸炎ビブリオ

初夏から初秋の沿岸の海中にいる細菌で、食塩濃度３％で最もよく増殖します。魚類を食べる時には真水で十分洗い、よく火を通すことが大切です。潜伏期間は８～24時間ほどで、激しい腹痛・水様の下痢が起こり、嘔吐・発熱を伴うことがあります。

■ **サルモネラ**

動物に広く分布している病原菌で食肉・卵が原因食品になることが多く、熱に弱いので十分に加熱することが大切です。潜伏期間は6～72時間ほどで、激しい腹痛・下痢・嘔吐・発熱の症状が数日続きます。敗血症などの重い症状を示すこともあります。

■ **腸管出血性大腸菌O157**

加熱が不十分な肉や井戸水、生野菜からも検出されます。熱に弱く、75℃で1分間以上加熱すれば死滅します。しかし、家庭の冷凍庫では生存するなど低温に強い特徴があります。症状は軽度から重篤な場合まであり、3～5日の潜伏期間の後に発症し、頻回の水様便がみられ、激しい腹痛、著しい血便とともに脳症などの合併症を起こすこともあります。

■ **カンピロバクター**

家畜やペット、野生動物などのあらゆる動物や水中に存在する細菌です。肉類（特に鶏肉）や飲料水が原因食品になります。十分な加熱と手洗いの励行を心がけます。潜伏期間は1～7日と長く、発熱・倦怠感・頭痛・吐き気・腹痛・下痢・血便などの症状が起こります。

■ **ブドウ球菌**

ブドウ球菌は自然界に広く分布し、健康な人の皮膚やのどにも存在します。調理する人の手や指に傷や湿疹があった場合や、咳やくしゃみなどをした場合に、食品の中で毒素を作り出す確率が高くなります。おにぎりや弁当など手作りの食品から検出されています。潜伏期間は1～3時間で、激しい吐き気・嘔吐・腹痛の症状が現れ、下痢を伴います。

■ **ノロウイルス**[*7]

原因食品は生カキなど二枚貝が多く、ほとんどが経口感染で、中心部を85～90℃とした状態で90秒以上の加熱が望まれます。ノロウイルスが含まれた便や嘔吐物（乾燥して空気中に漂いやすくなる）に触れた場合も二次感染する

*7 **ノロウイルス**
R4年（後） R5年（前）
各食中毒の原因となる食品や予防についておさえておきましょう。

ことがあるので注意が必要です。潜伏期間は24～48時間で、急な吐き気や嘔吐、下痢、腹痛、軽度の発熱などの症状が１～２日続いた後、治癒します。感染しても発症しない場合や風邪のような症状の場合もあります。

常温で寝かせたカレーには要注意！

カレーにより食中毒を引き起こす可能性があります。カレーによる食中毒はウェルシュ菌という嫌気性細菌（酸素がない所を好む細菌）が原因です。そのため、ルーをかき混ぜて酸素を取り込むことが大事です。

またこの菌は、芽胞という丈夫な構造を作ると100℃の高温にも耐えるので再加熱では食中毒を防ぐことはできません。保存時は、鍋ごと冷蔵庫に入れるのではなく、小分けして保存し、冷蔵保存も一日程度としましょう。それ以上は冷凍保存します。

2 食品添加物*8

食品衛生法に基づき、「食品の保存性を高める」「品質を向上させる」「栄養価を強化する」「風味を良くする」等の目的で、内閣総理大臣（消費者庁）が安全性と食品に対する有効性を確認し、食品添加物として指定されたものだけが認められています。保存料・甘味料・酸化防止剤・乳化剤・膨張剤・香料などがあり、摂取する食品の種類を多くして安全性が確認されている添加物であっても多量に摂り過ぎないように注意します。

3 食品の表示を見分ける

農産物と畜産物には名称・原産地の表示があり、水産物には名称・原産地・解凍／養殖などの品質表示があります。加工食品には、名称・原材料名（食品添加物も含む）・内容量・消費期限や賞味期限*9・保存方法・製造者名・所在地・栄養成分表示*10 などが表示されます。また食物アレルギーを引き起こしやすい食品には、微量であっても表示

用語解説

*8 **食品添加物**

食品添加物の中には、製造上不可欠なもの（豆腐凝固剤・乳化剤・膨張剤など）もあります。また保存料・殺菌料・酸化防止剤などは加工食品製造にとって保存性を高めるために欠かせない添加物となります。

知っトク

*9 **消費期限と賞味期限**

消費期限は、製造後、日持ちがおおむね5日以内の食品に、食べられる期限を示します。弁当・総菜・調理パンなどがあります。

賞味期限は、日持ちが比較的長い食品に、すべての品質が十分に保持されている期限を示します。ハム・牛乳・調味料などがあります。

用語解説

*10 **栄養成分表示**

加工食品に表示義務があります。熱量・たんぱく質・脂質・炭水化物・ナトリウム（食塩相当量で表示）です。その他の栄養素は任意で表示されます。

が義務付けられています。表示をよく見て、安全な食品を選択することが大切です。

児童福祉施設における食事と栄養

1 児童福祉施設の特徴と食生活

児童福祉施設は児童福祉法で規定されている施設です。国立・公立・私立があります。それぞれの施設によって食事の提供回数や対象になる児童の年齢や状況は異なります。各施設の特徴は次のようなものです。

■ 保育所

乳幼児が対象なので、月齢や年齢によって異なる栄養学的特性を理解し、一人ひとりの発達状況を十分に観察して食品の種類・大きさ・硬さなどの調理方法を選択します。発育に個人差が大きいので、食べさせ方や盛り付け方にも配慮します。離乳食を与える場合やアレルギーのある子ども、体調不良の子ども等については、個別の対応が必要です。栄養士の配置のない保育所では、自治体の管轄にある栄養士や保健所に相談するなどして、食事の提供を行います。家庭との十分な連携を図りながら生涯にわたる食生活の基礎を築きます。

■ 乳児院

何らかの理由によって親が育てられない新生児～1歳未満（原則として）の乳幼児を保育士・看護師・栄養士らによって養育する施設であり、食事は授乳と離乳食が中心となります。子どもの摂食機能の発達をうながす配慮が必要です。スキンシップや言葉がけを多くして、子どもにとって食事が楽しみな時間になるように心がけます。多数の乳児が入所している乳児院の調乳は、衛生的にも安全性が高く、また手数を省くためにも終末殺菌法が用いられます。アレルギーや乳糖不耐症[*11]や一度に少量しか飲めない、嚥下(えんげ)が

知っトク

*11 乳糖不耐症
乳糖は母乳や牛乳に含まれる糖質で、小腸粘膜に存在する乳糖分解酵素（ラクターゼ）が不足あるいは欠損しているために不消化の状態となり下痢を起こします。乳児では乳糖を含まないミルクを用います。乳糖を除去し、ブドウ糖におきかえた育児用粉乳を無乳糖乳といいます。

困難な場合などは、子どもの状態にあったミルクの提供が必要となり、医師の指示にしたがって提供方法を検討します。また、ケースによっては、1歳を過ぎて小学校入学前までの子どもが入所している場合もあります。

知っトク

*12 **児童養護施設**
児童養護施設における給食では、入所前の食生活の影響から、栄養不良や偏食のある児童に対しては、改善を目的にして、供給栄養素の量を決めたメニューの検討が必要です。

*13 **虐待**
育児を放棄してしまうネグレクトも含みます。

■ 児童養護施設*12

乳児を除いて、保護者がいない児童、虐待*13を受けている児童、環境上養護を必要とする児童が入所しています。児童の自立支援も目的とします。施設が児童にとって心身ともに安心して生活できる場所になるように努めます。偏食・食欲不振・小食などの児童が多いので食事を通して情緒の安定を図り、食事を楽しめるように工夫します。食育を通して自立を支援する機会を持つようにします。

■ 児童自立支援施設

不良行為を行った児童、またはそのおそれのある児童、家庭環境その他の環境上の理由により生活指導等を必要とする児童を入所させます。または保護者のもとから通わせて、個々の児童の状況に応じて指導を行い、自立支援を目的とします。学習・クラブ活動・職業指導などを行うために活動量の高い児童が多くなります。家庭的な雰囲気の中で食事ができるようにします。質・量ともに充実した食生活が望まれます。

*14 **食品による子どもの窒息・誤嚥事故の予防**
R6年（前）
以下のような点がポイントになります。
- 豆、ナッツ類は5歳以下の子どもに与えない
- ミニトマト・ブドウなどは4等分する
- 食べている時は姿勢をよくし食べることに集中する
- 節分の豆まきは個包装の物を使用するなど、子どもが口に入れないように注意する

■ 障害児施設・児童心理治療施設

障害児入所施設、児童心理治療施設などがあり、それぞれの児童の身体面・精神面の発育状況を踏まえて栄養特性に配慮します。児童一人ひとりの障害の詳細を十分理解して対応する必要があります。食事形態や食具、食事用の椅子や机、食事に要する時間、食べ方（与え方）など障害の程度や特性によって異なることになります*14。施設内で働く職員は、連携をとり共通の認識を持って子どもに接することが重要です。また、障害児施設から特別支援学校に通学する場合も一貫した食生活支援が大切です。

2 児童福祉施設の給食の基本的方針

日本人の１日の食事摂取基準を活用して子どもの性、年齢、栄養状態を考慮し、一人ひとりの生活状況を把握して年齢階級別に身体活動レベルを考慮し、給与栄養素の量について目標を設定します。定期的に身長・体重を計測して標準となる成長曲線に照らし合わせて観測し、調整していくことが必要です。摂取エネルギーはたんぱく質エネルギーで13〜20％、脂肪エネルギーで20〜30％、炭水化物エネルギーで50〜65％の範囲内を目安に摂取します。他にビタミンA、B_1、B_2、C、カルシウム、鉄、ナトリウム、カリウム、食物繊維について考慮するのが望ましいとされています。健康的な食習慣の形成を図り、あいさつや箸の使い方などのマナーや衛生的な習慣を身に付けて社会性を養います。食生活を通して自己管理力を養うことも目的です。

○ 児童福祉施設における食事の提供*15 及び栄養管理に関する考え方及び留意点

> 食事の提供に当たっては、PDCAサイクル（計画（Plan）ー実施（Do）ー評価（Check）ー改善（Action））に基づき行っていく。また、施設の中では、さまざまな場での関わりがあり、全職員が一体となり進めていくことが大切であり、多職種の連携も重要である。あわせて、子どもを中心として、家庭からの相談に対する支援や家庭との連携、地域や関係機関との連携を深めながら、食を通じた支援も求められている。「心と体の健康の確保」、「安全・安心な食事の確保」、「豊かな食体験の確保」、「食生活の自立支援」を目指した子どもの食事・食生活の支援を行うことで、ひいては、子どもの健やかな発育・発達に資することを目指すことが大切である。（一部抜粋）

（出典：児童福祉施設における食事の提供ガイド 2010（平成22）年3月より 厚生労働省）

知っトク

＊15 児童福祉施設における食事の提供

大量調理施設衛生管理マニュアルでは、調理後ただちに提供される食品以外の食品は、10℃以下または65℃以上で管理し、調理終了後から2時間以内に喫食することが望ましいとされています。また、検食の保存として給食の原材料および調理済み食品を50g程度ずつ容器に密封し、−20℃以下で2週間以上保存することになっています。

■ 保育所における給食

保育所における給食に関しては、厚生労働省が基準を設けています。2010（平成22）年に、満３歳以上の児童に対する食事の提供に限り、公立・私立を問わず、外部搬入することが可能になりました（満２歳以下の児童に対する食事の提供も要件を満たせば可能です）。ただし条件があり、この委託による給食とは、栄養面（栄養士指導）や衛生面、幼児の健康状態、食育等の細かい配慮ができる場合であることと、保育所において行うことが必要な調理のための加熱、保存等の調理機能を有する設備を備えていなくてはいけません。調理業務の全部を委託する施設にあっては、調理員を置かなくてもよいことになります。給食を従来通り保育所で調理するか、外部委託するかは、保育所に判断が任されています。保育所の調理室は、芋ほりなどの行事の後で収穫した芋を調理して食べるなどの食育に欠かせない場としても使用されます。

■ **虐待を受けた子どもの食事**

虐待を経験した子どもにとって、安心して食事ができる環境がとても重要です。専門的なケアを必要とする場合もあるので、個々の状況に応じて食べることの楽しさを味わえるように努めます。栄養の不足や心理的影響などで発達が遅れている子どもや食習慣が形成されていない子どもに対しても時間をかけて指導していくように計画を立てる必要があります。

3 栄養·食生活に関する教育や指導

児童福祉施設で過ごす時間は、それぞれ異なりますが、通所施設である保育所での生活でも、1日の3分の1近い時間を過ごすわけですから、施設での食生活の影響は大きくなります。また、乳幼児期から成長期の間は、体の基礎を作る大切な時期であり、栄養摂取に偏りや過不足がないように取り組む必要があります。適切な食事を提供して心身両面の健全な発育を図ることが大切です。

また、施設で経験する食習慣や児童が使う食具や食器等、あるいは児童福祉施設で行う食*16 に関する行事や調理実習などは、生涯にわたって健康で質の高い食生活を送るための基礎となり、長い人生に大きな影響を与えることになります。したがって食育の観点から子どもに伝えたい事柄

知っトク

＊16 児童福祉施設での食事

児童福祉施設に入所している児童に必要な栄養量については、個々の成長の速さに違いがあるので、成長曲線を参考にしながら、成長の伸び具合を観察することが必要です。成長に合った栄養が摂れているか確認します。食生活で精神的に満足できる質や量であることが身体的成長にも影響を及ぼすことになります。

を発達段階に応じて指導することが大切です。起床・就寝時刻、食事の時間等も含めた生活全般に目を向けることも必要です。また、家庭との連絡を密にとり、多様な食品を用いることも必要で、好き嫌いをなくしてさまざまな味を体験し、季節感や旬の食材の美味しさを味わうことは食育として大切です。地域の郷土料理や伝統的食文化の紹介も含めて、より広く食育を実践するために多くの職種が携わり食の専門家の協力を得ることも必要です。

理解度チェック　一問一答

全問クリア　月　日

Q

☐ ❶ 児童福祉施設における食事の提供ガイドによると、加熱調理後は24時間以内に喫食することが望ましい。 R2年（後期）

☐ ❷ 中食とは、家庭で手作りされた料理を食べることをいう。 H31年（前期）

☐ ❸ ソラニン類食中毒を防止する方法として、ジャガイモの芽や日光に当たって緑化した部分を十分に取り除き、調理を行う。 R5年（後期）

☐ ❹ 計量スプーンの小さじ1は、調味料の重量15gを測りとることができる。 R4年（前期）

☐ ❺ 食中毒の原因菌となる腸管出血性大腸菌の原因食品は卵焼きが多い。 H30年（前期）

☐ ❻ 汁物の食塩の基準濃度は、一般に4～5%である。 R3年（後期）

☐ ❼ 和食の食器の並べ方では、主食は右手前に汁物は左手前に置く。 R3年（前期）改

A

❶ × 2時間以内に喫食することが望ましい。

❷ × 中食とは、調理済みの食料品を購入後に自宅で食べることであるので誤り。

❸ ○

❹ × 体積を測る道具で小さじ1は5mL(cc)である。

❺ × 加熱が不十分な肉や井戸水、生野菜から菌は検出される。

❻ × 汁物の塩分濃度は0.8%がよい。

❼ × 主食は左手前、汁物は右手前に置く。

特別な配慮を要する子どもの食と栄養

頻出度

子どもが心身ともに健やかに成長するように食生活を工夫しますが、子どもの体調が悪い場合や疾病を抱えている場合、食物アレルギーを持っている場合、障害があるために食生活に配慮が必要な場合などについて注意することを学びます。

体調不良の子どもへの対応

子どもは体調の変化を起こしやすいのが特徴です。子どもの顔色や食欲、動作に変化がないか注意深く見守り、変化がみつかった時には早く対処することが求められます。児童福祉施設で生活する子どもが体調不良である時には、子どもの症状や状態を正しく把握することが大切です。委託医やかかりつけ医の指導・指示にしたがって食事を提供します。できるだけ家庭との連絡を密にします。食事制限がある場合や調理形態に工夫が必要な場合も適切に対処します。水分補給を十分に行うことが重要です。

1 小児の疾病の特徴と食生活

乳児期の疾病[*1]として、遺伝子病・配偶子病（染色体異常症）・胎芽病[*2]などの疾病を持つ場合は、新生児期あるいは乳児期早期に発見されることがほとんどです。また、症状の把握に時間がかかる疾病（運動機能障害、知的障害なども含む）や急激に発症して重くなりやすい疾病もあります。特に、乳児期は免疫機能が未熟で感染症にかかりやすいので注意が必要です。

■ 免疫移行と感染症

胎児期から乳幼児期の初期には、母親から免疫物質が移行されることで感染しにくくなります。妊娠７か月頃から胎盤を介して免疫グロブリンIgG[*3]を胎児に送り始め、陣痛時にも母親から移行します。他に母乳から免疫グロブリンIgA[*4]を得ることができますが、免疫グロブリンIgGはその後減少し、生後３～６か月が一番少なくなる時期なので注意が必要です。この時期に感染症にかかると重症になりやすいので、外出は避けるように心がけます。６か月頃からは自分で免疫抗体を作り始めますが、この時期が遅れると感染症にかかりやすくなり、乳児一過性低ガンマグロブリン血症[*5]と診断される場合があります。早産により、あるいは未熟児で母親からの免疫を十分に受けられなかった場合に多く出現しますが、治療を必要としない場合が多いです。必要な場合は免疫グロブリンを投与します。

■ 消化・排泄機能と食生活

離乳食が不適切だった場合は、消化・吸収がうまく運ばずに発育への影響が心配されることもあります。離乳食の開始が遅れると噛めない、噛まない等の食べ方の問題が生じることがあります。

また脱水症になりやすいので注意が必要です。乳児の腎機能は未熟で、老廃物をろ過する働きのある糸球体[*6]は生後６か月頃から成人と同じように働きますが、水分・ぶ

知っトク

＊1 乳児期に発見される先天性疾患の例

・クレチン症
先天性甲状腺機能低下症であり、栄養素の欠乏症ではありません。

・メープルシロップ尿症
たんぱく質の必須アミノ酸ロイシン・イソロイシン・バリンの代謝に問題があります。

用語解説

＊2 **胎芽病**
胎芽期（妊娠８週までの期間）に原因がある先天異常の総称です。放射線・化学物質・ウイルスなどが影響します。

＊3 **免疫グロブリンIgG**
血液中に最も多く含まれる免疫グロブリン（抗体）です。細菌・ウイルスに対する抗体を含みます。

＊4 **免疫グロブリンIgA**
腸管、気道等の粘膜や初乳に多くあって細菌やウイルス感染予防に役立ちます。

知っトク

*5 **乳児一過性低ガンマグロブリン血症**
免疫抗体を自分で作り始める時期が遅れます。母親から移行した抗体が3〜6か月頃から減少し、その状態が長くて3歳頃まで続きます。

用語解説

*6 **糸球体**
血液中の老廃物を尿として体外に排出する役割をします。

用語解説

*7 **尿細管**
栄養物質の再吸収を行います。

どう糖・アミノ酸・電解質（ナトリウム・カリウム）の再吸収を行う尿細管*7 の機能は1歳半から2歳にならないと十分に働かないので水分が多く排出され、電解質のバランスを崩すなどの理由で脱水症を起こしやすくなります。皮膚・唇・口内が乾燥し、目が落ち込む、手足が冷たい、顔面蒼白などの症状が出ます。重度になると意識障害を伴うこともあります。

■ 発熱・嘔吐と食生活

体温調節中枢の機能が未熟で発熱しやすいのも特徴です。自律神経機能のバランスが崩れやすい（発汗に関係）ためです。すぐに発熱して高熱になりやすいので注意します。発熱時は、発汗して水分や電解質を失い、新陳代謝が盛んになるため、たんぱく質やビタミンをたくさん消費します。体温が1℃上昇すると、エネルギー必要量が増加します。食べられる物を選んで栄養補給を怠らないようにします。

嘔吐しやすい子どもも多くいます。自律神経機能が未熟なためですが、年齢とともに改善します。

消化・吸収機能が未熟な乳幼児は下痢を起こしやすいのも特徴です。他に心因性下痢・食物アレルギーがある場合の下痢・乳糖分解酵素が先天的に欠損（乳糖不耐症といい消化酵素ラクターゼの不足が原因）している場合の乳汁による下痢・乳児下痢症（急性消化不良症）などがあるので、原因を見極める必要があります。

また、むし歯も問題です。歯磨き習慣の大切さはもちろんですが、食生活にも気を配り、乳歯のうちからむし歯にならない丈夫な歯を育てる努力が必要です。

2 摂食障害と食生活のあり方

偏食は、保育者自身に偏食があって、日常的に偏った食材を選択する傾向がある場合や、調理方法や調理形態の工夫を怠ることに原因がある場合が多いようです（野菜嫌いなど)。3歳頃までにできるだけ多くの食材を食べさせるようにして、食育も兼ねて食品に関心を抱くような食生活の環境を作りだすようにします。外見・匂い・舌触りなどに敏感に反応する子どもに偏食が多いですが保育者の嗜好も影響します。

乳幼児期に、食べたがらない、飲みたがらない、食べたいけれど食べられない子どもが出てきます。遊び食いやむら食いなど、食べることに集中できず、食事に時間がかかるので保育者は躾や食事のマナーの観点からも叱ることが多くなりますが、自分から食べる意欲を持って、楽しく食事が進むように働きかけることが大切です。躾が厳し過ぎる等の育児上の問題や生まれながら食が細い場合もある(病気が潜んでいることもある)ので、注意が必要です。

また、神経性食欲不振症(拒食症)*8 は、体型を気にして痩せたい思いが強いために食べられなくなる場合が多く、思春期の頃に発症することがあります。エネルギーが足りなくなり、行動力・思考力も減少して自暴自棄に陥ることもあるので、カウンセリングなどで時間をかけて改善へ導くことが必要です。逆に過食症*9 も摂食障害であり、拒食症と交互に繰り返す例があります。

***8 拒食症**
標準体重より20%以上減少している場合に栄養失調が心配されます。

***9 過食症**
拒食症と相反しますが、ともに摂食障害です。専門家のカウンセリングが必要な場合もあります。

3 症状別の食生活*10

***10 体調不良の子どもへの対応**
R4年(前)

■ 発熱

発汗して水分や電解質(ナトリウム・カリウム・カルシウムなど)を失います。新陳代謝が盛んになりたんぱく質、ビタミンの消費量が増えるので補給が必要です。また発熱するとエネルギーを多く消費するのでカロリー補給も大切です。水分として、湯冷まし・麦茶・番茶等だけでなく電解質飲料*11 を与えます。乳幼児はすぐに発熱しますが、治り始めると回復は早いです。

***11 電解質飲料**
ポカリスエットやOS-1などの商品が該当します。ナトリウムやカリウムなどの電解質が入っています。浸透圧が低めで身体に吸収されやすく、商品によって飲みやすく糖分を加えたものもあります。

■ 嘔吐

水分補給が大切ですが、嘔吐が続く時には口からの食べ物を一旦中止します。電解質飲料を与えます。

■ 脱水症

発熱や嘔吐が続いて脱水症状[*12]が現れた場合は、水分補給、電解質飲料を与えて回復を図ります。

■ 下痢

下痢だけの場合と嘔吐を伴う場合があります。嘔吐の場合と同様で脱水症にならないように気を配ります。急性期はまず絶食し、次に水分補給が必要です。乳幼児電解質飲料[*13]を与えます。その後、おもゆ・煮込みうどん・つぶしたじゃがいも等を少しずつ与えて様子をみます。下痢が激しい時には、牛乳・乳製品はしばらく与えない方がよいでしょう。

■ 便秘

規則的な排便習慣を付けることが望ましいですが、便秘予防として、空腹時に冷たい水や牛乳を飲ませます。食物繊維や水分の多いものを摂取できるような献立を考えます。

■ 糖尿病

インスリン[*14]を作る能力が低下またはなくなってしまう1型糖尿病とインスリンの分泌が少なくなったり、効き方が悪くなる2型糖尿病があります。小児糖尿病は1型糖尿病が大半です。10歳以上では2型糖尿病の発症も増えています。治療は注射によるインスリン療法に食事療法を加えます。小児期は、成長に必要な栄養の必要量をしっかり摂取して、高血糖をインスリンで調節する方法が多く、炭水化物を摂り過ぎないようにして糖尿病食[*15]を続けます。1回の量を減らして、食事回数を増やすなど工夫が必要です。

■ その他の食事療法

その他にも腎機能、肝機能、心臓などに疾患を抱える小児は、医療機関と連携して体への負担が軽減するような食生活の取り組みが必要になります。またアレルギー疾患の

***12 脱水症状**
体重の2%に相当する水分が失われると、強いのどの渇きや食欲減退が現れ、さらに脱水が進むと意識障害が起こり危険な状態になります。

***13 乳幼児電解質飲料**
乳幼児用に浸透圧を低くして、水分吸収を良くし、糖分を抑えてむし歯予防を考慮した電解質飲料が販売されています。

用語解説

***14 インスリン**
膵臓から分泌される血糖値を下げるホルモンです。食後に血糖値が上がらないように調節します。血液中のぶどう糖を細胞に送ったり、脂肪やグリコーゲンに変えて蓄えたりする働きもあります。

ある場合には、アレルゲンを除去した食生活に取り組み、患者の小児も保育者も改善に向けて努力が必要です。また、保育所や学校の関係者も疾患に対して十分に理解をして対処することが大切です。

4 肥満の子どもへの対応

乳児期の肥満は1歳過ぎに改善されるといわれています。幼児期の肥満は学童肥満、成人肥満に移行することが多くなります。肥満は高血圧や糖尿病などの生活習慣病*16を誘発する原因になる場合が多いために、できるだけ早い時期から改善する努力を実行します。孤食や早食い*17が肥満の原因になる場合もあります。子どもの食事制限は難しいですが、遊びを十分にしてエネルギー消費*18を活発にしつつ、食生活習慣を見直して、糖質制限をします（糖質によるカロリー摂取を抑える)。また、5歳以上の場合は、年齢相当のカロリーの20～25%を制限するようにして改善を図るようにします。

■ 肥満度の判定

乳幼児はカウプ指数値を参考にします。

計算式は、10×体重（g）÷身長（cm）÷身長（cm）です。肥満の判定は下表のようになります。

カウプ指数	正常	やや肥満	肥満
3か月～	16～18	18～20	20以上
満1歳	15.5～17.5	17.5～19.5	19.5以上
満1.5～2歳	15～17	17～19	19以上
満3～5歳	14.5～16.5	16.5～18.5	18.5以上

*15 **糖尿病食**
小児糖尿病では、周りの子どもたちと同じように食べてエネルギーを十分摂ります。そのために生じる高血糖はインスリンで調節します。エネルギーが不足すると低血糖を起こすこともあります。医師の指導のもとで栄養バランスのよい食生活を送ります。

*16 **生活習慣病**
生活習慣が深く関係していると思われる疾患です。食生活の見直しで予防または改善が見込めます。

*17 **早食い**
満腹信号は脳に届くのに時間がかかるため、早食いをすると、満腹になる前に食べ過ぎてしまって肥満につながるといわれます。

*18 **エネルギー消費**
生命を維持するために必要な基礎代謝量に加えて、身体活動に伴うエネルギーが必要です。活発に活動することでエネルギー消費量は増大します。

学齢期は肥満度という指標で判定します。

標準体重は±20%以内、軽度肥満は20%以上30%未満、中等度肥満30%以上50%未満、高度肥満50%以上と判定します。逆に痩身は−20%以下となります。

𝄞♪ 食物アレルギーのある子どもへの対応

食物アレルギー*19 *20 のある子どもに対しては、アレルギーの原因物質をしっかり理解して日常の献立からアレルゲン*21 を除去することが必要です。食物アレルギーは、1歳までに発症することが多いですが、卵・牛乳のアレルギーは2〜3歳で発症が確認されることもあります。食物アレルギーはその後、寛解することも多くあります。

○ 特定原材料と推奨品目

特定原材料	卵・乳・小麦・そば・落花生・えび・かに・くるみ
推奨品目	あわび・イカ・いくら・オレンジ・キウイ・牛肉・さけ・サバ・大豆・鶏肉・豚肉・まつたけ・もも・やまいも・りんご・ゼラチン・バナナ・カシューナッツ・ごま・アーモンド

アレルギーの原因となる食品のうち、患者数の多さや症状の重さから食品表示法で表示義務のある特定原材料は、8品目*22 *23 です。加工食品にはアレルギー表示*24 として、微量であっても含まれている時には表示し、原材料として使った場合や、原材料を作る時に使った場合にも必ず表示があります。

推奨品目（特定原材料に準ずるもの）は、20品目です。アレルギー物質の表示方法は原則として個別表示です。原材料名の直後にカッコを付けて特定原材料等を含むことを表示します。使用されたすべてのアレルゲンを一括表示する場合もあります。含まれていても表示されない品目もあり、店頭で計り売りされる惣菜やパン、注文して作る弁当やアルコールなどが該当します。

児童福祉施設で生活する食物アレルギーのある子ども*25

***19 食物アレルギー**
食物アレルギーの症状は、蕁麻疹（じんましん）・湿疹・下痢・嘔吐・腹痛・鼻や目の粘膜症状・咳や呼吸困難などです。重症になるとアナフィラキシーショックといい、呼吸困難・血圧低下・意識障害などが現れて死に至ることもあります。特定原材料の品目を押さえておきましょう。
食物アレルギーの診断の一つに特異的IgE抗体検査があります。

***20 食物アレルギー**
R4年（前）　R4年（後）
R5年（前）　R6年（前）
過去の試験では、乳幼児期に食物アレルギーを発症すると、その後、ぜん息やアトピー性皮膚炎などの他のアレルギー性疾患を発症しやすくなるという「アレルギーマーチ」について出題されました。
乳幼児期の食物アレルギーの原因食品や、表示義務のある特定原材料の8品目について把握しておきましょう。

用語解説

***21 アレルゲン**
アレルギーの原因となる物質です。

に対しても各家庭と同様に、アレルゲンとなる食品を除去する対応が必要です。保護者に献立表をみてもらい、使用する食材を確認することも大切です。保護者と連絡を密にして、特別な配慮や管理が求められる場合には、かかりつけ医に生活管理指導表の記入を依頼し、それに基づいて対応します。緊急連絡先や対処法も保護者と話し合っておきます。個々の子どもに対する対応となるので、他の子どもに提供した食事を間違って食べることがないように、また排除しなくてはいけない食材が混入することがないように、施設内の職員全員に連絡を徹底し、連携して当たることが求められます。

なお、2019（平成31）年に厚生労働省より「保育所におけるアレルギー対応ガイドライン*26」の改訂版が出されています。目を通しておきましょう。また、保育所保育指針では、子どもの疾病等の事態に備え、医務室等の環境を整え、救急用の薬品、材料等を適切な管理の下に常備し、全職員が対応できるように示しています。

進化するアレルギー対応

食物アレルギーを持つ子どもの食生活には、保育所や家庭においても細心の注意が必要でさまざまな制約があります。しかし食物アレルギーに対する治療は進み、原因物質を除去する方法だけでなく、食べて安全な量を見極めて継続的に必要最低限の量を摂取することで自然に良くなることもあるようです。乳幼児に多い、卵・牛乳・小麦に対するアレルギーは５歳までに克服する例も少なくありません。専門医の診察を受けて努力を続けることが大切です。

障害のある子どもへの対応

1 障害の特徴と食生活

障害の程度はさまざまです。障害が複数ある場合もあります。視覚障害と聴覚障害を併せ持つ場合もありますから、

*22 **特定原材料**
乳児から幼児における主な原因物質は、卵・乳製品・小麦などです。

*23 **オボムコイド**
卵白に含まれるたんぱく質の一種でアレルゲンの活動が強く加熱による変化も弱いです。

*24 **アレルゲンを含む食品の表示例**
マヨネーズ（卵を含む）
うどん（小麦を含む）
ハム（豚肉・卵を含む）
など。なお、推奨品目であったくるみが追加され、特定原材料は8品目になりました（2025年3月31日まで猶予期間）。

*25 **食物アレルギーのある子ども**
アレルゲンの除去食と一般のメニューの違いをしっかり理解して、自己管理ができるように指導していくことも大切です。また、幼児期の食物アレルギーは変化するので、常に見直しが必要です。
なお、卵殻カルシウム・大豆油などは、基本的には除去しません。

個々の状態を十分に理解して対応します。

■ 視覚障害児[*27]

視覚障害の場合は、盛り付けられた料理を見ることができないために、視覚からの脳への刺激が途絶えて食欲が低下する原因を作り、低栄養[*28]状態を招くことがあるといわれます。しかし、視覚障害がある場合は嗅覚や聴覚などの感覚が優れている場合が多いので、一緒に食事をする周りの人が多くの言葉がけをして、食品の理解やレシピなどの興味を深めるように働きかけます。また食品の匂いを嗅ぐ、食品に触れるなどして食品の認識を深めて正しい知識を教えることや、その食品を使ってでき上がった料理の匂いや味を楽しむように働きかけることが大切です。食育や栄養教育も兼ねて献立名と料理法をしっかり記憶できるように伝えます。また、視覚障害児が食事をする時には、熱いものに触れて火傷をする危険を避ける工夫が大切です。まず言葉がけをして注意をうながし、熱いものを置く位置を決めておくようにします。できる範囲で、調理にも参加させて興味を引き出し、その楽しさと危険な事柄を伝え、将来の自活のための教育を早くからすると、視覚障害児自身の自信につながっていきます。

■ 聴覚障害児[*29]

聴覚障害の場合は、咀嚼の音が聞こえないために自分が食物を摂取した様子がわかりにくいことで、食欲が湧かない場合があります。家庭での包丁の音や、鍋が煮える音なども食欲に関係があります。しかし、視覚で調理による食品の変化を確認して、美味しそうにでき上がった料理を楽しんで味わえるように、周りの保育者は食育に努めます。小さい頃から積極的に料理に参加させて、料理の楽しさや魅力を伝えるとともに、危険な事柄も理解させることが大切です。

■ 知的障害児

知的障害の程度はさまざまであり、知的な面だけでなく、

*26 **保育所におけるアレルギー対応ガイドライン**
R3年（前）　R4年（前）
保育所におけるアレルギー疾患への対応については、保護者を始め、保育所にかかわる全員が共通認識を持って組織的に対応するとともに、地域の専門的な支援・連携のもとで安全に対応することが重要であるとしています。

知っトク

*27 **視覚障害児**
視覚障害者の中で全盲と弱視があり、弱視の割合が多く、この場合は見える範囲に個人差が大きいので、個々の状況を理解することが大切です。

*28 **低栄養**
栄養が必要量を満たさない場合に起こります。代謝不良や吸収不良、下痢が続くなどの原因でも起こります。

*29 **聴覚障害児**
全く聞こえない場合のほか、難聴による聴覚障害児も多く、聞こえる範囲に個人差が大きいので、話をする時には視野に入るように前から声をかけます。

身体的な面や情緒面の発育も遅れることがあります*30。一人ひとりの症状にあった対応が必要になります。食欲のコントロールができない場合や、栄養やカロリーについて理解できないために、過食や偏食も起こしやすくなります。暦年齢に比べて老化現象が早い傾向があるので、各種ミネラルやビタミン類*31 を多く摂取させるようにします。知的障害児の中でも重度の場合は、成長段階で、食物を噛む、飲む、吸うなどの動作がうまくできないまま成長する場合もあります。つまり、咀嚼能力や嚥下能力にも障害が認められると、食事形態に工夫を凝らす必要があり、誤嚥を防いで、誤嚥性肺炎や窒息を予防することが大切になります。分量などの調整ができないために、おかずを丸呑みしたり、主食を口の中に詰め込んでしまうこともあるので、一口ずつ食べられるように工夫します。また、水分やとろみを加えて飲み込みやすくし、ゼリー状の硬さに調理するなどの工夫が必要です。口の中でばらばらになるものは飲み込みにくいので注意が必要です。安全で美味しく、食事が楽しめるように工夫します*32 。

■ 身体障害児

障害の程度はさまざまなので、身体障害部位の状態をよく理解して、食生活において障害をカバーすることができる方法があるかを検討します。食事内容や食事形態の工夫、自助具*33 の利用なども有効です。咀嚼能力に問題がなく、嚥下障害がない場合には、できるだけ健常者と同じメニューを前提に、介助を進めます。

ベッドに寝ていることが多い場合には、食事の時は仰臥位*34 でなく身体を起こすようにします。座る姿勢を保つことが難しい場合は、床面から30～45度位にベッドを起こして姿勢を保つようにします。頭を後方に反らすと咀嚼や嚥下に必要な筋肉群が緊張するので首の筋肉をリラックスさせて、頭を少し前かがみにした方がよいでしょう。枕やタオルなどを挟んで角度を調節します。

***30 情緒面の発育の遅れ**
情緒（感情）のコントロールがうまくできない、他人と交流ができない等がみられます。

***31 ビタミン類**
ビタミンC、E、B_{12}などには抗酸化作用があるので有効です。

***32 嚥下が困難な子ども**
R4年（後）　R5年（後）
嚥下が困難な子どもの食事について出題されました。誤嚥しやすい食品や形態について把握しておきましょう。

用語解説

***33 自助具**
できる限り自分でできるように、工夫した道具のことです。コップの持ち手を大きく太くしたり、握りやすく改良したスプーンなど目的に合わせて使用します。

***34 仰臥位**
仰向けに寝ている姿勢のことです。

用語解説

*35 **半側臥位**
身体を30度位横向きにします。姿勢が保てるようにパッドなどを背中に入れて、膝を曲げます。

*36 **増粘安定剤**
匂いや色がない点が優れています。天然の多糖類が原料で、調理済み食品や飲料に使用し、加える量によってとろみの硬さも調整できます。

*37 **食道逆流**
強い酸性の胃液や食物が食道に逆流することです。食道に炎症が起こることがあります。

麻痺がある場合は麻痺のない側を下に、麻痺がある側を上にした半側臥位（はんそくがい）*35とします。咀嚼能力に問題がある場合や嚥下障害がある場合には、誤嚥（ごえん）を防止するために、とろみ食やゼリー状の飲み込みやすい食事形態を工夫します。お茶などの水分も喉の通りが速いのでむせることがあり注意が必要です。必要に応じて嚥下用に増粘安定剤*36（とろみ調整剤）を利用します。冷たいものや温かいものにも利用でき、飲み込むスピードをゆっくりにさせることができます。また、酸味の強い食品は、むせやすく誤嚥しやすいので注意します。

2 障害のある子どもの食生活の実際

障害児には、聴覚障害・視覚障害・音声機能障害・言語機能障害・肢体不自由・心臓、腎臓等の機能障害・筋ジストロフィー症・脳性まひなど、障害が認められる部位や程度が個々に異なり、寝たきりの状態の子どももいます。一人ひとりの状態に応じた対応が大切です。また、生育歴や家庭環境により食生活の経験は個人差が大きいことも理解する必要があります。特に、摂食が困難な場合や嚥下障害がある場合には、食事形態を工夫する必要があるので、療育機関や医療機関等の専門職の指導や指示に基づいて提供の方法を決定します。管理栄養士・栄養士も障害による特性を十分に理解して、摂取しやすい食事の工夫を配慮する必要があり、異職種が連携して取り組みます。

障害のある子どもの場合は、服薬の影響や胃・食道逆流*37などにより胃潰瘍、十二指腸潰瘍などの消化管障害が起こり、鉄欠乏性貧血の原因となることがあります。また、重症心身障害児の場合、麻痺や筋緊張でたんぱく質の消費が高まることや、身体活動の低下等により、たんぱく質の消化・吸収率が低下する場合もあります。年齢別の食品摂取基準よりもたんぱく質摂取量を10～20%付加することも検討します。

障害のある小児の食事介助[*38] [*39]では、食事の際に、楽に姿勢保持ができるように、日常生活の中で上体を起こした姿勢を保つ訓練を、子どもの全身状態に合わせて行うようにします。介助者は障害児と同じ目の高さで食事介助をするようにします。どうしても介助者の方が高い位置から手を差し伸べることが多くなりますが、その場合に、障害児は顔を上に向けて顎を上げる状況になるために頭が反り返って喉の通りが悪くなります。口唇を閉じる力が弱い場合は、食べものをのせる部分が平坦で、口の幅より小さいスプーンを使用します。食事の時間は、障害児にとっては全身を使って食物を摂取する行為が必要となり、それを繰り返すことでリハビリの役割や身体機能を低下させないための訓練の意味を持ちます。障害のある小児には、五感（視覚、聴覚、嗅覚、味覚、触覚）に働きかけるように食行動を援助することが、成長・発達をうながすことにつながります。

*38 **障害がある子どもの食事介助**
R5年(後)

*39 **障害のある子どもの食事に役立つ食器の例**
食器は縁の立ち上がっている形状の方がすくいやすく、カットコップは傾けても鼻に当たりにくく飲みやすいです。

○ 障害をもつ子どもの食事

・スプーンのボール部の幅は、口の幅より小さいものを選ぶとよい。
・カットコップは、傾けても鼻にあたりにくく、飲みやすく工夫されている。
・食器は、縁の立ち上がっているものの方がすくいやすい。
・食事の援助をする場合は、子どもと同じ目の高さで行うことが基本である。

１回の食事に要する時間も長くかかるので、障害児と介助者は食事の時間に合わせて１日の生活のリズムを作り出します。できるだけ障害のない子と同じ物を与えられるようにメニューを考えることを前提にして、とろみ調整食品[*40]等を活用して嚥下しやすい調理法を考えます。食後は口腔内衛生[*41]のために水やお茶を与えます。食べる機能の発達をうながすためには、口腔内を健康に保つことは重要で、食後のブラッシングを習慣化することは大切です。

食事の時間が生活に潤いを与え、人とのコミュニケーションを図る機会として重要な意味を持つことを理解します。

*40 **とろみ調整食品**
ユニバーサルデザインフードの名称が用いられている加工食品もあります。噛む力、飲み込む力を考慮して4種類（1. 容易にかめる、2. 歯茎でつぶせる、3. 舌でつぶせる、4. かまなくてもよい）と、とろみ調整を加えています。

*41 **口腔内衛生**
口の中を清潔に保ち、細菌を除去することは、誤嚥性肺炎の予防にもつながるので重要です。またむし歯や口腔内の疾患予防につながります。

理解度チェック　一問一答

全問クリア　月　日

Q

- □ ❶ 大豆アレルギーの場合、大豆油は基本的に使用できない。 R3年（後期）
- □ ❷ 食物を嚥下しやすくする食品には、かたくり粉、コーンスターチ、ゼラチンなどがある。 R5年（後期）
- □ ❸ 日常生活で寝たきりが多い児は、誤嚥を防止するために、頸部を少し前屈させるようにする。 H30年（前期）
- □ ❹ 「食品表示法」により容器包装された加工食品において、アレルギー表示が義務づけられている原材料は、卵、乳、小麦、大豆の4品目である。 R6年（前期）
- □ ❺ 体調不良の子どもの食事では、油を使った料理は控えるようにする。 R4年（前期）
- □ ❻ 下痢の時には、食物繊維を多く含む料理を与える。 R2年（後期）
- □ ❼ 保育所では、乳幼児が食事の自己管理ができないために、除去食品の誤食が発生する可能性があり、保育士は注意が必要である。 R4年（後期）
- □ ❽ 脱水症は、体内の水分が減ってしまう状態を指し、尿量が増える。 H30年（前期）
- □ ❾ アナフィラキシーショックは、呼吸困難・血圧低下・意識障害などが同時多発的に現れて死に至ることがある。 R5年（前期）

A

- ❶ × 大豆油は精製されており基本的に除去しない。
- ❷ ○
- ❸ ○
- ❹ × 義務づけられているのは8品目です。
  卵、乳、小麦、そば、えび、かに、落花生、くるみ
- ❺ ○
- ❻ × まず絶食し、落ち着いたら水分を与える。
- ❼ ○
- ❽ × 脱水症は、水分とナトリウムが不足する場合と水分のみが不足する場合があるが、どちらも尿量が減少する。
- ❾ ○

保育原理

保育原理では、保育の基本的な考え方や、保育実践の基礎となる知識や考え方を身に付けていきます。法令や歴史、保育の理論から、保育士が実際に保育現場で行う子どもや保護者への対応まで幅広くカバーし、また乳児保育や障害児保育までも含みます。保育原理で「専門家としての保育士」の基礎をしっかり固めましょう！

出題の傾向と対策

過去5回の出題傾向と対策

保育原理の過去の出題を見てみると、次の傾向があります。

① **保育に関連する法律に関する問題：**児童福祉法や児童の権利に関する条約など、その法律等が持つ理念や具体的な条文について出題されています。児童福祉法及び児童福祉施設の設備及び運営に関する基準、教育関係法令などについて理解しておきましょう。「子どもの最善の利益と保育」に関しては、児童憲章、児童権利宣言、児童の権利に関する条約などを学んでおく必要があります。いずれも内容だけでなく沿革についても確認しておきましょう。また「子ども・子育て支援新制度」において拡大した保育施設や、子育て支援事業について確認をしておいてください。最近は教育と福祉など複合的な出題、また保育に関連する様々な法令や条約などが出題されるようになっています。

② **保育の歴史に関する問題：**世界の歴史と日本の歴史がそれぞれ出題されています。主要な人名や国名と事項を結び付けて覚えておきましょう。コメニウスやルソー、フレーベル、モンテッソーリ、倉橋惣三などのよく知られた人物以外にも出題される範囲が拡大してきています。本テキスト巻頭の人名まとめなどを活用して覚えるようにしましょう。最近は日本と欧米など複合的な出題が増加しています。

③ **保育所保育指針に関する問題：**保育所保育指針の中から幅広く出題されています。特に第１章「総則」、第２章「保育の内容」については多く出題される傾向にありますので、指針及び解説をしっかりと読み込んでおきましょう。まずは保育が「養護と教育が一体になって」行われるものであることをしっかりと理解してください。この基本を理解しておくことが、事例問題を解答するときの

助けになります。また、乳児期の３つの視点と１歳以上、３歳以上の５領域については、ねらいと内容がどの年代の、どの視点・領域に当てはまるものかを確認しておきましょう。全てを暗記することは不可能ですが、巻末の保育所保育指針や本書の赤字を読み、用語の用いられ方や基本的な方向性を理解しておけば、正答につなげることができます。「幼児期の終わりまでに育ってほしい姿」などの新しい内容についても出題されるようになっています。

④ **保育の制度に関する問題：**家庭的保育事業、認可外保育施設など、行政施策や社会動向にそって出題されています。

⑤ **世界の保育政策や動向に関する問題：**アメリカ、オセアニア、ヨーロッパを中心に各国の保育政策や子育て支援政策、保育の動向について出題されています。

⑥ **子育て支援に関する問題：**保育所の役割の一つである子育て支援について、相談援助活動、保護者に対する支援の方法などを問う問題が出されています。

原典を確認しておきたい法律・資料

こども福祉と特に関連が深い法律・資料は上巻「子ども家庭福祉」の科目で紹介していますので、そちらも確認してください。

「保育原理」の過去5回の出題キーワード

問題	R6年（前期） 2024年	R5年（後期） 2023年	R5年（前期） 2023年	R4年（後期） 2022年	R4年（前期） 2022年
1	保育所保育指針	保育の制度（日本）	保育の基本（保育所の社会的責任）	保育の基本（保育所の社会的責任）	養護に関する基本的事項
2	保育の目標	保育所保育指針の歴史、意義	保育の基本（保育の環境）	養護と教育	保育の基本（保育の環境）
3	保育の内容（3歳以上児）	乳児保育	保育の基本（養護）	保育の計画及び評価	保育の制度（日本）
4	保育の内容（留意すべき事項）	保育の内容（内容、ねらい等の定義）	1歳以上3歳未満児の保育	保育の計画及び評価	保育の基本（保育内容等の評価）
5	保育の内容（1歳以上3歳未満児）	保育の内容（保育士の対応）	保育の計画及び評価	乳児保育	障害児保育
6	子ども・子育て支援新制度	保育の内容（3歳以上児の保育）	乳児保育	乳児保育	保育のねらい及び内容
7	保育の内容（3歳以上児）	育みたい資質・能力	保育の内容（3歳以上児）	保育士の対応（1歳児）	保育の内容（1歳以上3歳未満児）
8	保育の制度（日本）	保育の内容（留意すべき事項）	保育士の対応	保育の内容（3歳以上児、環境）	保育の内容（3歳以上児）
9	職員の資質向上	保育の環境	災害への備え	保育士の対応	障害児等に関する法令
10	子育て支援	障害児保育	保育の制度（日本）	保育士の対応（4歳児）	保育の内容（留意すべき事項）
11	保育の歴史（欧米）	保育の歴史（欧米）	保育の基本（幼児教育を行う施設として共有すべき事項）	保育士の対応（5歳児）	子育て支援
12	保育の歴史（日本）	一時預かり事業	保育士の対応（行事、子育て支援）	子育て支援	職員の資質の向上
13	幼児期の終わりまでに育ってほしい姿	職員の資質向上	保育の計画及び評価	家庭及び地域社会との連携	保育に関する法令・条約
14	保育の計画及び評価	保育の内容（3歳以上児の保育）	子育て支援	保育の制度（日本）	児童福祉法
15	保育の内容（乳児保育）	保育の計画及び評価	保育の制度（日本）	保育の制度（日本）	保育の歴史（日本）
16	小学校との連携	保育の内容（1歳以上3歳未満児）	保育の制度（日本）	保育の基本（幼児教育を行う施設として共有すべき事項）	保育の歴史（欧米）
17	発達障害	保育の計画及び評価	保育実習生の対応	保育の歴史（日本）	保育に関する法令・条約
18	保育の計画及び評価	児童の権利に関する条約	保育の歴史（欧米）	保育の歴史（欧米）	保育士の対応（5歳児）
19	子育て支援	児童福祉施設の設備及び運営に関する基準	保育の歴史（日本）	保育の現状（欧米）	保育士の対応（2歳児・保育者の振り返り）
20	保育の現状と課題（資料読み取り）	保育の現状と課題（資料読み取り）	保育の現状と課題（資料読み取り）	保育の現状と課題（資料読み取り）	保育の現状と課題（資料読み取り）

※赤字は保育所保育指針からの出題。

1 保育の意義及び目的

頻出度 ✿✿✿

保育に関連する法律についての問題が数多くみられます。特に、児童の最善の利益という理念を踏まえて、条約や法律等に書かれている内容について理解しておきましょう。また、社会における保育所保育の意義についてや、保育所保育指針の制度的位置づけについても学んでおきましょう。

子どもの最善の利益と保育

1 児童権利宣言

近代以降、大人とは違った存在としての「子ども」が発見され、子どもの権利への理解が進んできました[*1]。1922（大正11）年の世界児童憲章、1924（大正13）年の児童の権利に関するジュネーブ宣言、1948（昭和23）年の世界人権宣言を受けて、1959（昭和34）年の国連総会で児童権利宣言（児童の権利に関する宣言）が採択されました。子どもが幸福な生活を送り、権利と自由を有する

***1 児童権利宣言等の歴史**
R4年（前）
「児童の権利に関する条約」「児童憲章」などを含めて、制定順をおさえておきましょう。

ことについて明記されています。主な条文として、第２条（子どもの権利の保護）、第４条（社会保障・福祉の権利）、第７条（教育・遊び・余暇の権利）などがあります。

*2 **児童の権利に関する条約**
R4年(前) R5年(後)
児童権利宣言の30年後、国際児童年の10年後に採択されました。R5年(後)では、子どもの生活水準を確保する保護者の義務などについて出題されています。

*3 **第1条（児童の定義）**
児童の権利に関する条約では、「児童とは18歳未満の全ての者をいう。ただし、児童に適用される法律の下でより早く成年に達する場合はこの限りでない」と定義されています。

*4 **第17条（適切な情報へのアクセス）**
「情報」に関して、第13条（表現・情報の自由）、第16条（プライバシー・通信・名誉の保護）、第18条（親の第一義的養育責任と国の援助）についても関連して覚えましょう。

2 児童の権利に関する条約*2

1979（昭和54）年を国連は国際児童年とし、子どもの権利を守るための条約づくりが提案され、それを機に新たな条約制定の動きが始まり、10年かけて全54条の本格的な条約がつくられました。これが児童（子ども）の権利に関する条約です。1989（平成元）年の国連総会において採択され、日本は1994（平成６）年に批准しました。

○ 児童の権利に関する条約の主な内容

第1条	児童の定義*3
第3条	子どもの最善の利益
第6条	生命への権利・生存発達の確保（生きる権利、育つ権利）
第7条	登録、氏名、国籍についての権利
第12条	意見表明権（意見を表す権利）
第17条	適切な情報へのアクセス*4
第27条	生活水準への権利
第29条	教育の目的
第31条	休息・余暇、遊び、文化的・芸術的生活への参加

条約締約国は５年ごとに権利保障の進捗状況を国連内の児童の権利に関する委員会に報告することが求められています。また、第42条に「この条約の原則及び規定を成人及び児童のいずれにも広く知らせることを約束する」とあり、保育所の子どもたちにも大切なポイントを知らせることが、義務づけられています。

3 児童憲章*5

すべての児童の幸福を図るために、日本独自のものとして1951（昭和26）年に制定されました。主な内容は、命の尊厳に関する内容（第１～３条）、社会の一員として自律した存在となることに関する内容（第４～７条）、子どもの状況や実態に合わせた「保護」「指導」「治療」「教育」に関する内容（第８～11条）、人類の平和と文化に貢献できるように導かれることに関する内容（第12条）です。

○ 児童憲章（抜粋）

前 文	児童は、人として尊ばれる。児童は、社会の一員として重んぜられる。児童は、よい環境のなかで育てられる。
第1条	すべての児童は、心身ともに健やかにうまれ、育てられ、その生活を保障される。
第5条	すべての児童は、自然を愛し、科学と芸術を尊ぶように、みちびかれ、また、道徳的心情がつちかわれる。
第9条	すべての児童は、よい遊び場と文化財を用意され、悪い環境からまもられる。

𝄞♪ 子ども家庭福祉と保育

保育所における保育は、保護者とともに子どもを育てる営みであり、子どもの一日を通した生活を視野に入れ、保護者の気持ちに寄り添いながら家庭との連携を密にして行わなければなりません。保育において乳幼児期の子どもの育ちを支えるとともに、保護者の養育する姿勢や力が発揮されるよう、保育所の特性を生かした支援が求められるものとされています。

保育所は、保育所に通所する保護者だけではなく、地域の保護者に対しても支援を行います。その際、正しいこととされる知識等を保護者に一方的に押し付けるのではなく、保護者の意向を踏まえ、また保護者の気持ちに寄り添いながらともに子どもを育てていくという姿勢が求められます。また保育所は児童虐待防止にも重要な役割を果たします。なお、2023（令和５）年４月１日に、こども基本法*6 が施行されました。憲法や子どもの権利条約で認められる子どもの権利を包括的に定め、国の基本方針を示すものです。

*5 **児童憲章**
R4年（前）
前文の内容が出題されました。子どもや保護者にかかわる法律や条約等の前文や理念に関する条文は出題されやすいので、児童権利宣言、児童の権利に関する条約、児童福祉法、母子保健法、子ども・子育て支援法などを比較しながらチェックしておくとよいでしょう。

*6 **こども基本法**
科目「社会的養護」で第1条の条文とともに紹介していますので、こちらも確認してください。

𝄞♪ 保育の社会的役割と責任

1 保育所の役割

保育所は、入所する子どもの最善の利益を考慮し、その福祉を積極的に増進することに最もふさわしい生活の場でなければなりません。

保育に関する専門性を有する職員が、家庭との緊密な連携のもとに、子どもの状況や発達過程を踏まえ、保育所における環境を通して、養護及び教育を一体的に行います。

保育士は入所する子どもを保育するとともに、家庭や地域のさまざまな社会資源との連携を図りながら、入所する子どもの保護者に対する支援及び地域の子育て家庭に対する支援などを行う役割を担います。

また保育士は、保育士の役割及び機能が適切に発揮されるように、倫理観に裏づけられた専門的知識・技術及び判断をもって保育に当たることが求められます。そして、子どもの保護者に対して保育に関する指導を行うことも保育士の役割となります。またその職責を遂行するための専門性の向上に絶えず努めなければなりません。

○ 保育士の仕事

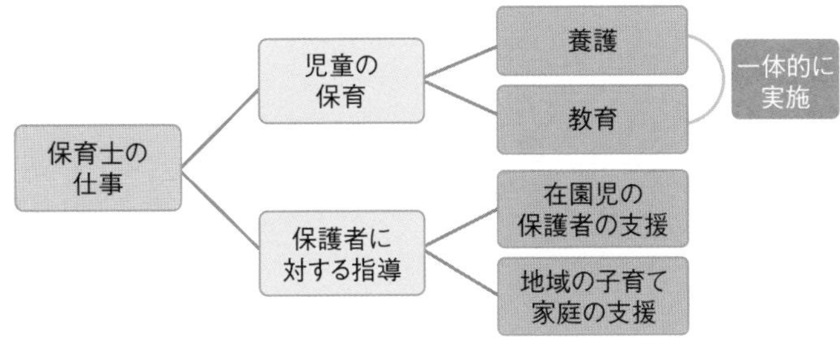

2 保育所の社会的責任

第一に、子どもの人権に十分配慮するとともに、子ども一人ひとりの人格を尊重して保育を行わなければなりません。

第二に、地域社会との交流や連携を図り、保護者や地域社会に、当該保育所が行う保育の内容を適切に説明するよう努めなければなりません。

第三に、入所する子ども等の個人情報を適切に取り扱う[*7]とともに、保護者の苦情などに対し、苦情受付担当者、苦情解決責任者、第三者委員を設けその解決を図るよう努めなければなりません。

*7 個人情報の取り扱い
R4年(後)

理解度チェック　一問一答

全問クリア　月　日

Q

□ ❶ 児童の権利に関する条約の第27条には「父母又は児童について責任を有する他の者は、自己の能力及び資力の範囲内で、児童の発達に必要な生活条件を確保することについての第一義的責任を有する」とある。 R5年(後期)

□ ❷ 児童の権利に関する条約では、児童が「自由に自己の意見を表明する権利を確保する」ことについて締約国に求めている。 H28年(前期)

□ ❸ 保育所は苦情解決責任者である施設長の下に、苦情解決担当者を決めて苦情に対応するが、中立・公正な立場で苦情解決に関わる職員による評価委員会を設置することが求められる。 R3年（前期）

A

❶ ○ 保護者の第一義的責任は、教育基本法などにもみられる。

❷ ○

❸ × 保育所職員による評価委員会ではなく、中立・公正な第三者による第三者委員を設置することが求められる。

2 保育に関する法令及び制度

頻出度

保育・幼児教育は国の法令等に基づいて行われます。ここでは児童福祉に関する法体系を中心に保育所の運営等に関わる基本的な内容については覚えていきましょう。また同時に保育所で行われる幼児教育についてもおさえてください。

ひとこと

*1
科目「子ども家庭福祉」と重複する内容が多くあります。上巻「子ども家庭福祉」の記載についても確認しておきましょう。

子ども家庭福祉の法体系における保育の位置づけと関係法令[*1]

1 児童福祉法

1947（昭和22）年に、日本国憲法の理念[*2]をもとに、児童福祉に関する具体的な法律がつくられました。それが「児童福祉法」です。すべからく平等に愛護を持って子どもが育成されなければならないことや、国及び地方公共団体、並びに保護者が果たす責任についても明記されています。子どもが受ける保育の原理原則についても示されています。

知っトク

*2 **日本国憲法の理念**
「法の下の平等」（第14条）、「健康で文化的な最低限度の生活を営む権利」（第25条）です。

なお、児童福祉法では、障害児の定義、障害児通所支援・障害児入所支援など、障害児に関する事柄についても定めています。

○ 児童福祉法の主な内容

第1条	児童の権利
第2条	国民等の責務
第4条	児童及び障害児の定義
第18条の4以降	保育士の定義、身分、資格
第24条	保育の実施等
第34条の15	家庭的保育事業
第39条	保育所
第48条の4	保育所の情報提供等

知っトク

*3 **児童福祉法における児童福祉施設の設備及び運営についての記載**

第45条に「都道府県は、児童福祉施設の設備及び運営について、条例で基準を定めなければならない」とあります。

2 児童福祉施設の設備及び運営に関する基準

児童福祉法第45条*3 に基づき、1948（昭和23）年に厚生省（現：厚生労働省）令として制定されました。2011（平成23）年からはこの基準をもとに自治体が条例で運営について定めることになりました。「各条例が定める最低基準」とするため、これまでの省令「児童福祉施設最低基準」は、省令「児童福祉施設の設備及び運営に関する基準*4 *5」と名を変えて施行されています。

*4 **児童福祉施設の設備及び運営に関する基準**

R5年（前）（第32条～第36条の3）

R5年（後）（第33条）

この基準をもとに、都道府県ごとに児童福祉施設の「最低基準」を条例で定めます。その際に国の基準以下にしてはいけないものは「従うべき基準」、自治体によってある程度柔軟に設計すべき国の基準は「参酌すべき基準」と分けられています。保育所以外の基準については科目「社会的養護」で詳しく紹介しています。

○ 児童福祉施設の設備及び運営に関する基準（抜粋）

第2条（最低基準の目的）

都道府県知事の監督に属する児童福祉施設に入所している者が、明るくて、衛生的な環境において、素養があり、かつ、適切な訓練を受けた職員の指導又は支援により、心身ともに健やかにして、社会に適応するように育成されることを保障するものとする。

第6条（児童福祉施設と非常災害）

児童福祉施設においては、軽便消火器等の消火用具、非常口その他非常災害に必要な設備を設けるとともに、非常災害に対する具体的計画を立て、これに対する不断の注意と訓練をするように努めなければならない。

2　前項の訓練のうち、避難及び消火に対する訓練は、少なくとも毎月1回は、これを行わなければならない。

＊5 児童福祉施設の設備及び運営に関する基準等の一部を改正する省令

2022(令和4)年に発生した送迎バスの置き去り事故を受けて、「児童福祉施設の設備及び運営に関する基準等の一部を改正」が令和5年4月1日に施行されました。保育所、地域型保育事業所については、安全に関する事項についての計画を各施設において策定することが義務付けられました(2024(令和6)年3月31日まで経過措置あり)。

また、保育所、認定こども園、幼稚園、特別支援学校などによるバスでの送迎について、①降車時等に点呼等により幼児等の所在を確認、②送迎用バスへの安全装置の装備、が義務付けられました。

第32条（設備の基準）

［2歳未満］

・乳児室又はほふく室、医務室、調理室及び便所を設けること。
・乳児室の面積：1人につき1.65m²以上
・ほふく室の面積：1人につき3.3m²以上

［2歳以上］

・保育室又は遊戯室、屋外遊戯場（保育所の付近にある屋外遊戯場に代わるべき場所を含む）、調理室及び便所を設けること。
・保育室又は遊戯室の面積：1人につき1.98m²以上
・屋外遊戯場の面積：1人につき3.3m²以上

第33条（職員）

・保育所には、保育士、嘱託医（しょくたくい）及び調理員を置かなければならない。ただし、調理業務の全部を委託する施設にあっては、調理員を置かないことができる。

［保育士の数］

乳児：おおむね3人につき1人以上
満1歳以上満3歳に満たない幼児：おおむね6人につき1人以上
満3歳以上満4歳に満たない幼児：おおむね15人につき1人以上
満4歳以上：おおむね25人に1人以上

第34条（保育時間）

・1日につき8時間を原則
・その地方における乳幼児の保護者の労働時間その他家庭の状況等を考慮して、保育所の長が定める。

第35条（保育の内容）

保育所における保育は、養護及び教育を一体的に行うことをその特性とし、その内容については、内閣総理大臣が定める指針に従う。

第35条は保育所保育指針策定の法的根拠になっています。また「健康及び安全」についての出題も見られます。「児童福祉施設の設備及び運営に関する基準」の関係条文（第6、10、11、12条）や保育所保育指針の第3章も確認してください。

3 児童の定義（児童福祉法第4条）

児童福祉法では「児童とは、満18歳に満たない者」と定義しています。また、「児童」を次の3つに分けています。

・「乳児」満1歳に満たない者
・「幼児」満1歳～小学校就学の始期に達するまでの者
・「少年」小学校就学の始期～満18歳に達するまでの者

※性別にかかわらず「少年」となります。

保育所保育指針においても「乳児保育」は1歳未満児の保育という意味で使用されています。

子ども・子育て支援新制度と保育の実施体系

次世代育成支援対策推進法は「次代の社会を担う子どもが健やかに生まれ、かつ、育成される社会の形成に資すること」を目的に、2003（平成15）年に制定された10年間の時限立法で、2005（平成17）年から施行されました。2015（平成27）年からは子ども・子育て関連３法の具体化のため、2025（令和７）年３月まで、さらに10年間効力が延長されています。

○ 子ども・子育て支援新制度の概要

市町村主体

（認定こども園・幼稚園・保育所・小規模保育など共通の財政支援）

施設型給付

- 認定こども園0～5歳
  - 幼保連携型
    - ※幼保連携型については、認可・指導監督の一本化、学校及び児童福祉施設としての法的位置づけを与える等、制度改善を実施
  - 幼稚園型
  - 保育所型
  - 地方裁量型
- 幼稚園 3～5歳
- 保育所 0～5歳

※私立保育所については、児童福祉法第24条により市町村が保育の実施義務を担うことに基づく措置として、委託費を支弁

地域型保育給付

小規模保育・家庭的保育・居宅訪問型保育・事業所内保育

（地域の実情に応じた子育て支援）

地域子ども・子育て支援事業

- 利用者支援事業
- 地域子育て支援拠点事業＊
- 一時預かり事業＊
- 乳児家庭全戸訪問事業＊
- 養育支援訪問事業等＊
- 子育て短期支援事業＊
- 子育て援助活動支援事業＊（ファミリー・サポート・センター事業）
- 延長保育事業
- 病児保育事業＊
- 放課後児童クラブ＊
- 妊婦健診
- 実費徴収に係る補足給付を行う事業
- 多様な事業者の参入促進・能力活用事業
- 産後ケア事業＊＊

国主体

（仕事と子育ての両立支援）

仕事・子育て両立支援事業

- 企業主導型保育事業
  ⇒事業所内保育を主軸とした企業主導型の多様な就労形態に対応した保育の拡大を支援（整備費、運営費の助成）
- ベビーシッター等利用者支援事業
  ⇒残業や夜勤等の多様な働き方をしている労働者等が、低廉な価格でベビーシッター派遣サービスを利用できるよう支援

＊は児童福祉法の子育て支援事業としても規定されています。また、＊＊は母子保健法に規定されています。なお、児童福祉法の子育て支援事業では、2024（令和６）年４月から、子育て世帯訪問支援事業、児童育成支援拠点事業、親子関係形成支援事業が追加になります。

（出典：内閣府資料「子ども・子育て支援新制度について」をもとに作成）

1 保育所

保育所は、児童福祉法第39条に規定された児童福祉施設です。保育を必要とする乳児・幼児の保育を行うことを目的とします。

また、児童福祉法第48条の４では、①地域住民に対して保育に関する情報提供を行うこと、②保育に支障がない限りにおいて、乳児、幼児等の保育に関する相談や助言に努めること、③保育所保育士は相談・助言に必要な知識・技能を持つこととされています。

○ 保育所、幼稚園、幼保連携型認定こども園の分類と法的根拠

	保育所	幼稚園	幼保連携型認定こども園
分類	児童福祉施設	学校	学校／児童福祉施設
根拠法	児童福祉法	学校教育法	認定こども園法
所轄官庁*6	こども家庭庁	文部科学省	こども家庭庁

*6 保育施設の所轄官庁

2023（令和5）年4月1日にこども家庭庁が設置されました。子ども家庭福祉に関する業務は基本的に移管されます。それに伴い、保育所と幼保認定型認定こども園はこども家庭庁の所轄となります。なお、幼稚園については文部科学省の所管のままとなります。

2 認定こども園

2006（平成18）年に「就学前の子どもに関する教育、保育等の総合的な提供の推進に関する法律」（認定こども園法）が施行され運営が開始されました。施設設備や運営の基準は国が定めています。また、認定の具体的な基準は、都道府県が条例で定めることになっています。次の４つのタイプがあります。

	幼保連携型認定こども園	幼稚園型認定こども園	保育所型認定こども園	地域裁量型認定こども園
法的性格	学校かつ児童福祉施設	学校（幼稚園+保育所機能）	児童福祉施設（保育所+幼稚園機能）	幼稚園機能+保育所機能
設置主体	国、自治体、学校法人、社会福祉法人	国、自治体、学校法人	制限なし	制限なし

職員の要件	保育教諭（幼稚園教諭+保育士資格）	満3歳以上→両免許・資格の併有が望ましいがいずれかでも可 満3歳未満→保育士資格が必要	満3歳以上→両免許・資格の併有が望ましいがいずれかでも可 ※ただし、教育相当時間以外の保育に従事する場合は、保育士資格が必要 満3歳未満→保育士資格が必要	満3歳以上→両免許・資格の併有が望ましいがいずれかでも可 満3歳未満→保育士資格が必要
給食の提供	2・3号子ども*7に対する食事の提供義務	2・3号子どもに対する食事の提供義務	2・3号子どもに対する食事の提供義務	2・3号子どもに対する食事の提供義務
開園日・開園時間	11時間開園、土曜日の開園が原則（弾力運用可）	地域の実情に応じて設定	11時間開園、土曜日の開園が原則（弾力運用可）	地域の実情に応じて設定

出典：内閣府・文部科学省・厚生労働省「子ども・子育て支援新制度ハンドブック」p.8より一部改変

なお、2012（平成24）年に認定こども園法が改正され、その改正認定こども園法の９条で、「幼保連携型の認定こども園」は教育基本法第６条に基づき「学校」とすることが明記され、そこで働く職員も保育教諭*8と職種（資格）変更になることなどが定められました。

3 子ども・子育て支援新制度*9の下での認可施設

2015（平成27）年に始まった子ども・子育て支援新制度では「施設型給付」と「地域型保育給付」が創設され、認定こども園、幼稚園、保育所及び小規模保育等に対する財政支援の仕組みが共通化されました。

○ 施設型給付の対象

- 認定こども園（4類型）
- 保育所
- 幼稚園

※私立幼稚園では施設型給付を受けず、私学助成を受けている園もあります。

*7 **2号・3号子ども**
保育の必要性が認められたこどものことで、「小学校就学前子どもであって、保護者の労働又は疾病その他の内閣府令で定める事由により家庭において必要な保育を受けることが困難であるもの」のうち、満3歳以上の子どもを「2号」、満3歳未満の子どもを「3号」とします。

*8 **保育教諭**
幼保連携型認定こども園は、学校教育と保育を一体的に提供する施設であるため、その職員である「保育教諭」については、「幼稚園教諭免許状」と「保育士資格」の両方の免許・資格を有していることが求められます。保育教諭の仕事は「園児の教育及び保育をつかさどる」ものとされます（就学前の子どもに関する教育、保育等の総合的な提供の推進に関する法律（認定こども園法）第14条10項）。

*9 **子ども・子育て支援新制度**
R4年（後）　R6年（前）

以下の4つが地域型保育給付の対象となります。

■ **小規模保育事業**

保育を必要とする子どもを利用定員が6～19人の施設で保育する事業です。なお、職員がすべて保育士のA型、保育士が1/2以上のB型、家庭的保育者のC型に分かれており、必要な職員数、保育室の面積などに違いがあります。

■ **家庭的保育事業**

個人の家庭などで1～5人の子どもを保育する事業です。保育士または保育士と同等以上の知識や技術を有すると市町村長が認める者（家庭的保育者）が、定められた基準に適合した居宅等で保育を行います。保育に関しては家庭的保育事業ガイドラインが設けられており、家庭的保育者の要件や研修内容についても規定されています。

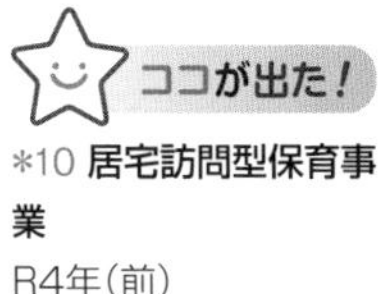

*10 **居宅訪問型保育事業**
R4年（前）

■ **居宅訪問型保育事業***10

保育を必要とする子ども（病気の場合など）を、その子どもの居宅において家庭的保育者が保育する事業です。

■ **事業所内保育事業**

事業主、事業主団体、共済組合等が自ら設置した施設や、委託を受けた施設において、雇用されている労働者や構成員の監護する子どもの保育を行う事業です。それ以外にも地域の保育を必要とする子どもを受け入れる「地域枠」を設けることもできます。

4 認可外保育施設

認可外保育施設とは、児童福祉法に基づく認可を受けていない、乳児または幼児を保育することを目的とする施設です。認可外ですが都道府県知事への届出が必要です。地方自治体が認可外保育施設への指導監督を行うためのガイドラインとして、国が「認可外保育施設指導監督の指針」及び「認可外保育施設指導監督基準」を作成しています。

自治体が認証している保育施設（都の認証保育所など）、及び、2016（平成28）年度に内閣府が開始した企業向けの助成制度である企業主導型保育施設も認可外保育施設になります。これらの中には、認可保育施設と同等の量・質を担保しているところもあります。

認可外保育施設として、共同保育所、事業所内保育施設、ベビーホテルなどがあります。

5 地域子ども・子育て支援事業の主なもの*11

■ 利用者支援事業

教育・保育施設や地域の子育て支援事業等の情報提供及び必要に応じて相談・助言等を行うとともに、関係機関との連絡調整等を行います。

■ 乳児家庭全戸訪問事業

生後4か月までの乳児のいる全家庭を訪問し、子育て支援に関する情報提供や養育環境等の把握を行います。

■ ファミリー・サポート・センター事業

乳幼児や小学生等の児童がいる子育て中の保護者を会員として、児童の預かり等の援助を受けたい会員と、援助を行うことを希望する者との相互援助活動に関する連絡、調整を行います。

■ こども家庭センター

従来の「子育て世代包括支援センター」と「市区町村子ども家庭総合支援拠点」の機能を一体的な組織として子育て家庭に対する相談支援を実施し、妊産婦及び乳幼児の健康の保持・増進、子どもと子育て家庭の福祉に関する包括的な支援」を提供する施設として市町村に設置の努力義務が課せられるようになりました。

知っトク

*11 **その他の事業**
その他の事業は第5節「保育の現状と課題」を参照。

理解度チェック　一問一答

全問クリア　月　日

Q

- □ ❶ 保育所は、「児童福祉法」第39条に「日々保護者の委託を受けて、保育に欠けるその乳児又は幼児を保育することを目的とする」と示されている。R6年(前期)
- □ ❷ 「児童福祉施設の設備及び運営に関する基準」では、児童福祉施設においては、避難及び消火に対する訓練を、少なくとも6か月に1回は行わなければならないとされている。H30年(後期)
- □ ❸ 「児童福祉施設の設備及び運営に関する基準」第34条では、保育所における保育時間は、1日につき8時間が原則とされている。R3年（前期）
- □ ❹ 子ども・子育て支援新制度では、認定こども園、保育所を通じた共通の給付として施設型給付が創設されたが、幼稚園には適用されなかった。R4年（後期）改
- □ ❺ 「幼児教育・保育の無償化」の対象となる施設は、幼稚園、保育所、認定こども園のみである。R5年（前期）
- □ ❻ 保育所にとどまらず、小規模保育や家庭的保育等の地域型保育事業及び認可外保育施設においても、「保育所保育指針」の内容に準じて保育を行うこととされている。R5年（後期）

A

- ❶ × 「保育所は、保育を必要とする乳児・幼児を日々保護者の下から通わせて保育を行うことを目的とする施設とする」が正しい。特に「保育に欠ける」ではなく「必要とする」となったことは重要。
- ❷ × 同基準の第6条2項では「避難及び消火に対する訓練は、少なくとも毎月1回はこれを行わなければならない」とされている。
- ❸ ○ ただし同基準では8時間を原則としながらも、子ども・子育て支援法施行規則では保育の必要量は「保育標準時間で最大11時間」「保育短時間で最大8時間」とされている。
- ❹ × 施設型給付は幼稚園にも適用され、幼稚園は施設型給付か、私学助成かを選ぶこととなった。
- ❺ × 児童発達支援センターなど障害児の発達支援施設、認可外保育施設も対象となる。
- ❻ ○ 保育所保育指針解説の序章においてみられる記載。根拠は「家庭的保育事業等の設備及び運営に関する基準」および「認可外保育施設に対する指導監督の実施について」である。

3 保育所保育指針における保育の基本

保育所保育指針の記述をよく理解し、保育の基本をおさえていきましょう。具体的な保育の場面をイメージしながら、理解を深めていくようにしましょう。

頻出度

養護 と 教育

・生命の保持
・情緒の安定

・健康
・人間関係
・環境
・言葉
・表現

保育所保育指針

1 保育所保育指針の制度的位置づけ

児童福祉施設の設備及び運営に関する基準第35条[*1]の規定に基づき、保育所における保育の内容に関する事項及びこれに関連する運営に関する事項を定めるものです。各保育所は、この指針を踏まえ、各保育所の実情に応じて創意工夫を図り、保育所の機能及び質の向上に努めなければなりません。

2 保育内容・運営に関する規定等の変遷

わが国の保育の内容・運営に関する規定の歴史を見てみ

知っトク

***1 児童福祉施設の設備及び運営に関する基準第35条（保育の内容）**

「保育所における保育は、養護及び教育を一体的に行うことをその特性とし、その内容については、内閣総理大臣が定める指針に従う」とされています。

赤字部分は出題されやすいキーワードですので覚えておきましょう。

ましょう。

■ 幼稚園保育及設備規程

1899（明治32）年に文部省が公布し、幼稚園の保育目的、編成、組織、保育内容、施設設備に関して、国として最初の基準を定めました。入園対象の年齢、保育時間、保母1人あたりの幼児数などを規定しています。

■ 幼稚園令

1926（大正15）年に、わが国の幼稚園に関する最初の法令として公布されました。幼稚園の目的を「家庭教育を補う」とし、入園児は3歳から尋常小学校就学前の幼児とし、特別の事情がある場合には、3歳未満児の入園もできると定めています。

*2 **保育要領**
R5年(後)

■ 保育要領―幼児教育の手引き―*2

1948（昭和23）年に文部省より発行され、幼稚園と保育所での使用を前提として、家庭での幼児教育のあり方についても扱っています。GHQ教育部の顧問であったヘレン・ヘファナンの指導を受け、日本人関係者16人（倉橋惣三、坂本彦太郎ら）が作成に携わりました。幼児の生活を幅広く取り上げ、幼児の生活経験に即した内容となっています。保育内容の項目は、「楽しい幼児の経験」として、①見学、②リズム、③休息、④自由遊び、⑤音楽、⑥お話、⑦絵画、⑧製作、⑨自然観察、⑩ごっこ遊び・劇遊び・人形芝居、⑪健康保育、⑫年中行事の12項目でした。

*3 **幼稚園教育要領**
「第1章 総則 第1 幼稚園教育の基本」で、「幼稚園教育は、学校教育法に規定する目的及び目標を達成するため、幼児期の特性をふまえ、環境を通して行うものであることを基本とする」と示されています。なお、H24、H25年には保育所保育指針の総則との関連で出題されています。

■ 昭和38年連名通知

幼保一元化の気運の盛り上がりの中で、文部省と厚生省の連名で「幼稚園と保育所との関係について」という通知が出されました。幼稚園と保育所がそれぞれ独自の機能を果たすべきことを前提としながら、幼稚園義務化への検討や幼稚園と保育所の統一化を推進することについて明記されています。また、「保育所の持つ機能のうち教育に関するものは、幼稚園教育要領*3に準ずることが望ましい」とされました。

■ 保育所保育指針の変遷*4

①1965（昭和40）年

前ページの昭和38年連名通知に基づき、保育所の理念、保育内容、保育方法などを示し、保育所における保育の充実を図るためにガイドラインとして作成されました。当時は、規範性を有する基準ではありませんでした。３歳児以上については「幼稚園教育要領」に準じて６つの領域からなる保育の内容が定められています。

②1990（平成２）年

子どもをめぐる環境や、乳児保育、障害児保育、延長保育など、保育ニーズの多様化に対応できるよう改定されました。「養護」を保育原理として明確に位置づけ、子どもの主体性を大切にした環境による総合的な保育への転換が示されました。

また、６領域の考え方を改め、目標（ねらい）として心情や意欲、態度を育てることを明確にしながら、その具体化のために、前年の幼稚園教育要領の改訂にならい５領域の保育内容が示されました。

③1999（平成11）年

前改定の保育の基本を継承しながら、以下の新しい点が加わりました。

- 乳幼児の最善の利益を考慮する
- 子育て相談など地域の子育て支援を行う
- 延長保育、障害児保育、一時保育など多様な保育ニーズへ対応する
- 研修により保育士の専門性を高めること
- 倫理観に裏づけられた保育士の基本姿勢と守秘義務
- アトピー性皮膚炎への対策などの保健内容の充実

④2008（平成20）年

これまでのガイドラインといった位置づけから、規範性を有する基準*5 として改定され、13章立てから７章立てへ内容の大綱化が図られました。

⑤2017（平成29）年（施行：平成30年４月）

前回改定時よりさらに内容が整理され、５章構成となり

*4 **保育所保育指針の変遷**
R4年(前)
1963(昭和38)年の通知についても押さえておきましょう。

*5 **規範性を有する基準としての保育所保育指針**
1964(昭和39)年に幼稚園教育要領が改定された時、告示文書とされ規範性を有する基準とされました。保育指針が告示文書となるのはそれよりも44年遅れた2008(平成20)年のことです。

ました。幼稚園教育要領や認定こども園教育・保育要領と保育内容の統一が図られたほか、新しく育みたい資質・能力として３つの柱と、幼児期の終わりまでに育ってほしい10の姿が示されました。

○『保育要領』『幼稚園教育要領』『保育所保育指針』の制定・改定と保育内容の編成

保育要領	
1948（昭和23）年	1. 見学　2. リズム　3. 休息　4. 自由遊び　5. 音楽　6. お話　7. 絵画　8. 製作　9. 自然観察　10. ごっこ遊び、劇遊び、人形芝居　11. 健康保育　12. 年中行事

幼稚園教育要領		保育所保育指針	
1956（昭和31）年制定	（教育内容の領域の区分） 健康、社会、自然、言語、音楽リズム、絵画制作	〔未制定〕	
1964（昭和39）年改定	（教育内容の領域の区分） 健康、社会、自然、言語、音楽リズム、絵画制作	1965（昭和40）年制定	（望ましい主な活動） 1歳3か月未満：生活、遊び 1歳3か月から2歳まで：生活、遊び 2歳：健康、社会、遊び 3歳：健康、社会、言語、遊び 4･5･6歳：健康、社会、言語、自然、音楽、造形
1989（平成元）年改定	健康、人間関係、環境、言葉、表現	1990（平成2）年改定	〔内容〕年齢区分3歳児から6歳児まで 基礎的事項：健康、人間関係、環境、言葉、表現
1998（平成10）年改定	健康、人間関係、環境、言葉、表現	1999（平成11）年改定	〔内容〕年齢区分3歳児から6歳児まで 基礎的事項：健康、人間関係、環境、言葉、表現
2008（平成20）年改定	健康、人間関係、環境、言葉、表現	2008（平成20）年改定	（保育の内容） 養護：生命の保持、情緒の安定 教育：健康、人間関係、環境、言葉、表現
2017（平成29）年改定	健康、人間関係、環境、言葉、表現	2017（平成29）年改定	（保育の内容） ･乳児保育にかかわるねらい及び内容 「健やかに伸び伸びと育つ」「身近な人と気持ちが通じ合う」「身近なものと関わり感性が育つ」 ･1歳以上3歳未満児の保育に関わるねらい及び内容 ･3歳以上児の保育に関するねらい及び内容 健康、人間関係、環境、言葉、表現

6領域から5領域へ

3歳以上の教育について共通化が図られた

保育内容の変遷と、幼稚園等との共通化

明治初期に始まった幼稚園では「課業」と呼ばれる知育を重視した活動が行われていましたが、次第に遊びによる育ちの重要性が認識されていきます。戦後は「保育要領」で12項目の保育内容が定められました。1963（昭和38）年には保育所も「教育的な部分については幼稚園に準じて行うように」とされます。やがて保育内容は6領域から５領域へとまとめられ、1990（平成２）年の「保育所保育指針」の改定からはほぼ同じ内容となります。そして2017（平成29）年の改定では、「幼保連携型認定こども園教育・保育要領」も含めて３つの指針・要領で保育内容は共通のものとなりました。

保育所保育における養護

1 保育における養護

「養護」とは「生命の保持」と「情緒の安定」を図るために保育士等が行う援助やかかわりのことであり、「教育」とは子どもが健やかに成長し、その活動がより豊かに展開されるための発達の援助のことです。

2 養護と教育*6

保育所における保育が「養護と教育が一体となって行われる」ものであることは、保育所保育指針の第１章及び「児童福祉施設の設備及び運営に関する基準」の第35条によって示されています。

教育に関する「ねらい及び内容」は乳児の３つの視点と「健康」「人間関係」「環境」「言葉」「表現」の５領域から構成されますが、乳児、１歳以上３歳未満児、３歳以上児のそれぞれに「ねらい」「内容」と「内容の取扱い」が示されています。なお、「内容の取扱い」が記載されるようになったのは、2017（平成29）年の改訂からです。しかし、保育所における保育全体を通じて、養護に関するねらい及び内容を踏まえた保育が展開されなければならない、とされ

*6 **養護と教育**
R5年（前）
保育所では、養護と教育が一体となって保育が行われるという文章は、よく出題されますのでおさえておきましょう。

ており、養護と教育が一体的に展開されることに留意しなければなりません。

なお、養護と教育が一体的に展開される、とされながらも、保育所保育における保育全体を通じて、養護に関するねらい及び内容を踏まえた保育が展開されなければならない、とされていることにも留意しておきましょう。

𝄞♪保育の目標

保育所保育指針では、次の６つの目標をあげています。これは「養護」と５領域の内容に対応しています。

① 十分に養護の行き届いた環境のもとに、くつろいだ雰囲気の中で子どものさまざまな欲求を満たし、生命の保持及び情緒の安定を図る。
② 健康、安全など生活に必要な基本的な習慣や態度を養い、心身の健康の基礎を培う。
③ 人とのかかわりの中で、人に対する愛情と信頼感、そして人権を大切にする心を育てるとともに、自主、自立及び協調の態度を養い、道徳性の芽生えを培う。
④ 生命、自然及び社会の事象についての興味や関心を育て、それらに対する豊かな心情や思考力の芽生えを培う。
⑤ 生活の中で、言葉への興味や関心を育て、話したり、聞いたり、相手の話を理解しようとするなど、言葉の豊かさを養う。
⑥ さまざまな体験を通して、豊かな感性や表現力を育み、創造性の芽生えを培う。

さらに、保護者に対する援助についても、次のように目標をあげています。

保育所は、入所する子どもの保護者に対し、その意向を受け止め、子どもと保護者の安定した関係に配慮し、保育所の特性や保育士等の専門性を生かして、その援助にあたらなければならない。

○ 育みたい資質・能力[*7]

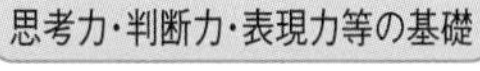

知識・技能の基礎

豊かな体験を通じて、
感じたり、気付いたり、わかったり、
できるようになったりする

思考力・判断力・表現力等の基礎

気付いたことや、
できるようになったことなどを使い、
考えたり、試したり、工夫したり、
表現したりする

遊びを通しての総合的な指導

心情、意欲、態度が育つ中で、
よりよい生活を営もうとする

学びに向かう力・人間性等

○ 幼児期の終わりまでに育ってほしい姿（10の姿）[*8]

- 健康な心と体（領域：健康）
- 自立心（領域：人間関係）
- 協同性（領域：人間関係）
- 道徳性・規範意識の芽生え（領域：人間関係）
- 社会生活との関わり（領域：人間関係）
- 思考力の芽生え（領域：環境）
- 自然との関わり・生命尊重（領域：環境）
- 数量や図形、標識や文字などへの関心・感覚（領域：環境）
- 言葉による伝え合い（領域：言葉）
- 豊かな感性と表現（領域：表現）

目標、ねらい、10の姿

保育所保育指針においては、「保育の目標（第１章１（２)」、各視点・領域の「ねらい（第２章)」、そして2017（平成29）年から加えられた「幼児期の終わりまでに育ってほしい姿（第１章４（２))」という「目標・ねらい」があります。

３つの視点や５領域の「ねらい」は第１章総則にある「保育の目標」を「具体化」したものであり、子どもの生活する姿からとらえたものです。

「幼児期の終わりまでに育ってほしい姿」は、そうした保育を実践した結果として就学前に見られるであろう具体的な姿をあらわしたものです。

このような子どもの「姿」は「方向目標」であり、「到達すべき目標ではない」こと、また「個別に取り出されて指導されるものではない」こと、などに留意する必要があるでしょう。

*7 **育みたい資質・能力**

R4年(前)　R5年(前)　R5年(後)

「幼児期の終わりまでに育ってほしい姿」とともに、近年よく出題されている箇所ですので、「保育所保育指針」で原文についても確認しておきましょう。

ココが出た！

*8 **幼児期の終わりまでに育ってほしい姿**

R4年(後)　R6年(前)

幼稚園と同じように、小学校との接続を強化するために、幼児期の終わりまでにこうした資質・能力が育ってほしいという目標をもって保育を実践することの大切さをうたったものです。小学校に写しを送る保育要録には、この規定からも育ちが記述されています。

保育の計画及び評価

■ 子どもの理解から始まる保育

保育は、計画とそれに基づく実践を、記録等を振り返り評価した結果を次の作成に生かす、という循環的な過程[*9 *10]を通して行われます。保育の計画は「子どもの発達を見通し」「子どもの発達過程を踏まえ」「子どもの日々の生活に即し」て作成していかなければなりません。そして保育実践を記録し、その記録をもとに振り返ってさらに理解を深め、新たな計画に反映させるというサイクルによって保育を向上させていきます。このような「乳幼児期の発達の特性」と「一人ひとりの子どもの実態」という子どもの理解から、保育の計画は生まれていきます。

■ 全体的な計画の作成[*11 *12]

各保育所は、その保育方針や目標に基づき、子どもの発達過程を踏まえて、保育の内容が組織的・計画的に構成され、保育所での生活の全体を通して総合的に展開されるよう、全体的な計画を作成しなければなりません。その際に、子どもや家庭の状況、地域の実態、保育時間などを考慮し、長期的な見通しをもって作成していきます。全体的な計画は、保育所保育の全体像を包括的に示したものであり、これに基づいて指導計画、保健計画、食育計画等が立てられ、それらを通じて各保育所が創意工夫して保育をしていくことが求められます。

■ 指導計画の作成[*13]

指導計画は、全体的な計画に基づき作成されていきますが、そこでは子ども一人ひとりの発達過程や状況のほか、次の点にも留意します。

ひとこと

*9 **保育の過程**
子どもの理解に基づく保育の過程は、子どもの理解→計画→実践→記録→省察→評価（新たな子どもの理解）→改善を通して行われます。

知っトク

*10 **保育の過程**
PDCAサイクルを使って行います。PDCAとは、Plan、Do、Check、Actionです。

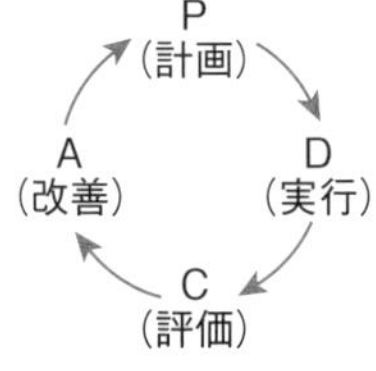

知っトク

*11 **全体的な計画**
全体的な計画とは、それぞれの保育所がどのような保育を行っていくかということの根幹となる計画であり、各保育所の保育理念や保育方針もここに含まれます。各保育所における保育のあり方を示すことになる計画ですから、長期・短期の指導計画も当然この全体的な計画に基づいて作成されます。

① 3歳未満児*14については、一人ひとりの子どもの生育歴、心身の発達、活動の実態等に即して、個別的な計画を作成すること。
② 3歳以上児については、個の成長と、子ども相互の関係や協同的な活動が促されるよう配慮すること。
③ 異年齢で構成される組やグループでの保育においては、一人ひとりの子どもの生活や経験、発達過程などを把握し、適切な援助や環境構成ができるよう配慮すること。

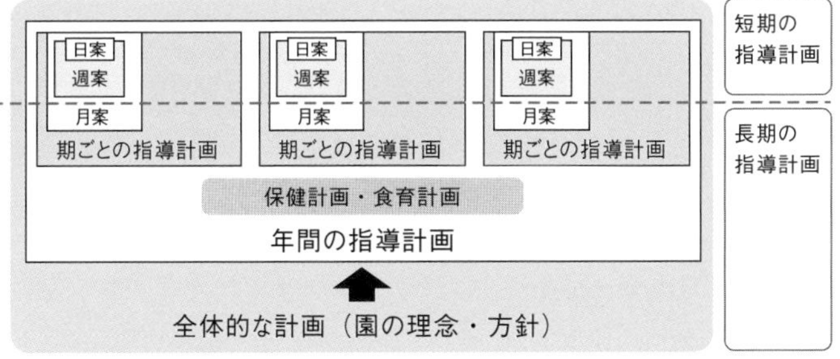

また生活の連続性や、季節の変化などを考慮すること、子どもの生活する姿や発想を大切にして適切な環境を構成し、子どもが主体的に活動できるようにすることも必要です。

■ 指導計画の展開

指導計画に基づく保育では、次の４点に留意します。

① 施設長、保育士など全職員による適切な役割分担と協力体制を整える。
② 子どもが行う具体的な活動は、生活の中でさまざまに変化することに留意して、子どもが望ましい方向に向かって自ら活動を展開できるよう必要な援助を行う。
③ 子どもの主体的な活動を促すためには、保育士等が多様なかかわりを持つことが重要であることを踏まえ、子どもの情緒の安定や発達に必要な豊かな体験が得られるよう援助する。
④ 保育士等は、子どもの実態や子どもを取り巻く状況の変化などに即して保育の過程を記録するとともに、これらを踏まえ、指導計画に基づく保育の内容の見直しを行い、改善を図る。

保育の内容

1 保育の内容の構成*15

保育の内容は、「基本的事項」「ねらい」「内容」「内容の

*12 **全体的な計画の作成**
R4年（後） R5年（前） R5年（後）

*13 **指導計画の作成**
R6年（前）

知っトク

*14 **「乳児」「3歳未満児」「3歳以上児」について**
保育では1歳未満の子どもを指す「乳児」という言葉のほか、3歳を区切りに「3歳未満児」「3歳以上児」という言葉がしばしば用いられます。新たな保育所保育指針では、保育内容も乳児と1～3歳未満児、3歳以上児の3つに分けて示されています。

*15 **保育の内容の構成**
R5年（後）
ねらいや内容の定義について出題されました。

取扱い」及び「保育の実施に関わる配慮事項」で構成されます。

「ねらい」は、保育の目標をより具体化したもので、子どもが保育所において、安定した生活を送り充実した活動ができるように、保育を通じて育みたい資質・能力を、子どもの生活する姿から捉えたものです。

「内容」は、「ねらい」を達成するために、子どもの生活やその状況に応じて保育士等が適切に行う事項と、保育士等が援助して子どもが環境にかかわって経験する事項を示したものです。また「内容の取扱い」とは、乳幼児期の発達を踏まえた保育を行うにあたって留意すべき事項として示されたものです*16。

*16 **乳児保育の留意すべき事項**
過去には保護者への対応について事例を読み解く問題が出題されました。実際の保育をイメージしながら考えられるようにしておきましょう。

2 保育における基本的事項と配慮事項（1歳以上、3歳以上）

保育所保育指針第２章に記載されており、年代ごとの配慮事項を示します。特に赤字部分を覚えておきましょう。

■ 1歳以上3歳未満児の基本的事項の要点

・基本的な運動機能が発達してくる時期である。食事や排せつ、着替えなども自分で行えるようになり、そのための体の機能も整ってくる。

・言葉も豊かになり、自分の気持ちや考えを言葉で伝えたり、「ナニ」や「ナンデ」といった質問も多くなってくる。

・自分でできることが増えてくる時期なので、自分でしようとする気持ちを尊重し、温かく見守るとともに、愛情豊かに応答的に関わることが大切である。

■ 1歳以上3歳未満児の配慮事項の要点

・特に感染症にかかりやすい時期であるので、十分に観察し、保健的な対応を心がける。

・探索活動が十分できるように環境を整える。全身を使う遊びなど様々な遊びを取り入れる。

・自我が形成され、自分の気持ちに気づく時期なので、情緒の安定を図りながら、子どもの自発的な活動を尊重するとともに促していく。

・担当の保育士が替わる場合には、子どものそれまでの経験や発達過程に留意し、職員間で協力し対応すること。

■ 3歳以上児の基本的事項の要点*17

・基本的な動作が一通りでき、生活習慣も自立できるようになる時期である。

・言葉も大変豊かになり、語彙数も急激に増加し、知的興味や関心も高まる。

・集団で一つの目標に向かう協同的な遊びや活動が見られる時期なので、個の成長と集団としての活動の両方の充実が必要である。

*17 **3歳以上児の基本的事項**
R4年（前）

■ 3歳以上児の配慮事項の要点

・「幼児期の終わりまでに育ってほしい姿」を、指導を行う際には適宜考慮する。

・子どもの発達や成長の援助をねらいとした活動の時間については、意識的に保育の計画等において位置付けて、実施することが重要であること。なお、そのような活動の時間については、子どもが保育所で過ごす時間がそれぞれ異なることに留意して設定する。

3 保育の内容

保育の「ねらい」「内容」などは領域ごとに示されています（詳細は巻末の保育所保育指針をご参照ください）。

3つの視点と各領域のねらいはそれぞれ連続性をもっており、基本的事項だけでなく、ねらいや内容を確認することで、それぞれの年代の子どもがどのように育っていくかを理解することもできます。

例：乳児の視点である「健やかに伸び伸びと育つ」と1歳以上3歳未満児の「健康」領域、3歳以上児の「健康」領域のねらい②を並べて確認してみましょう。

・乳児のねらい	② 伸び伸びと体を動かし、はう、歩くなどの運動をしようとする。
・1歳以上3歳未満児のねらい	② 自分の体を十分に動かし、さまざまな動きをしようとする。
・3歳以上児のねらい	② 自分の体を十分に動かし、進んで運動しようとする。

乳児の「はう、歩く」から、1歳以上の「さまざまな動き」、さらに3歳以上児の「運動」へと動きが次第にダイナミックになっていく姿が「ねらい」となっています。「人間関係」「環境」「言葉」「表現」の各領域についても確認してみましょう。

乳児保育

1 保育内容の構成

乳児保育においても、1歳以上3歳未満児、3歳以上と同じく保育の内容は、「基本的事項」「ねらい」「内容」「内容の取扱い」及び「保育の実施に関わる配慮事項」で構成されます。なお乳児については2017（平成29）年告示の保育所保育指針から「乳児保育に関わるねらい及び内容」として3つの視点が示されています。この3つの視点は、1歳以上の5領域に結びついていきます。

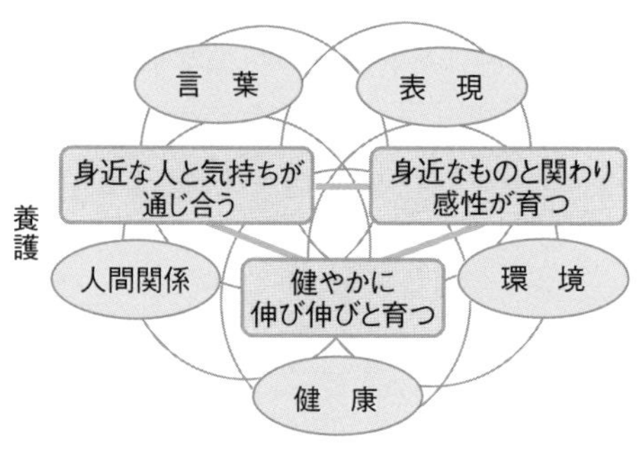

出典：社会保障審議会児童部会保育専門委員会「保育所保育指針の改定に関する議論のとりまとめ」

2 乳児保育における基本的事項と配慮事項

■ 基本的事項

乳児期においては、視覚、聴覚などの感覚や、座る、はう、歩くなどの運動機能が著しく発達し、特定の大人との応答的な関わりを通じて、情緒的な絆が形成されるといった特徴があります。これらの発達の特徴を踏まえて、乳児保育は、愛情豊かに、受容的・応答的に行われることが特に必要です。

■ 保育の実施にかかわる配慮事項*18

・乳児は疾病への抵抗力が弱く、心身の機能の未熟さに伴う疾病の発生が多いことから、一人ひとりの発育及び発達状態や健康状態についての適切な判断に基づく保健的な対応を行う。

・一人ひとりの子どもの生育歴の違いに留意しつつ、欲求を適切に満たし、特定の保育士が応答的に関わるように努める。

・乳児保育に関わる職員間の連携や嘱託医との連携を図り、第３章に示す事項を踏まえ、適切に対応すること。栄養士及び看護師等が配置されている場合は、その専門性を生かした対応を図る。

*18 **保育の実施にかかわる配慮事項**
R5年（前）

3 保育の内容*19

乳児保育は以下に示す３つの視点に基づいて乳児の育ちを実現しています。

*19 **保育の内容**
R4年（後）

①身体的発達に関する視点「健やかに伸び伸びと育つ」
・身体感覚が育ち、快適な環境に心地よさを感じる。
・伸び伸びと体を動かし、はう、歩くなどの運動をしようとする。
・食事、睡眠等の生活のリズムの感覚が芽生える。

②社会的発達に関する視点「身近な人と気持ちが通じ合う」
・安心できる関係の下で、身近な人と共に過ごす喜びを感じる。
・体の動きや表情、発声等により、保育士等と気持ちを通わせようとする。
・身近な人と親しみ、関わりを深め、愛情や信頼感が芽生える。

③精神的発達に関する視点「身近なものと関わり感性が育つ」
・身の回りのものに親しみ、様々なものに興味や関心をもつ。
・見る、触れる、探索するなど、身近な環境に自分から関わろうとする。
・身体の諸感覚による認識が豊かになり、表情や手足、体の動き等で表現する。

保育の環境・方法

1 環境を通して行う保育(保育の環境～環境の構成)

知っトク

*20 保育の環境(保育所保育指針第1章1(4))
「人的環境」「物的環境」に加えて「自然や社会の事象」をしっかり覚えておきましょう。

■ 保育の環境[*20][*21]

保育の環境には、保育士等や子どもなどの人的環境、施設や遊具などの物的環境、さらには自然や社会の事象などがあります。保育所は、こうした人、物、場などの環境が相互に関連し合い、子どもの生活が豊かなものとなるよう、計画的に環境を構成し、工夫して保育しなければなりません。

*21 保育の環境(保育所保育指針第1章1(4))
R5年(前)

ココが出た!

*22 環境の構成
R4年(前)　R5年(後)

■ 環境の構成[*22]

保育所保育指針では、環境を構成し、保育をする際の留意点として、次の4つが示されています。

① 子ども自らが環境にかかわり、自発的に活動し、さまざまな経験を積んでいくことができるよう配慮する。
② 子どもの活動が豊かに展開されるよう、保育所の設備や環境を整え、保育所の保健的環境や安全の確保などに努める。
③ 保育室は、温かな親しみとくつろぎの場となるとともに、生き生きと活動できる場となるように配慮する。
④ 子どもが人と関わる力を育てていくため、子ども自らが周囲の子どもや大人と関わっていくことができる環境を整える。

2 保育の方法

■ 状況の把握と主体性の尊重

一人ひとりの子どもの状況や家庭及び地域社会での生活の実態を把握します。また、子どもが安心感と信頼感を持って活動できるよう、子どもの主体としての思いや願いを受け止めます。なお、主体とは、自己にかかわることは、可能な限り自己が主人公になって決めるという姿勢のことを示します。

■ **健康、安全な環境での自己発揮**

子どもの生活リズムを大切にし、健康、安全で情緒の安定した生活ができる環境や、自己を十分に発揮できる環境を整えます。

■ **生活と遊びを通して総合的に行う保育**

子どもが自発的、意欲的にかかわることができるような環境を構成し、子どもの主体的な活動や子ども相互のかかわりを大切にします。特に、乳幼児期にふさわしい体験が得られるように、生活や遊びを通して総合的*23 に保育します。

■ **保育における個と集団への配慮**

子どもの発達について理解し、一人ひとりの発達過程に応じて保育します。その際、子どもの個人差に十分配慮します。また、子ども相互の関係作りや互いに尊重する心を大切にし、集団における活動を効果あるものにするよう援助していきます。

・異年齢で構成される組やグループでの保育*24

異年齢で構成される組やグループでの保育においては、一人ひとりの子どもの生活や経験、発達過程などを把握し、適切な援助や環境構成ができるよう配慮します。

・子どもの生活リズムへの配慮

保育所では、一日の生活のリズムや在園時間が異なる子どもがともに過ごします。それを踏まえて活動と休息、緊張感と解放感等の調和を図るよう配慮する必要があります。

また午睡は生活のリズムを構成する重要な要素であり、安心して眠ることのできる安全な睡眠環境を確保するとともに、在園時間が異なることや、睡眠時間は子どもの発達の状況や個人によって差があることから、一律とならないよう配慮します。

知っトク

*23 **保育所保育指針における「一体（的）」と「総合（的）」**

保育所保育指針では、「養護」と「教育」については「養護と教育が一体となって」など、「一体（的）」という言葉が使われます。また「生活」と「遊び」については「総合（的）」という言葉が用いられています。

知っトク

*24 **異年齢保育**

保育所等では同年齢の子どもの集団で行う保育だけではなく、複数の年齢の子どもを交えた集団の編成で保育を行うことがあり、異年齢保育と呼んでいます。中には日常的に異年齢の編成とする保育所等もあります。3歳から5歳までなどの異年齢がよく見られますが、中には1歳児や2歳児を交えて異年齢保育を行うこともあります。

また長時間にわたる保育については、子どもの発達過程、生活のリズム及び心身の状態に十分配慮して、保育の内容や方法、職員の協力体制、家庭との連携などを指導計画に位置づけることが大切です。

*25 **障害のある子どもの保育**
R4年(前)　R5年(前)
R5年(後)　R6年(前)
実際の保育をイメージしながら考えられるようにしておきましょう。

知っトク

*26 **障害のある子どもの保育**
R3年(後)では、保育所保育指針中の「発達過程」を「発達段階」と変更した文章の正誤を問う出題がありました。保育所保育指針では「発達段階」という語は用いられず、子どもの育ちは「発達過程」としてとらえられています。

3 障害のある子どもの保育*25 *26

障害のある子どもの保育については、次の点に留意します。

①**一人ひとりの子どもの**発達過程や障害の状態を把握**し、適切な環境の下で他の子どもとの生活を通して**ともに成長できるよう**、指導計画の中に位置付ける**

・障害や発達上の課題は様々なので、子どもが発達してきた過程や心身の状態の把握をする。

・子どもとの関わりにおいては、個に応じた関わりと集団の中の一員としての関わりの両面を大事にしながら保育を展開することが求められる。

・その子どもの課題などを分析し、特性や能力に応じて、目標を少しずつ達成していけるように細やかに設定し、そのための援助の内容を計画に入れる。

・他の子どもとともに成功する体験を重ね、子ども同士が落ち着いた雰囲気の中で育ち合えるようにするための工夫が必要である。

② **子どもの状況に応じた保育を実施する観点から、**家庭や関係機関と連携**した支援のための**計画を個別に作成するなど**適切な対応を図る**

・子どもの困難な状況だけでなく、得意なこと等も含めて、保育所と家庭での生活の状況を伝え合う。

・子どもについての理解を深め合うことや、保護者の抱えてきた悩みや不安などを理解し支えることで、子どもの育ちをともに喜び合う。

・他の子どもの保護者に対しても、子どもが互いに育ち合う姿を通して、障害等についての理解が深まるようにするとともに、地域でともに生きる意識をもつことができるように配慮する。

・プライバシーの保護には十分留意する。

③ 地域や関係機関との連携

・保育所と児童発達支援センター*27 等の関係機関とが話し合う機会をもち、子どもへの理解を深め、保育の取組の方向性について確認し合うことが大切。

・具体的には、児童発達支援センター等の理念や保育内容について理解を深め、支援の計画の内容を保育所における指導計画にも反映させること等を行う。

・就学に際しても保護者や関係機関で協議を行い、これまで行われてきた支援が就学後も継続していくようにする。

④ 食・安全に関する対応

・食事の摂取に際して介助の必要な場合には、医療機関等の専門職による指導、指示を受けて心身の状態、摂食機能や運動機能に応じた配慮が必要である。

・他の子どもや保護者が、障害のある子どもの食生活について理解できるように配慮すること。

・避難訓練等においては、避難所にいるような状況等も想定して、配慮を検討することが求められる。

***27 児童発達支援センター**
障害児への専門的な支援や、その家族等への相談を行う施設です。

保育士の役割と資質の向上

1 保育士の役割と専門性

■ 保育士

2003(平成15)年に保育士資格が国家資格となりました。保育士は名称独占資格であり、資格が与えられていないのに勝手に保育士と名乗ることは認められません。保育士の有資格者には登録証が交付され、資格の付与は都道府県から行われます*28。なお、保育士でなくとも子どもの保育の仕事はできますので、業務独占の資格ではありません。

***28 保育士の登録**
児童福祉法第18条の18第1項では、「保育士となる資格を有する者が保育士となるには、保育士登録簿に、氏名、生年月日その他内閣府令で定める事項の登録を受けなければならない」とされています。

児童福祉法第18条の21では「保育士の信用を傷つけるような行為をしてはならない（信用失墜行為の禁止）」、第18条の22では「正当な理由がなく、その業務に関して知り得た人の秘密を漏らしてはならない（守秘義務）。保育士でなくなつた後においても、同様とする」とされています。

■ 保育所における保育士の役割

児童福祉法第18条の４で保育所における保育士は、保育所の役割及び機能が適切に発揮されるように、倫理観に裏づけられた「専門的知識及び技術をもつて、児童の保育及び児童の保護者に対する保育に関する指導を行うことを業とする者をいう」と規定されています。

*29 **保育の実施に関して留意すべき事項**
R4年（前） R5年（後）
留意すべき事項からは、個性や多様性を重視する保育が求められていることがわかります。

■ 保育の実施に関して留意すべき事項*29

保育士が行う保育全般にかかわる配慮事項として、次の６点が求められています。

① 子どもの心身の発達及び活動の実態などの個人差を踏まえるとともに、一人ひとりの子どもの気持ちを受け止め、援助する。
② 子どもの健康は、生理的・身体的な育ちとともに、自主性や社会性、豊かな感性の育ちとがあいまってもたらされることに留意する。
③ 子どもが自ら周囲に働きかけ、試行錯誤しつつ自分の力で行う活動を見守りながら、適切に援助する。
④ 子どもの入所時の保育にあたっては、できるだけ個別的に対応し、子どもが安定感を得て、次第に保育所の生活になじんでいくようにするとともに、すでに入所している子どもに不安や動揺を与えないようにする。
⑤ 子どもの国籍や文化の違いを認め、互いに尊重する心を育てるようにする。
⑥ 子どもの性差や個人差にも留意しつつ、性別などによる固定的な意識を植え付けることがないようにする。

■ 保育士の専門性

保育士の専門性としては、以下の6点が挙げられます。

① これからの社会に求められる資質を踏まえながら、乳幼児期の子どもの発達に関する専門的知識を基に子どもの育ちを見通し、一人一人の子どもの発達を援助する知識及び技術
② 子どもの発達過程や意欲を踏まえ、子ども自らが生活していく力を細やかに助ける生活援助の知識及び技術
③ 保育所内外の空間や様々な設備、遊具、素材等の物的環境、自然環境や人的環境を生かし、保育の環境を構成していく知識及び技術

④ 子どもの経験や興味や関心に応じて、様々な遊びを豊かに展開していくための知識及び技術
⑤ 子ども同士の関わりや子どもと保護者の関わりなどを見守り、その気持ちに寄り添いながら適宜必要な援助をしていく関係構築の知識及び技術
⑥ 保護者等への相談、助言に関する知識及び技術

厚生労働省「保育所保育指針解説（平成30年2月）」

・保育士の資質・能力

保育所保育指針解説では、保育士の資質を「子どもの人権を尊重し、その最善の利益を考慮して保育を行うための職員の人間観、子ども観などの総体的なものとして表れる人間性や、保育所職員として自らの職務を適切に遂行していくことに対する責任の自覚などの資質」としています。

2 職員の資質向上とキャリアパス

保育所は、質の高い保育を展開するため、絶えず、一人ひとりの職員についての資質向上及び職員全体の専門性の向上を図るよう努めます*30。その際、次の2点に留意します。

*30 **職員の資質向上**
R6年（前）

① 子どもの最善の利益を考慮し、人権に配慮した保育を行うためには、職員一人ひとりの倫理観、人間性並びに保育所職員としての職務及び責任の理解と自覚が基盤となる。各職員は、自己評価に基づく課題等を踏まえ、保育所内外の研修等を通じて、保育士・看護師・調理員・栄養士等、それぞれの職務内容に応じた専門性を高めるため、必要な知識及び技術の修得、維持及び向上に努めなければならない。
② 保育所においては、保育の内容等に関する自己評価等を通じて把握した、保育の質の向上に向けた課題に組織的に対応するため、保育内容の改善や保育士等の役割分担の見直し等に取り組むとともに、それぞれの職位や職務内容等に応じて、各職員が必要な知識及び技能を身につけられるよう努めなければならない。

■ 保育士等の自己評価*31

保育士などは、保育の計画や保育の記録を通して、自らの保育実践を振り返り、自己評価することを通して、その専門性の向上や保育実践の改善に努めます。自己評価にあたっては、子どもの活動内容やその結果だけでなく、子どもの心の育ちや意欲、取り組む過程などに十分配慮します。

*31 **保育士等の自己評価**
R4年（前）
保育所における自己評価ガイドライン（2020年改訂版）」が出ているので目を通しておきましょう。

また、自らの保育実践の振り返りや職員相互の話し合い等を通じて、専門性の向上及び保育の質の向上のための課題を明確にするとともに、保育所全体の保育の内容に関する認識を深めることが求められます。

■ 保育所の自己評価

保育所は、保育の質の向上を図るため、保育の計画の展開や保育士等の自己評価を踏まえ、保育の内容等について、自ら評価を行い、その結果を公表するよう努めます。評価にあたっては、地域の実情や保育所の実態に即して、適切に評価の観点や項目等を設定し、全職員による共通理解をもって取り組みます。また、評価の結果を踏まえ、保育の内容等の改善を図ります。保育の内容等の評価に関しては、保護者及び地域住民などの意見*32を聴くことが望ましいとされています。

*32 **保護者及び地域住民などの意見**
児童福祉施設の設備及び運営に関する基準第36条において、「保育所の長は、常に入所している乳幼児の保護者と密接に連絡をとり、保育の内容等につき、その保護者の理解及び協力を得るよう努めなければならない」とされています。

■ 施設長の責務

施設長は、保育の質及び職員の資質の向上のため、次の２点に留意し、必要な環境を確保します。

> ① 施設長は、保育所の役割や社会的責任を遂行するために、法令等を遵守し、保育所を取り巻く社会情勢等を踏まえ、施設長としての専門性等の向上に努め、当該保育所における保育の質及び職員の専門性向上のために必要な環境の確保に努めなければならない。
>
> ② 施設長は、保育所の全体的な計画や、各職員の研修の必要性等を踏まえて、体系的・計画的な研修機会を確保するとともに、職員の勤務体制の工夫等により、職員が計画的に研修等に参加し、その専門性の向上が図られるよう努めなければならない。

■ 保育士のキャリアパス

保育所の職員全体が一つのチームとなって保育にあたり、その質の向上を図るためにはリーダー的な職員が必要になってきます。一定の経験がある職員が、さらに専門性を高め、ミドルリーダーとして必要なマネジメントとリーダーシップに関する能力を身に付けていけるように、キャリアパスを見据えた体系的な研修の機会が必要となってきます。

職員は保育所内での研修に加え、キャリアアップを目的とする外部研修の制度等に合わせて、自らの職位や職務に合った研修を受けることが求められ、それにより専門職としてキャリアを形成していきます。

理解度チェック　一問一答

全問クリア　月　日

Q	A
□ ❶ 保育所保育指針は、「総則」、「保育の内容」、「食育の推進」、「子育て支援」、「職員の資質向上」、の全5章から構成されている。 R6年(前期)	❶ × 「食育の推進」ではなく「健康及び安全」が正しい。他は設問のとおり。
□ ❷ 「保育所保育指針」には、保育所は入所する子どもの最善の利益を考慮し、その福祉を積極的に増進することに最もふさわしい生活の場でなければならないことが明記されている。 R5年(前期)	❷ ○ 保育所保育指針の冒頭、「保育所の役割」に記載されている。
□ ❸ 1991（平成3）年、「幼稚園と保育所との関係について」という通知が文部省、厚生省の局長の連名で出された。その中で、保育所のもつ機能のうち、教育に関するものは、幼稚園教育要領に準ずることが望ましいことなどが示された。 R5年（後期）	❸ × 1991（平成3）年ではなく、1963（昭和38）年の通知である。
□ ❹ 保育士は、保育士の信用を傷つけるような行為をしてはならない。 R2年（後期）	❹ ○
□ ❺ Wさんは、保育所の生活の中では、子どもの年齢に応じて養護の時間と子どもの教育の時間をバランスよく配置し、子どもの一日の生活の中でそれぞれの内容が統合されるよう配慮している。 H30年(後期)	❺ × 保育所保育指針の至る所で「養護と教育の一体性」について述べられている。養護と教育は切り離して行われるものではない。
□ ❻ 保育室は、温かな親しみとくつろぎの場となるとともに、生き生きと活動できる場となるように配慮すること。 H30年(後期)	❻ ○ 保育所保育指針　第1章総則(4)保育の環境、ウに記載されている内容である。
□ ❼ 「幼児期の終わりまでに育ってほしい姿」には「小学校入学前までに身につけるべき資質・能力」について記されている。 R6年(前期)	❼ × 幼児期の終わりまでに育ってほしい姿は、方向目標とされており、「身につけるべき」（達成すべき）目標とはされていない。

- □ ❽ 乳児保育においては、全員が同じ生活のリズムで一日を過ごしていけるよう、午睡についても全員が同じ時間に入眠し、同じ時間に起床できるようにしなければならない。 R3年(前期)
- □ ❾ 「乳児保育に関わるねらい及び内容」は、五つの領域ではなく、身体的発達に関する視点、社会的発達に関する視点の二つの視点で示されている。 H31年(前期)
- □ ❿ 3歳以上児の「ねらい」として、「身近な環境に親しみ、自然と触れ合う中で様々な事象に興味や関心をもつ」は正しい。 R5年(前期)
- □ ⓫ 3歳未満児については、個別的な計画を作成することとされているが、その理由として「緩やかな担当制の中で、特定の保育士等が子どもとゆったりとした関わりをもちながら、情緒的な絆を深められるようにするため」は正しい。 R4年(前期)
- □ ⓬ 「保育所保育指針」第2章「保育の内容」では、「保育所保育が、小学校以降の生活や学習の基盤の育成につながることに配慮し、保育所においては、小学校のカリキュラムに適応するため、創造的な思考や集団生活の基礎を培うようにすること」と記載されている。 R6年(前期)
- □ ⓭ 1歳以上3歳未満児の保育において、指導計画は一人一人の子どもの生育歴、心身の発達、活動の実態等に即して作成し、個別的な計画は必要に応じて作成する。 R5年(前期)
- □ ⓮ 「幼児教育を行う施設として共有すべき事項」の「学びに向かう力、人間性等」の内容として、「気付いたことや、できるようになったことなどを使い、考えたり、試したり、工夫したり、表現したりする」は正しい。 R5年(前期)

❽ × 一人ひとりの子どもの生活に合わせて、生活のリズムが作られていくこととされる。

❾ × 「乳児保育に関わるねらい及び内容」は設問の二つに加えて、「精神的発達に関する視点」も含めた三つの視点で構成されている。

❿ ○ 3歳以上児では「事象」という言葉が一つのポイントである。1歳以上3歳未満児では「もの」となっている。

⓫ ○ 『保育所保育指針解説』にはこの設問の通り「緩やかな担当制」との表記もみられる。

⓬ × 小学校への接続としては、「幼児期にふさわしい生活を通じて」行うこととされている。

⓭ × 3歳未満児では、「必要に応じて」ではなく、個別的な計画は作成されることとなっている。

⓮ × この内容は「思考力、判断力、表現力等の基礎」の内容である。

4 保育の思想と歴史的変遷

世界と日本それぞれの歴史について理解しておく必要があります。人物に関する業績や保育施設の概要について、時代背景と関連させて理解しましょう。

頻出度

ルソー
消極的教育の提唱
著書『エミール』

フレーベル
キンダーガルテンの創設
恩物の考案

モンテッソーリ
モンテッソーリの教育の考案
子どもの家の指導の任につく

諸外国の保育の思想と歴史*1

著名な人名とその功績、著作名を覚えましょう。

■ **コメニウス*2 (Comenius, J. A.)**

現在のチェコに生まれ、『大教授学』や『世界図絵』などを著しました。『世界図絵』は最初の絵入り教科書といわれ、その後の絵本や教科書に影響を与えました。

■ **ルソー*3 (Rousseau, J. -J.)**

フランスの思想家であり、『エミール』は教育書として大きな影響を与えました。「自然の教育」(能力や身体器官の内部発展)、「事物の教育」(実物による経験教育)、「人間の教育」(「自然の教育」を基礎にした教育)の可能な限りの一致を説き、無用な教えや干渉を排した「消極的教育」

ひとこと

*1 **諸外国の保育の思想と歴史**
科目「教育原理」で扱われている人物について出題されることも予想されます。あわせて学習するとよいでしょう。

*2 **コメニウス**
R4年(後)(大教授学・世界図絵)

*3 **ルソー**
R4年(前)(自然の教育)
R6年(前)(エミール)

に基づく「自己統制、自己教育」を主張しました。その後の子どもの内発的な力を重視する教育の源流となりました。

■ **オーベルラン（Oberlin, J. F.）**

シュトラスブルク大学で神学と、農業、植物学、経済学、教育学など近代的学問を学び、1767年に牧師としてドイツとフランスの国境の山間部に赴任し、村人を貧困と道徳的荒廃から救済する事業を興しました。その一環が民衆学校と保育所（幼児保護所・幼児学校）であり、保育所では、歌やお話、言葉等の教育が行われました。世界最古の保育施設を設立したとされており、その後、国外にも影響を及ぼしました。

*4 **ペスタロッチ**
R6年（前）

■ **ペスタロッチ[*4]（Pestalozzi, J. H.）**

スイスの教育実践家であり、貧困にあえぐ子どもたちの教育に従事しました。教育は家庭での日常生活において育まれるものとして、「生活が陶冶する」ことを提唱しました。また、メトーデという直感教授法に基づいた教育方法を確立しました。なお、直観教授とは、言語のみの授業に対して、実際に触れたり観察したりするなど五感を大切にした教育方法です。

主著に『隠者の夕暮』『幼児教育書簡』などがあります。

*5 **オーエン**
R4年（前）　R4年（後）
R5年（後）

■ **オーエン[*5]（Owen, R.）**

工場主であったオーエンはイギリスに「性格形成学院」を開設し、子どもの保護と教育を行いました。性格形成学院には、1～3歳までの子どもと4～6歳までの子どものクラスからなる幼児学校が含まれていました。教育の中で叩いたり罵倒したりすることを批判し、子どもに愛情を持って接することを重視しました。著書に『新社会観』があります。

■ **フレーベル（Fröbel, F. W. A.）**

1826年に『人間の教育』を出版しました。1839年にドイツのブランケンブルクで「児童指導者養成施設」と、その実習のための「遊戯と作業の施設」を開設し、後者に翌年、キンダーガルテン（一般ドイツ幼稚園、Der Allgemeine Deutsche Kindergarten）という名称を与えました。この施設は世界で初めての幼稚園として世界の幼児教育界に大きな影響を与えました。また、保育における遊びの重要性を説き、自ら考案した遊具（恩物）の普及にも努めました。

■ **エレン・ケイ（Key, E.）**

スウェーデンの女性解放家であり、教職に就く傍ら、『児童の世紀』などを著しました。労働婦人の休息所として山荘を開放し、悩みを持つ婦人たちを慰労しました。山荘は、愛のクリニックとも呼ばれました。日本の婦人解放運動に大きな影響を与えました。

■ **シュタイナー（Steiner, R.）**

人智学に基づくシュタイナー教育の創設者です。ドイツに「自由ヴァルドルフ学校」を創設し、人間を7歳ずつ区切る発達論で、特に、子どもの感性を育むための独自の教育を展開しました。オイリュトミーやフォルメン、エポック[*6] 授業などです。主著に『神智学』があります。

■ **モンテッソーリ[*7]（Montessori, M.）**

イタリアのローマ大学医学部で博士号を取得し、国立特殊児童学校の指導の任に就き、障害児教育に携さわりました。さらに、1907年には「子どもの家[*8]」の指導の任に就き、障害児の教育方法を貧しい子どもの教育に応用しました。また、一連の体系的教具を開発し、教具を含んだ環境を整えることが保育者の重要な役割であると提唱しました。

■ **コダーイ[*9]（Kodaly, Z.）**

ハンガリーの作曲家であり、民族音楽による音楽教育「コダーイシステム」を創始しました。子どもの内面を育てて、人間形成をはかろうとしました。

■ **ボウルビィ（Bowlby, J.）**

施設に入所している子どもたちの心理・情緒、身体発達

用語解説

*6 **オイリュトミー、フォルメン、エポック**
オイリュトミーとは、自分の感情を音楽に合わせて身体表現するような取り組み、フォルメンとは、独特の形状描画、エポック授業とは一定期間集中して同じ授業をすることです。

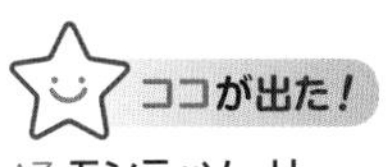

*7 **モンテッソーリ**
R4年（前）（子どもの家）

用語解説

*8 **子どもの家（casa dei bambini）**
1907年にイタリア、ローマのスラム街に開設された保育施設。子どもに適した環境を与えることを大切にし、子どもが主体的に生活、学習できる環境構成がなされました。

*9 **コダーイ**
R5年（前）

などの調査を通して、長期に母性や養護を奪われた状況が続くことによって人格形成や情緒の発達に深刻な影響がもたらされることを明らかにし、乳幼児にとっては、養育する者との情緒的な絆が健全な発達の基盤となるという「愛着理論（アタッチメント）」を展開しました。主著に『乳幼児の精神衛生』があります。

■ **アリエス（Ariès, P.）**

フランスの日曜歴史家で、子どもが子どもらしい生活を送ることができる期間（子ども期）ができたのは近代以降のことであり、早くから大人と同じように労働の世界に入ることを強いられた時代と「子ども観」が変化したと説明しています。主著に『〈子供〉の誕生』があります。

■ **デューイ（Dewey, J.）**

アメリカのプラグマティズムの思想家、教育学者であり、経験を重視した教育、児童中心主義などを唱えました。主著に『学校と社会』などがあります。

世界に広がったフレーベルの教育思想

現在のドイツに生まれたフレーベルは、ペスタロッチの教えを受けて『人間の教育』『幼稚園教育学』などを執筆しました。そして何より幼稚園の創設者としてよく知られている人物ですね。恩物（ガーベ、英語ではギフト）を広めることも目指しました。ガーベとは神からの贈りものという意味であり、フレーベルの教育思想はキリスト教的な思想に基づいていました。彼の死後、幼稚園は世界中に拡大し、日本で最初の官立幼稚園（東京女子師範学校附属幼稚園）も、フレーベルの思想を取り入れていました。

ひとこと

*10 **日本の保育の思想と歴史**
科目「教育原理」で扱われている人物について出題されることも予想されます。あわせて学習するとよいでしょう。

日本の保育の思想と歴史*10

わが国において、保育に携わった著名な人物は次のような人たちです。

■ **松野クララ*11**

*11 **松野クララ**
R4年(前)

フレーベルの設立した養成学校で保育の理論と実際を学

び、1876（明治９）年から1881（明治14）年まで、東京女子師範学校附属幼稚園の主任として保母の指導にあたり、フレーベルの理論を保母たちに伝えました。

■ 豊田芙雄（ふゆ）

1875（明治８）年に東京女子師範学校教員となり、1876（明治９）年附属幼稚園の創立とともに保母となりました。1879（明治12）年には鹿児島に渡り、保母養成に尽力しました。1887（明治20）年に渡欧し、帰国後は女子教育にも携わりました。『保育の栞』『恩物大意』などの手記があります。

■ 東基吉（ひがしもときち）[*12]

1900（明治33）年に、東京女子高等師範学校助教授兼同校附属幼稚園批評係に任命されました。フレーベルの『人間の教育』などの欧米の新しい理論に基づき、わが国における恩物の用い方を批判[*13]しました。その保育理論は恩物主義にかわって、幼児の自己活動を重視し、遊戯を中心にすえたものでした。主著に『幼稚園保育法』があります。

■ 和田実

女子高等師範学校に勤めた後、1915（大正４）年に目白に幼稚園を創立し、保母養成所を経営しました。また、共著で『幼児教育法』を出版しました。その考え方は、遊戯を重視してその中で幼児を誘導するというものでした。

■ 倉橋惣三（そうぞう）

大正から昭和にかけて、日本の幼児教育の理論的な指導者であり、1917（大正６）年には、東京女子高等師範学校附属幼稚園の主事になっています。「生活を、生活で、生活へ」と導いていくことが大切だとして、児童中心の進歩的な保育を提唱しました。幼児生活の価値を認め、幼児の生活を「さながらにしておく」ことの必要性を提唱し、そこでの幼児の自発生活を尊重しました。主な著書には『幼稚園雑草』、『幼稚園保育法真諦』、『育ての心』、『子供讃歌』があります。また、本格的な系統的カリキュラムとして「系統的保育案の実際[*14]」をまとめています。さらに、幼児教

*12 **東基吉**
R4年（前）

*13 **恩物に対する批判**
恩物とは、ドイツのフレーベルが考案した教材・遊具である「Gabe」の日本語訳のことです。日本では、20種類の恩物に対応した「二十遊嬉（にじゅうゆうき）」が幼稚園の保育科目となりました。縦横に線の引かれた恩物机に幼児を座らせ、保育者の指示にしたがって机の線に合わせて積み木を組み立てさせるなどの一斉方式が多いものでした。保育者主導のこのような恩物の用い方に対して、批判が見られました。

*14 **系統的保育案の実際**
倉橋の提唱した「系統的保育案」は、子どもの興味にあった主題を保育に取り入れながら、幼児の活動を系統づけていくものでした。

育内容調査委員会の委員として1948（昭和23）年刊行の「保育要領」作成に携わりました。

■ 野口幽香（ゆか）*15

華族女学校付属幼稚園に勤めていましたが、通勤途中にみかける貧しい家庭の子どもたちにも幼児教育を施す必要性を感じて、教会や関係者の協力を得て森島峰（美根）とともに二葉幼稚園*16を開園しました。幼稚園は、1916（大正５）年に二葉保育園と名称を変えました。

■ 橋詰良一

1922(大正11)年に大阪の池田市で「家なき幼稚園」を開設しました。大自然の中で子どもたちを自由に遊ばせるために、自動車で郊外に連れ出し、露天保育を行いました。

■ 城戸幡太郎（まんたろう）

「社会中心主義」を主張し、新しい「協同社会」を建設しうる「生活力」のある子どもの育成を目指しました。1936（昭和11）年に「保育問題研究会（保問研）」を組織し、その会長を務め、多くの実践者を養成しました。

*15 野口幽香
R4年(前)　R6年(前)

*16 二葉幼稚園
1900(明治33)年に、野口幽香・森島峰(美根)によって設立されました。付近の貧困家庭の幼児を入園させ、日中街路で悪い習慣を身に付ける幼児たちを良い環境で教育し、親の育児負担を軽減することを目的としました。

日本の幼児教育を発展させた倉橋惣三

大正から昭和前半にかけて、日本の幼児教育の発展に大きく寄与した人物であり、現在の保育・幼児教育も倉橋惣三を抜きにしては語れないというほどの人物です。「生活を、生活で、生活へ」という言葉で知られるように、幼児期の子どもの教育においては「生活」を重視しました。『幼稚園保育法真諦』や『育ての心』などの著作などでも知られており、東京女子師範学校附属幼稚園主事（園長のような仕事)を数度務めました。また、保育要領の作成にも関わりました。

日本の保育施設の歴史

■ 東京女子師範学校附属幼稚園

現在のお茶の水女子大学附属幼稚園で、1876（明治9）年に設立され、日本での幼稚園の始まりとされています。関信三が初代園長を務め豊田芙雄、松野クララらが保母として保育にあたりました。

■ **愛珠幼稚園**

1880（明治13）年に、大阪の地元有識者たちの要望で、市街地区の二〇箇町連合町会組織により設立された町立の幼稚園です。京都博覧会、奈良博覧会に園児の製作品、恩物、遊具を出品して幼稚園への理解を広めました。

■ **頌栄幼稚園**

1889（明治22）年に、アメリカ人宣教師ハウ（Howe,A.L.）によって神戸に開設された幼稚園です。アメリカでの幼稚園長の経験もあったハウは、頌栄保母伝習所も開設し、保母の養成にも携わりました。

■ **守孤扶独幼稚児保護会**

1890（明治23）年に赤沢鍾美*17 が開設した新潟静修学校に併設された保育室が発展したものです。当時すでに、子守学校・子守学級*18 を開設する動きが各地でありましたが、新潟静修学校では、貧困層の子女のために乳幼児を無料で預かることを始めました。やがて母子家庭や工場・行商に働きに出る夫婦の幼児なども預かるようになりました。日本人による最初の本格的な託児所といわれています。

■ **二葉幼稚園*19 （二葉保育園）**

野口幽香、森島峰（美根）（当時ともに華族幼稚園に勤務）によって、フレーベルの理想に基づいて貧困家庭の子どもたちの保育を行う施設として設立されました。のちに3歳未満の子どもの保育も行い、1日8時間の保育を行うようになったことから幼稚園の基準には合致しなくなり、1916（大正5）年に二葉保育園と改称しています。

創設期には、実際の保育には平野マチが携わっていましたが、のちに「二葉の大黒柱」と呼ばれる徳永恕が加わって主任となりました。徳永は野口の後を継ぎ、二葉の２代目の園長となっています。

*17 **赤沢鍾美**
R6年(前)

*18 **子守学校・子守学級**
乳幼児を背負って学校に来る児童を教育し、その間、乳幼児を別室で保育する場合もありました。

*19 **二葉幼稚園**
R5年(前)

理解度チェック　一問一答

全問クリア　　月　　日

Q

- □ ❶ オーエンはドイツに「性格形成学院」を開設し、子どもの保護と教育を行った。 R4年(後期)
- □ ❷ モンテッソーリは、スウェーデンの社会運動家であり教職に就く傍ら多くの著作を世に出した。代表作に『児童の世紀』がある。 R5年(前期)
- □ ❸ コダーイは、ハンガリーの作曲家である。民俗音楽による音楽教育法はのちに「コダーイ・システム」などにまとめられ、幼児教育にも活用された。 R5年(前期)
- □ ❹ オーベルランは最も恵まれない子どもを豊かに育む方法こそ、すべての子どもにとって最良の方法であるとする考えに基づき、「保育学校」を創設し、医療機関との連携を図って保育を進めた。 R5年(後期)改
- □ ❺ デューイはその著作である『エミール』によって、当時の子ども観に対して大きな影響を与えた。 H28年(前期)
- □ ❻ フレーベルは『人間の教育』の中で、幼児期においては作業がこの時期の子どもの最も美しい表れであるとした。遊具(Gabe)は、明治時代に近藤真琴が編集した『幼稚園法二十遊嬉』等によって我が国に紹介された。 H30年(前期)改
- □ ❼ 華族幼稚園は、野口幽香と森島峰(美根)が寄付を募り、1900年に設立した施設で、貧しい家庭の子どもたちを対象にフレーベルの精神を基本とする保育を行った。 H30年(後期)
- □ ❽ 倉橋惣三の主著は、『育ての心』であり、児童中心の進歩的な保育を提唱した。 予想
- □ ❾ 倉橋惣三は、1936(昭和11)年、保育問題研究会を結成し、その会長を務めた。 H24年
- □ ❿ 貧しい家庭の子どもたちのための幼稚園が明治期につくられ始めた。その一つ、二葉幼稚園は赤沢鍾美が慈善により開設したものである。 R5年(前期)

A

- ❶ × ドイツではなくイギリスである。
- ❷ × 設問はエレン・ケイの内容である。モンテッソーリはイタリアの女性医師、教育家。
- ❸ ○ コダーイについての正しい説明である。
- ❹ × マクミラン姉妹に関する記述である。医療従事者であった姉のレイチェルと教育委員であった妹のマーガレットが20世紀初頭のイギリスで保育学校を創設した。
- ❺ × デューイではなくルソーである。
- ❻ × 作業ではなく遊び、近藤真琴ではなく関信三である。
- ❼ × 華族幼稚園ではなく、二葉幼稚園(のちの二葉保育園)である。
- ❽ ○
- ❾ × 倉橋惣三ではなく、城戸幡太郎である。
- ❿ × 設問にある二葉幼稚園は、野口幽香、森島峰(美根)によって設立された。赤沢は新潟静修学校を開設した。

5 保育の現状と課題

諸外国の保育施設の概要については、時代背景や社会背景と関連させて理解しましょう。また、国内の保育に関する事業や幼稚園・小学校との連携については、最新の施策や社会動向に留意しながら学びを深めていきましょう。

頻出度

子育て支援事業

・子育て短期支援事業
・地域子育て支援拠点事業
・放課後児童健全育成事業

etc.

諸外国の保育*1

諸外国の、歴史的に登場する保育の形態名とその内容をおさえましょう。

知っトク

*1 **諸外国の保育**
過去にマーガレット・カーを中心にニュージーランドで開発された「ラーニング・ストーリー」についても出題されました。

1 アメリカの保育

幼稚園と保育園が二元的な制度として発展してきました。保育関連事業には、以下の３つがあります。就学開始年齢は、州によって異なりますが、一般的には６歳です。

① 低所得層の社会統合を目指す連邦政府の保護政策に基づくプログラム（ヘッド・スタートなど）

② 中～高所得者層の保育ニーズへの対応を目指す民間組織によるサービス（2～4歳対象のプリスクール、0～4歳対象の保育所、家庭的保育、家庭内保育など）

③ 州政府や学区教育委員会によって運営される就学前教育プログラム（5歳対象のキンダーガーデン、4歳対象のプレ・キンダーガーデンなど）

*2 ヘッド・スタート
R4年(後)

■ **ヘッド・スタート*2 計画（Head Start Program）**

アメリカにおいて、1965年に「貧困撲滅」政策の一環として開始され、貧困家庭の幼児に適切な教育を与えることにより、入学後の学習効果を促進させることを意図した補償教育計画です。1994年からは、妊婦と胎児の健康促進、乳児の健全な発達、家族の子育て支援サービスも提供されています。

教育サービスと、ケア・サービスといった視点があり、教育サービスについては、就学前の2年間について、親が希望すれば決まった時間については無償で受けることができます。ケア・サービスは、基本的には親の負担でまかなわれます。保育関連施設・形態として、①幼稚園（ナーサリー・スクール）、②保育所（デイ・ナーサリー）、③家庭的保育、④プレイグループなどがあります。就学開始年齢は、法的には5歳となる誕生日の次に来る学期から就学が開始となります。

2 イギリスの保育

1997年のブレア政権では、貧困地域への統合的な保育育児支援策（シュア・スタート）や3歳以降の保育学校の無償化など、急速に保育システムが整えられました。

■ **チルドレンズ・センター**

1997年に労働党政権下で始まったシュア・スタートは、就学までに丁寧なサポートを受け、就学時に確かなスタートを切れるようにするというプロジェクトで、これを具体化、発展させるために全国各地にチルドレンズ・センターという総合施設が急増しました。チルドレンズ・センターは5歳未満（就学前）の子どもに保育、健康、家族支援を一体的に提供するもので、保守党への政権交代後は、事業が縮小され、300か所以上のセンターが閉鎖されました。

3 ドイツの保育

３歳未満と３歳以上とで、就学前教育・保育施設の名称が異なります。保育関連施設として、①幼稚園（３歳以上）、②保育園（３歳未満）、③就学段階の学童保育、④家庭的保育、⑤幼稚園・保育園・学童保育の一体化した保育施設（KITA）などがあります。就学開始年齢は６歳で、基礎学校に入学します。親は保育に対する法的請求権を要求でき、2013年からは1歳以上から請求できるようになりました。そのため保育所の増加が続いています。

4 フランスの保育

フランスの保育には０～２歳児向けの「保育所（crèche）」と、３～５歳児のための「保育学校（école maternelle）」があります。保育所には公立、私立、企業内保育所などいくつかの種別がありますが、保育ワーカー（有資格者）やベビーシッター（資格不要）に預けることもあります。

保育学校は、2019年より義務教育の一環となり、初等教育の一部に位置づけられています（義務教育学校への就学は６歳から）。保育学校には「社会的に不利な地域」では２歳児の就学も可能となっています。

■ 保育学校（école maternelle：エコール・マテルネル）

フランスにおいて、慈善事業の精神で開設・運営されてきた託児所が、1881年の制度改革により、公教育制度に組み込まれ、教育省の管轄下に置かれたものです。このような伝統を受け継ぎ、現在フランスでは3歳から義務教育が開始されており、自治体によっては2歳児の20～30％程度が、無償で全日制（原則８時間）の保育を受けています。

5 イタリアの保育

イタリアは自治体ごとに独自の保育・幼児教育が進められています。

*3 **レッジョ・エミリアの保育**
R4年(後)
過去にローリス・マラグッツィがリーダーシップをもってプロジェクトを開始したことが出題されました。

■ レッジョ・エミリアの保育*3

イタリア北部のレッジョ・エミリア市で展開されている保育実践です。保育方法の特徴としては、プロジェクトと呼ばれるテーマ発展型の保育が重視されています。教師、親、職人、芸術家、行政関係者などが支え合い、協働して子どもの豊かな表現活動が支えられています。

保育所等には教育を担当する教師（ペダゴジスタ）と芸術教師（アトリエリスタ）が配置され、子どものプロジェクト活動を支えていきます。その際にプロジェクト進行や子どもの発言等を記録したドキュメンテーションを作成し、保育の振り返りを行っていきます。

6 韓国の保育

保育関連施設として、①幼稚園、②保育園、③幼児対象の学院（ハゴン）などがあります。就学開始年齢は6歳からであり、その年の2月末日までに満6歳となる者が、3月1日より入学します。2013年より0～5歳児の保育料が無償化されました。また幼稚園と保育所に共通する教育課程であるヌリ課程（2012年5歳児、2013年3～5歳児版が制定、2019年改定）に基づいて保育が行われています。

世界の保育と保育記録

もちろん子どもは世界中にいますから、それぞれの文化や伝統、制度に基づいて様々な保育が行われています。子どもの生活背景が多様で、社会的な格差が生じているアメリカやイギリスでは、ヘッド・スタートプログラムや、シュア・スタートプログラムのような政策が採られたり、高福祉政策が採られている北欧の国々（例えばスウェーデンやフィンランド）では、子どもの経験を重視した保育が行われたりしています。またニュージーランドでは、子どもの理解を進めていく上で、子どもの肯定的な姿に着目して記録を行うラーニング・ストーリーという保育記録が用いられています。

日本の保育に関する事業の現状

児童福祉法第21条の9では、市町村がその区域内において、以下の子育て支援事業の実施が努力義務として規定されています。

実施する場所は事業によってさまざまで、このうち一時預かり事業は主に保育所で行われています。

○ 具体的な子育て支援事業

1 放課後児童健全育成事業
2 子育て短期支援事業
3 乳児家庭全戸訪問事業
4 養育支援訪問事業
5 地域子育て支援拠点事業
6 一時預かり事業
7 病児保育事業
8 子育て援助活動支援事業
9 子育て世帯訪問支援事業
10 児童育成支援拠点事業
11 親子関係形成支援事業
12 その他、主務省令で定めるもの
  ① 児童及びその保護者又はその他の者の居宅において保護者の児童の養育を支援する事業
  ② 保育所その他の施設において保護者の児童の養育を支援する事業
  ③ 地域の児童の養育に関する各般の問題につき、保護者からの相談に応じ、必要な情報の提供及び助言を行う事業

※1～8の事業については子ども・子育て支援法に基づく地域子ども・子育て支援事業にも位置づけられています。

○ 子育て支援事業における役割*4

[市町村]
・子育て支援事業に関し必要な情報の収集・提供を行う。
・保護者から求めがあった時は、保護者の希望、児童の養育の状況、児童に必要な支援の内容などを勘案し、保護者が最も適切な子育て支援事業を利用できるよう、相談・助言をする。

知っトク

*4 子育て支援事業における役割
児童福祉法第21条の11及び第21条の16に規定されています。

・助言を受けた保護者から求めがあった場合には、必要に応じて、子育て支援事業の利用についてあっせん・調整を行う。また、子育て支援事業を行う者に対し、保護者の利用を要請する。
・上記の事務を市町村以外の者に委託できる。

[子育て支援事業を行う者]
・市町村からのあっせん・調整、要請に対し、できる限り協力する。

[国及び地方公共団体]
・子育て支援事業を行う者に対して、適当な援助(情報の提供、相談など)をするように努める。

■ 放課後児童健全育成事業

就労により保護者が昼間家庭に不在の小学生を対象にして、適正な遊びの場や生活の場を与えることで、子どもの健全育成を図ることを目的として実施されています。児童厚生施設などで実施される事業です。

知っトク

*5 **子育て短期支援事業**
①短期入所生活援助(ショートステイ)事業、②夜間養護等(トワイライトステイ)事業があります。

■ 子育て短期支援事業*5

保護者の疾病など、家庭において子どもを養育することが一時的に困難となった場合や、経済的理由から、緊急一時的に児童養護施設等において養育・保護を行う事業です。夜間養護等(トワイライトステイ)事業については、児童養護施設や、保育所等住民に身近で適切に保護できる施設が実施場所とされていたり、あらかじめ登録した保育士、里親等に委託されています。

知っトク

*6 **地域子育て支援拠点事業**
地域子育て支援拠点事業には次の2つの実施形態があります。
・一般型
・連携型

■ 地域子育て支援拠点事業*6

乳幼児や保護者が交流を行う場所を設け、子育てについての相談や子育てについての情報の提供、さらには、助言やその他の援助を行う事業です。

・子育て親子の交流の場の提供・交流促進
・子育て等に関する相談・援助
・地域の子育て関連情報の提供
・子育て・子育て支援に関する講習等の実施

■ 一時預かり事業

家庭において保育を受けることが一時的に困難となった乳幼児を保育所、認定こども園等において一時的に預かり保護を行う事業です。保育所等において一時的に預かる「一般型」以外にも、定員に達していない保育所で行う「余裕活用型」、１号認定子どもの園児を主な対象とする「幼稚園型」、児童の居宅で行う「訪問型」があります。

■ 病児保育事業

保育を必要とする乳幼児や、保護者の就労、疾病などによって家庭での保育を受けられない小学生が疾病にかかった場合に、保育所、認定こども園、病院、診療所等で保育を行う事業で努力義務とされています。

■ 子育て援助活動支援事業

子どもの一時預かりや保護（宿泊を含む）、外出時の移動の支援を希望する者と、援助することを希望する者との連絡・調整を行ったり、援助希望者への講習の実施等の支援を行ったりする事業で、やはり努力義務になっています。

𝄞♪ 幼稚園・小学校との連携の現状

1 幼稚園との連携

幼稚園は「幼児教育」、保育所は「保育」と思われがちですが、それは名称に基づく誤解ともいえます。学校教育法第22条では、幼稚園は「幼児を保育し」とあり、保育所保育指針等では、保育所は「養護と教育を一体的に行う」とされています。しかし「保育所保育指針」「幼稚園教育要領」「認定こども園教育・保育要領」では、３歳以上の保育内容に関しては同一のものとなり、教育に関する側面を中心に記述されるようになりました。また「幼児教育を行う施設として共有すべき事項」で「３つの柱」と「10の姿」が保育所保育指針に示されました。幼稚園とは、積極的に意見交換を行い、教育内容を連携させることで小学校への円滑な接続が期待できます。

*7 **小学校との連携**
R6年（前）
保育所保育指針の本文では「合同の研究の機会」とあり、保育所保育指針解説では「合同の研究会や研修会」となっています。
<保育所保育指針解説>
保育所と小学校では子どもの生活や教育の方法が異なっているため、「幼児期の終わりまでに育ってほしい姿」からイメージする子どもの姿にも違いが生じることがあるが、保育士等と小学校教師が話し合いながら、子どもの姿を共有できるようにすることが大切です。

2 小学校との連携*7

就学前の幼児教育を行う施設と、就学後の教育の連続性に、より焦点が当てられるようになり、保育所保育が小学校以降の生活や学習の基盤になることに配慮することのほか、小学校教師との意見交換や合同研究の機会を設けること、子どもの育ちを支えるための資料が保育所から小学校へ送付されるようにすることが小学校との連携として保育所保育指針に明記されています。

■ 小学校との連携の前提

子どもの生活と発達は、乳児期から幼児期を経て学童期へと連続しています。遊びや生活の中で積み重ねられてきた子どものさまざまな側面の育ちが、小学校以降の生活や学びの基盤となります。乳幼児期を基盤とする生涯発達という観点を持って、保育所での育ちがそれ以降の生活や学びへとつながるよう保育の内容の工夫を図ることが大切です。

○ 小学校との連携の方法

① 保育所と小学校の関係者が直接的に交流し、双方における生活・学びの実情や子どもの育ちの歩みと見通しについて、互いに理解を深める。
② 就学に際して、小学校を訪問したり小学生と交流する機会を設けて、子どもが小学校生活に対する見通しを持てるようにする。行事などを活用するだけでなく、より日常的に接する機会を持つ。
③ 保育所、幼稚園、小学校が合同で研究会・研修会を行ったり、行政及び他の専門職も含めた地域の連絡会を設けたりする。
④ 保育所の子どもと放課後児童クラブの子どもとの交流や、職員同士の交流及び情報共有によって相互理解を図る。

用語解説

*8 **保育所児童保育要録**
保育の記録をもとに、就学先に送付する資料として簡潔にまとめたもので、小学校において子どもの育ちを支え、子どもの理解を助けるものとなることが期待されます。

■ 保育所児童保育要録

すべての保育所入所児童について、保育所から就学先となる小学校へ、市町村の支援のもとに子どもの育ちを支える資料を「保育所児童保育要録*8」として送付します。

<作成>

・保育における養護及び教育にかかわる視点を踏まえるなど、子どもの状況などに応じて柔軟に作成します。

・一人ひとりの子どもの良さや全体像が伝わるよう工夫します。子どもの最善の利益を考慮し、保育所から小学校へ子どもの可能性を受け渡していくものであると認識することが大切です。
・保育所生活を通して子どもが育ってきた過程を振り返り、その姿や発達の状況を的確に記載します。

＜保護者への周知等＞

・保護者の思いを踏まえつつ記載します。
・送付について、入所時や懇談会などを通して、保護者に周知しておきます。
・個人情報保護や情報開示に留意することも必要です。

■ スタートカリキュラムとアプローチカリキュラム

子どもの就学に向けて、保育所が接続期に展開するプログラムをアプローチカリキュラムといいます。一方、小学校においても円滑な接続のために、生活科を中心に合科的・関連的な指導や弾力的な時間割の設定などが行われますが、それをスタートカリキュラムといいます。

また小学校との連携においては「幼児期の終わりまでに育ってほしい姿」をもとに、一人ひとりの子どもが成長する姿を保育士と小学校教諭が共有することが求められています。「幼児期の終わりまでに育ってほしい姿」は、このように子どもの育ちを理解するための視点として用いられるものでもあります。

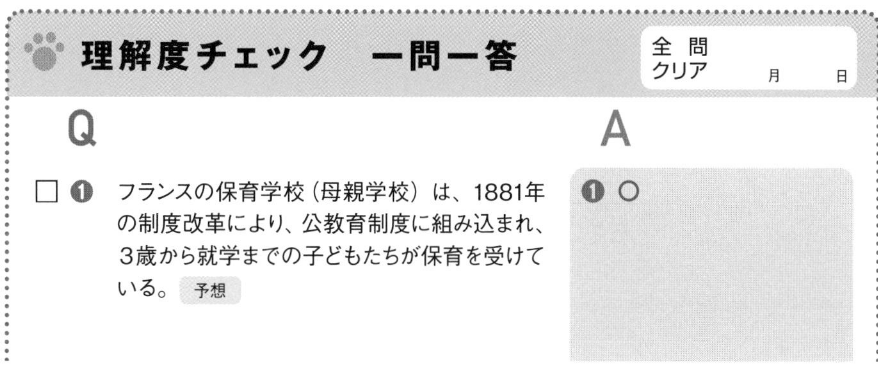

理解度チェック　一問一答

全問クリア　月　日

Q	A
□ ❶ フランスの保育学校（母親学校）は、1881年の制度改革により、公教育制度に組み込まれ、3歳から就学までの子どもたちが保育を受けている。 予想	❶ ○

□ ❷ レッジョ・エミリアの保育方法の特徴は、プロジェクトと呼ばれるテーマ発展型の保育であり、教師、親、行政関係者、教育学の専門家等が支え合って子どもの活動を援助することにある。 R4年(後期)

□ ❸ アメリカのヘッド・スタート・プログラムは、1965年に開始された教育機会に恵まれない子どもを対象とした大がかりな就学前準備教育である。 R4年(後期)

□ ❹ 「ラーニング・ストーリー」は、ニュージーランドでマーガレット・カーを中心に開発された保育のカリキュラムである。 R2年(後期)

□ ❺ 子ども・子育て支援新制度では、地域の実情に応じた子ども・子育て支援として、利用者支援、地域子育て支援拠点、放課後児童クラブなどの「地域子ども・子育て支援事業」の充実がはかられた。 R6年(前期)

□ ❻ 乳幼児期を基盤とする生涯発達という観点から、積極的に知的教育を取り入れ、就学前の準備教育として保育内容の工夫を図らなければならない。 予想

□ ❼ 保育所保育指針における「小学校との連携」では「保育所保育において育まれた資質・能力を踏まえ、小学校教育が円滑に行われるよう、小学校教師との意見交換や合同の研修の機会などを設け、(中略)「幼児期の終わりまでに育ってほしい姿」を共有するなど連携を図り、保育所保育との円滑な接続を図るよう努めること」とされている。 R6年(前期)

□ ❽ 保育所児童保育要録は、保育所から直接、就学先の小学校に手渡すことが義務づけられている。 H24年

❷ ○ レッジョ・エミリアはイタリア北部の都市で、プロジェクト、ドキュメンテーションなどを特徴とした保育が行われている。

❸ ○ ヘッド・スタート・プログラムは就学前教育はもちろん、医療や福祉も一体となった大きなプログラムである。

❹ × 「ラーニング・ストーリー」は子どもの育ちなどの記録の方法である。ニュージーランドの保育カリキュラムは「テ・ファリキ」である。

❺ ○

❻ × 就学前の準備教育として保育があるのではなく、日々の保育がそれ以降の生活や学びへとつながるよう保育の内容の工夫を図ることが大切である。

❼ × 保育所保育指針では研修ではなく、研究が正しい。

❽ × 送付する必要はあるが、手渡しすることは義務づけられていない。

6 子育て支援

保育所の役割の一つである子育て支援については、年々出題が増加傾向にあります。保育所関連事業から保護者に対する具体的な相談援助活動まで、広い範囲ではありますが整理しながら学びを深めておきましょう。

頻出度

保育所における子育て支援の基本

1 子育て支援

子育て支援とは児童福祉法における保育士の業務である「児童の保育及び児童の保護者に対する保育に関する指導を行うこと」として、「保護者が支援を求めている子育ての問題や課題に対して、保護者の気持ちを受け止めつつ行われる、子育てに関する相談、助言、行動見本の提示その他の援助業務の総体」とされています。

子育て支援の目標は、保育所や保育士等がただ単に保護者を助けるということではなく、保護者の養育力の向上を目指して行われます。そのために保育士等が専門性を活用して支援するとともに、保護者のありのままを受け止め、保護者の主体性や自己決定を重視した支援を行います。また保育所における子育て支援は「子どもの最善の利益」*1を念頭に、保育と密接に関連して行われることに特徴があります。

*1 **子どもの最善の利益**
児童の権利に関する条約(子どもの権利条約)や保育所保育指針に明記されています。

保育所における子育て支援には、「保育所に入所する子どもの保護者に対する支援」と「地域の子育て家庭への支援」があることも覚えておきましょう。

2 保護者との連携

ココが出た!

*2 **保護者との緊密な連携**
R5年(前)

子育て支援においては、保護者との連携*2 が欠かせません。連携の具体的な方法としては、保育士の専門性を生かして、子どもの育ちの姿とその意味を 保護者に丁寧に伝え、保護者の不安や悩みに寄り添い、子どもへの愛情や成長を喜ぶ気持ちを共感し合い、保護者が子育てに自信をもち、子育てを楽しいと感じることができるようにすることが重要です。

その際に保育士には、一人ひとりの保護者を尊重しつつ、ありのままを受け止める受容的態度が求められ、保護者自身の主体性、自己決定を尊重することが必要になります。

また。保護者に対して相談や助言を行う保育士等は、プライバシーを保護し、守秘義務を守ることなどの基本的姿勢を踏まえ、子どもや家庭の実態や保護者の心情を把握し、保護者自身が納得して解決に至ることができるようにすることが求められます。

*3 **地域における子育て支援**
R4年(前)
在園児の家庭に対する子育て支援だけではなく、地域の家庭に対する子育て支援も行われることを覚えておきましょう。

3 保護者の養育力の向上

保護者の養育力の向上のための具体的な方法としては、「保育所を利用している保護者に対しては、保育参観や保育への参加などの機会の提供」、「地域の子育て家庭に対しては、行事への親子参加や保育体験への参加などの機会の提供」が考えられます*3。子どもがいる保育所での活動に参加することは、保護者が他の子どもと触れ合い、自分の子どもの育ちを客観視することにもつながり、望ましいとされています。

4 保育所の特性を生かした支援

保育所には、保育士という保育の専門家や、看護師、栄養士などの医療や栄養の専門家が配置されていることもあり、専門性を生かした支援が可能になります。具体的には保育士は子育ての計画や記録の作成、そして子どもの理解のための視点を伝えたり、保育所での子どもの様子を伝えたりすること、看護師は保健指導、栄養士は栄養指導などの支援が可能です。

また保育所を利用している子どもの家庭にとっては日々の保育も含めた継続的な支援が可能であり、様々な社会資源や地域との連携も可能です。

5 地域や関係機関との連携・協働

子育て支援では、状況に応じて、地域の関係機関等との連携を密にし、それらの専門性の特性と範囲を踏まえた対応を心がけることが必要です。主な連携･協働先としては、以下の施設などがあります。市町村は連携先でもあるとともに、保育所を支援する役割も持ちます。

- 市町村（保健センター等の母子保健部門・子育て支援部門等）
- 要保護児童対策地域協議会
- 児童相談所、福祉事務所（家庭児童相談室）
- 児童発達支援センター、児童発達支援事業所
- 民生委員、児童委員（主任児童委員）
- 教育委員会、小学校、中学校、高等学校
- 地域子育て支援拠点、地域型保育（家庭的保育、小規模保育、居宅訪問型保育、事業所内保育）
- こども家庭センター

・ファミリー・サポート・センター事業（子育て援助活動支援事業）
・関連NPO法人等

6 プライバシーの保護

子育て支援では、保護者や子どものプライバシーを保護し、知り得た事柄の秘密を保持することを、必ず守らなければなりません。プライバシーの保護とは、本人が特定されないようにすること、私生活に関わる情報を守ることであり、秘密保持とは、本人が知られたくない全ての情報を守ることです。これは、在職中はもちろん、職員ではなくなった後についても守らなければならない重要な義務です。

ただし、子どもを守る（虐待を受けているため個人の情報を通告する必要などが生じる場合等）ためには、秘密を保持することが子どもの福祉を侵害すると考えられ、通告にともなって個人情報を伝えても守秘義務違反には当たりません。

𝄞♪ 保育所を利用している保護者に対する子育て支援

1 在園児の保護者に対する子育て支援

在園児の保護者に対する支援では、保育所保育との連続性などから可能になることがいくつかあります。一つは、在園児の保護者に対しては連絡を取る機会が確保しやすいということです。連絡帳、お便り、送迎時の対話、保育参観・保育への参加、行事、面談など、保護者とコンタクトの機会はいくつかあり、このような機会をとらえて、保護者に保育所での保育の意図を伝えたり、疑問や要望に応えたり、情報交換をしたり、子どもの成長を喜び合うなど、相互理解を深めることができるでしょう。このように保護者と密接な連絡を取り合い、保護者の理解や協力を得ることは児童福祉施設の設備及び運営に関する基準（第36条）に定められた保育所の努力義務でもあります。

また保護者が保育に参加することは、保護者の子どもの理解を間近に体験し、子どもの育ちに見通しを持つことに繋がり、保護者の養育力の向上につながります。

2 保護者の状況と個別の支援

保護者の就労と子育ての両立には様々な課題が伴います。保護者のニーズに合わせた保育の実施においては、「大人の都合」が考慮されるだけではなく、必ず「子どもの福祉」が尊重されなければなりません。具体的には、病児保育では、受け入れ態勢やルールの十分な説明、体調急変時における対応の確認を行うことで子どもの負担を軽減すること、延長保育では、子どもの生活状況などに配慮した保育を行い、申し送り・連絡等を遺漏のないように行うことなど、通常とは異なる保育においても子どもが安定して過ごせるようにすることが大切です。

3 多様な子育て支援

子どもの障害や発達上の課題については、保護者も不安を抱きやすいことが予想され、適切な支援が必要になります。その場合には、家庭への援助に関する個別の計画や記録の作成、かかりつけ医や保健センターとの連携、児童発達支援センター等の専門機関からの助言などの対応があります。また就学については、保護者の意向を丁寧に受け止めつつ、小学校や特別支援学校、就学先との連携を図ることが求められます。そして他の子どもや保護者に対しても、障害に対する正しい知識や認識を持ってもらうように配慮することが必要です。障害のある子どもが他の子どもと共に生活するなかで育ち合うことができるようにするため、保育所からの方針や取組等について丁寧に説明しましょう*4。

また外国籍家庭、外国にルーツをもつ家庭、ひとり親家

*4 **障害のある子どもの保育**
R5年(前)　R5年(後)

保育原理 ⑥ 子育て支援

庭、貧困家庭等、特別な配慮を要する家庭においては、複雑で多様な社会的困難が見受けられます。このようなさまざまな問題に不安を感じる保護者に対しては、不安に気付くことができるよう、保育士等が状況を把握していく必要があります。そして保護者の意向や思いを理解したうえで、社会資源を活用し、個別の支援を行う必要があります。

*5 **不適切な養育が疑われる家庭の支援**
R6年（前）

4 不適切な養育が疑われる家庭への支援*5

子育ての知識や経験が無い、周囲の助けを得られないことなどで、育児に不安を抱える保護者もいます。その矛先が子どもに向いてしまうこともあり得ます。そのような保護者に対しては、保育者はその専門性を生かし、先述した関係機関と連携して対応に当たることなどが必要となります。

- 育児不安については、「保護者の希望に応じて」「個別の」支援を行うことが必要となります。
- 不適切な養育が疑われる場合には、子どもの最善の利益を重視した支援が必要です。関係機関との連携、要保護児童対策地域協議会での検討など、対応を図ります。
- 虐待が疑われる場合には、保育所や保育士等にも通告義務が課せられています。通告先は市町村又は児童相談所、となります（児童虐待防止法における通告義務）。虐待の事実関係はできるかぎり詳細かつ具体的に記録しておくことも求められています。

地域の保護者等に対する子育て支援

1 地域における子育て支援

保育所では、在園児の保護者ではない地域の保護者に対しても、通常業務の保育に支障をきたさない範囲での情報提供と相談及び助言が努力義務として課せられています。保育所は地域の実情や各保育所の特徴を踏まえること、また地域の子育て支援を行う団体などの活動と連携して、地域の子育て支援を行うことが求められます。

2 保育所の特性を生かした支援

保育所には保育士をはじめ、さまざまな専門家がかかわっています。そのような保育所の特性を生かし、食事や排泄の自立、遊びについて、子どもとのかかわりについてなど、助言や行動見本の提示による支援を行うことができます。支援においては、保護者が保育所での行事などに参加しやすいような工夫も重要です。

地域の子どもへの、一時預かりや休日保育などの実施については、家庭での生活との連続性に配慮することが必要です。普段は保育所を利用していない子どもであることを念頭に、周囲の大人や環境が変わることへの慎重な配慮が求められるでしょう。

理解度チェック　一問一答

全問クリア　月　日

Q

□ ❶ 「保育所保育指針」第4章「子育て支援」には、地域の保護者等に対して、保育所保育の専門性を生かした子育て支援を積極的に行うよう努めることが記載されている。 R6年(前期)

□ ❷ 保育所保育指針の「子育て支援」において、子どもが自立するためには、保育の活動に対して保護者はなるべく参加しないことが求められる。 R5年(前期)

□ ❸ 保育の活動に対する保護者の積極的な参加は、保護者の教育を自ら実践する力の向上に寄与することから、これを促すこと。 H31年(前期)

A

❶ ○ 支援の対象には在園児の保護者だけではなく、地域の保護者も含まれる。

❷ × 保護者も保育に参加することで、他の子どもとも触れ合い、自分の子どもの育ちを客観視することにつながる。

❸ × 教育ではなく「子育て」である。

- □ ❹ 子どもが虐待を受けている場合などにおいても、保護者や子どものプライバシー保護のため、他の機関に通告しないことが求められる。 R5年(前期)
- □ ❺ 保護者に育児不安等が見られる場合には、保護者の希望に応じて個別の支援を行うよう努める。 R6年(前期)
- □ ❻ 虐待が疑われる場合には、速やかに市町村又は児童相談所に通告し、対応を図る必要がある。 予想
- □ ❼ 保育所が行う地域の保護者に対する子育て支援としての「一時預かり事業」では、一人一人の子どもの家庭での生活と保育所における生活との連続性に配慮する必要がある。 R5年(後期)改
- □ ❽ 「保育所における子育て支援に関する基本的事項」には、各地域や家庭の実態等を踏まえつつも、最終的には専門職である保育士の提案に保護者が従えるようにすることが記載されている。 R2年(後期)
- □ ❾ 地域における子育て支援では、施設長の判断により、地域の関係機関、団体等との積極的な連携、協力を図る必要がある。 H28年(前期)

❹ × 子どもの福祉、子どもの利益が優先される。このようなケースでは、通告することが秘密保持の義務より優先される。

❺ ○ 虐待における通告は保護者の意向を反映せずに行われるが、育児不安に対する支援は、保護者の意向や主体性を尊重し、希望に応じて行われる。

❻ ○

❼ ○ このような場合、通常保育園を利用しているわけではないので、子どもの福祉を考え、家庭とは環境が大きく変わることへの配慮が必要である。

❽ × 保護者の気持ちを受け止め、相互の信頼関係を基本に、保護者の自己決定を尊重すること、とされている。

❾ × 「施設長の判断」ではなく「市町村の支援を得て」行うものである。

教育原理

「教育原理」で学ぶ教育や保育に関わる法令や歴史、様々な人物が過去に考えた思想などは、一見すると教育現場・保育現場とつながりにくく、遠い関係のように感じられると思います。しかし、あなたが日々、様々な準備をし、こだわって展開している教育・保育実践は、過去の教育学者などの考え方と似ているかもしれません。過去に、どのような経緯（歴史や法制度）があり、どんな人々がどのように教育・保育のありかたを考えていたのか（思想）を学ぶことは、あなたの日々の教育・保育実践をより豊かにするだけでなく、保育者としての哲学（教育観・教師観）の形成につながります。

出題の傾向と対策

過去5回の出題傾向と対策

教育原理の過去５回の出題を見てみると、次のような傾向がうかがえます。

① **教育基本法に関する問題：**教育基本法については過去５回の試験でほぼ毎年出題されており、最もおさえておくべき法令であるといえます。各条項の重要なキーワードが穴うめ式で出題されています。

② **日本国憲法、児童憲章、児童の権利に関する条約、学校教育法に関する問題：**教育基本法とともに保育に関係する各法令がほぼ毎年出題されています。これらについても、各法令の重要なキーワードが穴うめ式で出題されており、基本的な知識が問われています。

③ **幼稚園教育要領に関する問題：**幼稚園教育要領についても頻度が高く出題されています。出題傾向としては、重要なキーワードが穴うめ式で出題されています。

④ **教育思想（人物史）と歴史に関する問題：**保育及び教育学に関係する歴史上の代表的な人物について、過去５回の試験で必ず出題されています。出題傾向としては、各人物の業績を選択する問題や数人の人物と業績を組み合わせる問題がよく出題されています。各種用語辞典や人物事典などを参照し、代表的な人物について整理しておくことが必要です。

⑤ **教育方法に関する問題：**教育評価やカリキュラムに関する問題が出題される傾向にあります。特に、カリキュラムについては用語の意味や内容だけではなく、学校現場での実践例を踏まえて解答を導き出すような問題が出題されています。

⑥ **教育時事に関する問題：**教育時事問題については、文部科学省の答申などから出題される傾向があります。出題される答申は、チーム学校、いじめ、特別支援教育、キャリア教育など多岐にわたっています。

原典を確認しておきたい法律・資料

人物名など「保育原理」と近い内容が出題されることもありますので、そちらも確認してください。

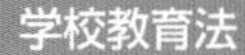

幼稚園教育要領

「教育原理」の過去5回の出題キーワード

問題	R6年（前期） 2024年	R5年（後期） 2023年	R5年（前期） 2023年	R4年（後期） 2022年	R4年（前期） 2022年
1	教育基本法	日本国憲法	教育基本法	学校教育法	学校教育法
2	児童憲章	幼稚園教育要領	幼稚園教育要領	児童福祉法	教育基本法
3	イギリスの学校系統図	幼保連携型認定こども園教育・保育要領	モンテッソーリ	ルソー	デューイ
4	モンテッソーリ、フレーベル	プロジェクト・メソッド	貝原益軒、大原幽学	スキナー	空海、石田梅岩
5	貝原益軒	ニュージーランドの保育	オーエン	幼保連携型認定こども園教育・保育要領	幼稚園教育要領
6	世阿弥、北条実時、広瀬淡窓	教育令	学習指導要領等の改善等について（中教審答申）	幼稚園教育要領	小学校学習指導要領
7	倉橋惣三	中江藤樹	保育所保育指針	森の幼稚園、テ・ファリキ	日本教育史
8	教科カリキュラム	潜在的カリキュラム	GIGAスクール構想	PISA2018	子ども・子育て支援法
9	保育所保育指針	新・放課後子ども総合プラン	社会教育の振興方策（中教審答申）	教育基本法	持続可能な開発目標（SDGs）
10	幼保小の協働・接続（中教審）	令和の日本型学校教育（中教審答申）	生徒指導提要	人権教育の指導方法等（文部科学省）	子どもの貧困対策（内閣府）

1 教育の意義・目的、子ども福祉等との関連性

頻出度

教育の目的・意義については、日本国憲法や教育基本法などの法令中に定められているため、教育や保育に関係する条文を丁寧に読み込むことが必要不可欠です。また、改正前後の相違点についても注意を払いましょう。

日本国憲法、教育基本法、学校教育法

1 日本国憲法

ココが出た！
*1 **日本国憲法**
R5年(後)(第26条)
R6年(前)(第23条)
過去には第13条、第25条についても出題されています。穴うめ問題として出題されることが多いので、本書の赤字部分を中心にキーワードを覚えておきましょう。

日本国憲法*1は1946（昭和21）年に制定され、わが国の法体系上で最高の位置を占めています。戦前・戦中の反省を踏まえ国家の在り方を根本的に転換させました。その特徴は、国民主権、平和主義、基本的人権の尊重の３つを基本原理としている点にあります。基本的人権の一環として国民すべてに対し、「学問の自由」（第23条）及び「教育を受ける権利」（第26条）が明記されました。このうち、教育に直接関係する条項は、第26条（教育を受ける権利、教育を受けさせる義務、義務教育の無償）です。これと関連して、近年では教育における格差と貧困の問題（例えば、就学が困難な児童・生徒の問題）があり、第25条（生存権、国の生存権保障義務）も注視する必要があります*2 。

第25条（生存権、国の生存権保障義務）
すべて国民は、健康で文化的な最低限度の生活を営む権利を有する。

2　国は、すべての生活部面について、社会福祉、社会保障及び公衆衛生の向上及び増進に努めなければならない。

第26条（教育を受ける権利、教育を受けさせる義務、義務教育の無償）

すべて国民は、法律の定めるところにより、その能力に応じて、ひとしく教育を受ける権利を有する。

2　すべて国民は、法律の定めるところにより、その保護する子女に普通教育を受けさせる義務を負ふ。義務教育は、これを無償とする。

ひとこと
*2 過去に出題された主な条文を本科目第3節でも紹介していますので、目を通しておきましょう。

2 教育基本法

日本国憲法との強い一体性のもとに作成されたのが教育基本法*3 です。1947（昭和22）年に公布・施行され、その後約60年間にわたって変更なく教育の根本を明示し続けてきた法令です。2006（平成18）年に改正され、新たに「生涯学習の理念」「大学」「私立学校」「教員」「家庭教育」「幼児教育」「学校、家庭及び地域住民等の相互連携協力」「教育振興基本計画」に関する条文が追加されました。

*3 **教育基本法**
R4年(前)（第4条）
R4年(後)（第3条）
R5年(前)（第11条）
R6年(前)（第1条）
過去に出題された前文や第4条などについては本科目第3節でも紹介していますので目を通しておきましょう。

第1条（教育の目的）
教育は、人格の完成を目指し、平和で民主的な国家及び社会の形成者として必要な資質を備えた心身ともに健康な国民の育成を期して行われなければならない。

第2条（教育の目標）
教育は、その目的を実現するため、学問の自由を尊重しつつ、次に掲げる目標を達成するよう行われるものとする。

（中略）

5　伝統と文化を尊重し、それらをはぐくんできた我が国と郷土を愛するとともに、他国を尊重し、国際社会の平和と発展に寄与する態度を養うこと。

第10条（家庭教育（一部抜粋））
父母その他の保護者は、子の教育について第一義的責任を有するものであって、生活のために必要な習慣を身に付けさせるとともに、自立心を育成し、心身の調和のとれた発達を図るよう努めるものとする。

第11条（幼児期の教育）

幼児期の教育は、生涯にわたる人格形成の基礎を培う重要なものであることにかんがみ、国及び地方公共団体は、幼児の健やかな成長に資する良好な環境の整備その他適当な方法によって、その振興に努めなければならない。

第13条（学校、家庭及び地域住民等の相互の連携協力）

学校、家庭及び地域住民その他の関係者は、教育におけるそれぞれの役割と責任を自覚するとともに、相互の連携及び協力に努めるものとする。

3 学校教育法

日本国憲法及び教育基本法の理念を学校教育制度に具現化した法令が学校教育法[*4][*5]であり、1947（昭和22）年に教育基本法と同時に公布されました。これによって、六・三・三・四制の単線型学校体系が敷かれ、９年間の義務教育が実現しました。

学校教育法は成立以後、数々の改正を経てきており、例えば中・高一貫の中等教育学校の制度化（1998（平成10）年）、高校から大学への飛び入学制度（2001（平成13）年）、社会奉仕活動等の導入（2001（平成13）年）、専門職大学院制度の創設や第三者評価制度の導入（2002（平成14）年）、特別支援教育の推進（2006（平成18）年）、小・中一貫の義務教育学校の制度化（2016（平成28）年）などをあげることができます。

ココが出た！

*4 **学校教育法**
R4年(前)（第22条）
R4年(後)（第81条）
過去に出題された主な条文については本章第3節でも紹介しています。
R6年(前)（第3条）
第1条においては、学校の定義のなかに「保育所」は含まれておらず、「幼稚園」が含まれていることに気を付けましょう。

*5 **学校教育法**
学校教育法に基づく政令として学校教育法施行令、細則を定めた省令として学校教育法施行規則があります。

第1条（学校の範囲）

この法律で、学校とは、幼稚園、小学校、中学校、義務教育学校、高等学校、中等教育学校、特別支援学校、大学及び高等専門学校とする。

第22条（幼稚園の目的）

幼稚園は、義務教育及びその後の教育の基礎を培うものとして、幼児を保育し、幼児の健やかな成長のために適当な環境を与えて、その心身の発達を助長することを目的とする。

第72条（特別支援学校の目的）

特別支援学校は、視覚障害者、聴覚障害者、知的障害者、肢体不自由者又は病弱者（身体虚弱者を含む。以下同じ。）に対して、幼稚園、小学校、中学校又は高等学校に準ずる教育を施すとともに、障害による学習上又は生活上の困難を克服し自立を図るために必要な知識技能を授けることを目的とする。

𝄞♪子どもの人権

1 世界人権宣言

世界人権宣言は、1948（昭和23）年の国際連合第３回総会で採択されました。世界人権宣言は、「すべての人民とすべての国とが達成すべき共通の基準」を定めたもの（全30条）で、「すべての人間は、生れながらにして自由であり、かつ、尊厳と権利とについて平等である。人間は、理性と良心とを授けられており、互いに同胞の精神をもって行動しなければならない」（第１条）とされています。この宣言に法的な効力をもたせるため1966（昭和41）年に採択されたものが国際人権規約です。また1950（昭和25）年の国際連合第５回総会で毎年12月10日を人権デーにすることが決議され、世界中で人権に対する意識の向上に努めることが確認されました。これに関連して、1959（昭和34）年の国際連合第14回総会で採択された世界児童権利宣言*6があります。

2 児童の権利に関する条約（子どもの権利条約）

子どもの権利条約は、国際連合が1989（平成元）年に採択したもので18歳未満の児童が有する権利について包括的に定められています。わが国は1994（平成６）年に批准しており、わが国における正式名称は児童の権利に関する条約*7です。

> 第29条（一部抜粋）
>
> 1　締約国は、児童の教育が次のことを指向すべきことに同意する。
>
> (a)児童の人格、才能並びに精神的及び身体的な能力をその可能な最大限度まで発達させること。
>
> (b)人権及び基本的自由並びに国際連合憲章にうたう原則の尊重を育成すること。
>
> (c)児童の父母、児童の文化的同一性、言語及び価値観、児童の居住国及び出身国の国民的価値観並びに自己の文明と異なる文明に対する尊重を育成すること。

用語解説

*6 **児童権利宣言**
宣言文が提示され、出典を選ぶ問題が出題されています。なお児童権利宣言は、「児童の権利に関する宣言」とも呼ばれています。

*7 **児童の権利に関する条約**
第12条では、「自己の意見を形成する能力のある児童がその児童に影響を及ぼすすべての事項について自由に自己の意見を表明する権利を確保する」と記載されており、子どもの権利の一つとして「意見表明権」が定められました。

(d)すべての人民の間の、種族的、国民的及び宗教的集団の間の並びに原住民である者の間の理解、平和、寛容、両性の平等及び友好の精神に従い、自由な社会における責任ある生活のために児童に準備させること。
(e)自然環境の尊重を育成すること。

3 国際連合教育科学文化機関（ユネスコ）

ユネスコは、教育・科学・文化等の活動を通じて世界平和を実現するために、1946（昭和21）年に国際連合の専門機関として設立されました。正式な名称は、国際連合教育科学文化機関（United Nations Educational, Scientific, and Cultural Organization：UNESCO）です。その設立文書である国際連合教育科学文化機関憲章（ユネスコ憲章）では、「戦争は人の心の中で生れるものであるから、人の心の中に平和のとりでを築かなければならない」とされています。本部はパリにあり、日本は1951（昭和26）年に加盟しました。

4 児童憲章

児童憲章は、日本国憲法の精神にしたがい、わが国で初めてとなる「すべての児童の権利を保障し幸福を図る」ための憲章であり、1951（昭和26）年５月５日の「子どもの日」に制定されました。本文は12項目から構成され、家庭のありかた、教育を受ける権利、児童の保護などが提示されています。

【児童憲章（一部抜粋）】
われらは、日本国憲法の精神にしたがい、児童に対する正しい観念を確立し、すべての児童の幸福をはかるために、この憲章を定める。
児童は、人として尊ばれる。
児童は、社会の一員として重んぜられる。
児童は、よい環境の中で育てられる。

*8 **こども基本法**
R6年(前)
科目「社会的養護」で第1条の条文とともに紹介していますので、こちらも確認してください。

2023（令和５）年４月１日、こども家庭庁が設置され、こども施策を社会全体で総合的かつ強力に推進していくための包括的な基本法と位置付けられる「こども基本法」*8

が施行されました。

幼稚園教育要領の変遷

幼稚園教育要領*9 は、幼稚園における教育内容等の国家的基準を示したものです。現行の幼稚園教育要領（2017（平成29）年改訂）にいたるまでは、1948（昭和23）年の保育要領の刊行、1956（昭和31）年の幼稚園教育要領の刊行、1964（昭和39）年の第１次改訂及び告示化、1989（平成元）年の第２次改訂*10、1998（平成10）年及び2008（平成20）年の第３次改訂という経緯がありました。

2017（平成29）年に改訂された新しい幼稚園教育要領は、「保育所保育指針」や「幼保連携型認定こども園教育・保育要領」、さらには小・中学校「学習指導要領」と同時に改訂が行われており、小学校との連続性が強く意識されるようになりました。

*9 **幼稚園教育要領**
R4年（前） R4年（後）
R5年（前） R5年（後）
「保育要領」は6つの「領域」＝健康、社会、自然、言語、音楽リズム、絵画製作に整理されました。現行では5領域です。第4節も参照してください。

*10 **第2次改訂**
第２次改訂とともに、従来の6領域から5領域＝健康、人間関係、環境、言葉、表現に改められました。

理解度チェック　一問一答

全問クリア　月　日

Q

□ ❶ 「学校教育法」第1条において、「この法律で、学校とは、幼稚園、保育所、小学校、中学校、義務教育学校、高等学校、中等教育学校、特別支援学校、大学及び高等専門学校」と定められている。 R2年（後期）

□ ❷ 「幼稚園教育要領」第1章「総則」第4「指導計画の作成と幼児理解に基づいた評価」において、「幼児期は直接的な体験が重要であることを踏まえ、視聴覚教材やコンピュータなど情報機器を使用しないようにすること」と述べられている。 R4年（前期）

□ ❸ 「学校教育法」において、「校長及び教員は、教育上必要があると認めるときは、文部科学大臣の定めるところにより、児童、生徒及び学生に（体罰）を加えることができる。ただし、（懲戒）を加えることはできない」と定められている。 R3年（前期）

A

❶ ×「保育所」は、「学校教育法」で定められている学校ではない。

❷ ×「幼稚園教育要領」では、情報機器を禁じておらず、使用するときは「幼稚園生活では得難い体験を補完するなど、幼児の体験との関連を考慮すること」と述べられている。

❸ ×「体罰」を加えることはできないが、「懲戒」を加えることはできると定められている（「学校教育法」第11条）。

2 教育の思想と歴史的変遷

教育思想については過去5年間必ず出題されています。代表的な人物名や主な業績など基本的な知識の確認が大切であり、日本及び諸外国における教育の歴史については、年表や辞典などで基本的な事項を丁寧に確認することが必要です。

頻出度

恩物の導入
幼児のための教育遊具
幼稚園の創始者フレーベルが考案

ココが出た！
*1 諸外国の代表的な教育思想家
教育思想家の人名と業績などについて毎回出題されています。

ひとこと
*2 表の他にエリクソン、オーエン、キルパトリック、グリム兄弟、ゲゼル、シュタイナー、ピアジェ、ブルーナー、フロイト、コルチャック、ローレンツ、ヴィゴツキーなどをおさえておきましょう（科目「保育原理」や上巻の科目「保育の心理学」を参照）。

諸外国の教育思想

諸外国の代表的な教育思想家[*1] [*2] については、下表のように整理することができます。

人名(生没年)	著書（発行年）	業績
コメニウス（1592–1670年）	『大教授学』（1657年）『世界図絵』（1658年）	直観教授の原理（知識は感覚から始まるという考え方）を具体化。『世界図絵』は世界で初めて絵入りの子ども向け教科書だといわれている
ルソー（1712–1778年）	『エミール』（1762年）『社会契約論』（1762年）	近代的な児童観に基づいた教育論を確立した（「子どもの発見者」と呼ばれている）。エミールという子どもの誕生から結婚にいたるまでの成長過程に応じた教育を論じて、人間の本性を善であると考え、それが社会のゆがみや文化の退廃によって次第に蝕まれていくと考えた

ペスタロッチ(1746–1827年)	『隠者の夕暮』(1780年)『リーンハルトとゲルトルート』(1787年)	ルソーの思想を継承し展開したスイスの教育思想家であり実践家である。彼は直観教育に基づく教育実践を行い、「生活が陶冶(とうや)する」という思想が特に有名である
フレーベル(1782–1852年)	『人間の教育』(1826年)『母の愛と愛撫の歌』(1844年)	世界で最初の「幼稚園」(Kindergarten)の創立者であり、幼児期の遊びを重視し「恩物*3」と呼ばれる遊具を考案した
エレン・ケイ(1849–1926年)	『児童の世紀』(1900年)	『児童の世紀』の著者。スウェーデンの女性思想家であり、明治末期にわが国に紹介され大正自由教育運動や女性運動家に影響を与えた
デューイ(1859–1952年)	『学校と社会』(1899年)『民主主義と教育』(1916年)	『民主主義と教育』(1916年)の著者。経験主義、実験主義を教育の基本原理と考えており、わが国では大正自由教育の時代だけではなく、今日の生活科や総合的な学習の時間にも影響を与えている
マリア・モンテッソーリ(1870–1952年)	『モンテッソーリ・メソッド』(1912年)『子どもの発見』(1948年)	1907年にローマのスラム街に設立された「子どもの家」の指導を引き受けた女性医師であり、思想家。その実践報告が『モンテッソーリ・メソッド』である

ひとこと

*3 恩物については科目「保育原理」第4節でも紹介しています。

諸外国の教育史

諸外国の代表的な人物史*4 として次の表の人物は理解し記憶しておきましょう。

人名	生没年	国名	キーワード	主著
ソクラテス	紀元前469?–紀元前399年	ギリシャ	無知の自覚(知)、産婆術	–
プラトン	紀元前427–紀元前347年	ギリシャ	アカデメイア、善のイデア	『国家篇』『政治家』『ソクラテスの弁明』
アリストテレス	紀元前384–紀元前322年	ギリシャ	リュケイオン	『政治学』『ニコマコス倫理学』
ロック	1632–1704年	イギリス	白紙説	『教育論』『人間悟性論』
ルソー	1712–1778年	ジュネーブ	自然による教育	『エミール』『社会契約論』
オーエン	1771–1858年	イギリス	性格形成学院	『新社会観または性格形成論』
ヘルバルト	1776–1841年	ドイツ	四段階教授法	『一般教育学』『教育学講義綱要』

(つづく)

ココが出た!

***4 諸外国の代表的な人物史**

R4年(前) R4年(後) R5年(前) R5年(後) R6年(前)

主著についても出題されることがありますので、覚えておきましょう。

ツィラー	1817−1882年	ドイツ	五段階教授法	『教育的教授論の基礎』
ライン	1847−1929年	ドイツ	五段階教授法	『体系的教育学』
デュルケム	1858−1917年	フランス	教育社会学、道徳教育論	『教育と社会学』
シュタイナー	1861−1925年	オーストリア	ゲーテ全集	『自由の哲学』『神智学』

日本の教育思想

日本の代表的な幼児教育思想家[*5 *6]として、下表の人物は理解して覚えておきましょう。

人名（生没年）	著書（著された年）	業績
貝原 益軒（かいばら えきけん）（1630−1714年）	『和俗童子訓』（1710年）『養生訓』（1713年）	江戸時代の儒学者で、特に『和俗童子訓』は日本最初の体系的な児童教育書とされている。その中で、「小児の教は早くすべし」いう言葉で、早期に善行の習慣形成の必要性について言及した
伊沢 修二（いさわ しゅうじ）（1851−1917年）	『小学唱歌集』（1882年）『幼稚園唱歌集』（1882年）	1875（明治8）年にアメリカ留学しメーソンより音楽を学び、幼児教育における唱歌遊戯に着目した。1878（明治11）年に帰国し東京師範学校長、その後は東京音楽学校長、東京高等師範学校長、貴族院議員を歴任し、音楽教育の基本的方針を示した
松野 クララ（1853−1941年）	−	フレーベル式幼稚園の理論と実践を学び、幼稚園教育の基礎を築いたドイツ人女性。1876（明治9）年に来日し、東京女子師範学校附属幼稚園の主任保母となった
赤沢 鐘美（あかざわ あつとみ）[*7]（1867−1937年）	−	日本初の託児所を創始した教育者であり、1908（明治41）年に「守孤扶独幼稚児保護会」という保育事業を妻仲子とともに開始し、現代における児童福祉事業へと発展する契機となった
倉橋 惣三（くらはし そうぞう）（1882−1955年）	『幼稚園雑草』（1926年）『就学前の教育』（1931年）『育ての心』（1936年）	1917（大正6）年に東京女子高等師範学校教授、同附属幼稚園主事を兼任し、充実した子どもの生活を目指す誘導保育を発表した。また、保育所保育指針の原型となる「保育要領」の作成にも関与した
城戸 幡太郎（きど まんたろう）（1893−1985年）	『幼児教育論』（1938年）『生活技術と教育文化』（1939年）	日本における集団主義保育の理論的指導者であり、1936（昭和11）年には保育問題研究会を結成し研究者と保育者の協同による実践的研究を推進した。戦後は教育刷新委員会の委員として活躍した

*5 **日本の代表的な幼児教育思想家**

R4年（前）（空海、石田梅岩、森有礼）
R5年（前）（貝原益軒、大原幽学）
R5年（後）（中江藤樹、伊藤仁斎、緒方洪庵、林羅山、貝原益軒）
R6年（前）（世阿弥、北条実時、広瀬淡窓、沢柳政太郎、羽仁もと子、倉橋惣三、小原國芳、荻生徂徠、貝原益軒、佐藤信淵、伊藤仁斎、太田道灌）
大原幽学は、農民生活の指導者として、子どもの発達過程に即した教育の在り方を説いた人物です。

*6 **日本の代表的な幼児教育思想家**

この他、及川平治（へいじ）、北原白秋、坂元彦太郎、鈴木三重吉、山本鼎、関信三、小原國芳、羽仁もと子などもおさえておきましょう。

知っトク

*7 **赤沢鍾美**

文献によって「鐘美」と「鍾美」という2種類の表記が混在しています。

日本の教育史

日本教育史*8については、江戸～明治期の代表的な人物に関する問題が出題されていますので、戦前から日本教育史を整理してみましょう。

年	主な出来事
828（天長5）年	空海が京都に綜芸種智院(しゅげいしゅちいん)を創設する
1710（宝永7）年	貝原益軒が『和俗童子訓(わぞくどうじくん)』を撰述する
1729（享保14）年	石田梅岩(ばいがん)が京都で心学の講義を開始する（石門心学）
1797（寛政9）年	幕府が、聖堂・林家塾を改組し昌平坂学問所(しょうへいさか)（昌平黌(しょうへいこう)）*9とする
1805（文化2）年	広瀬淡窓(たんそう)が、豊後日田に私塾*10（後の咸宜園(かんぎえん)）を開く
1838（天保9）年	緒方洪庵が、大阪に適々斎塾（適塾）を開く
1856（安政3）年	吉田松陰が、松下村塾を主宰
1871（明治4）年	文部省設置
1872（明治5）年	福沢諭吉が『学問のすゝめ』を刊行 「学制」頒布
1879（明治12）年	「学制」が廃止され「教育令」公布
1880（明治13）年	「改正教育令」公布
1885（明治18）年	森有礼が初代文部大臣に就任する
1886（明治19）年	「教育令」が廃止され、「帝国大学令」「師範学校令」「小学校令」「中学校令」が公布される
1889（明治22）年	大日本帝国憲法発布
1890（明治23）年	「教育ニ関スル勅語」（教育勅語）渙発(かんぱつ)
1913（大正2）年	芦田恵之助(えのすけ)が『綴り方教授』*11を刊行する
1917（大正6）年	臨時教育会議が設置される
1918（大正7）年	鈴木三重吉(みえきち)が『赤い鳥』を刊行する
1924（大正13）年	文政審議会が設置される
1935（昭和10）年	教学刷新評議会が設置される
1937（昭和12）年	教育審議会が設置される
1941（昭和16）年	「国民学校令」が公布される
1946（昭和21）年	日本国憲法が公布、教育刷新委員会が設置される
1947（昭和22）年	「教育基本法」「学校教育法」が公布される

ココが出た！

*8 日本教育史
R5年（後）
（学事奨励ニ関スル被仰出書、小学校令、教育ニ関スル勅語、教育令、教育基本法）

用語解説

*9 昌平黌
昌平黌とは幕府直轄の学問所で、朱子学者であった林羅山(はやしらざん)が設立した家塾が発展したものです。ちなみに藩校とは、各藩が設立し藩士養成を行った学校で、代表的なものとしては会津藩の日新館、水戸藩・佐賀藩などの弘道館、萩藩の明倫館などがあります。

用語解説

*10 私塾
私塾とは、近世に発達した民間人が設立する中等・高等教育機関。代表的なものとして、左表以外にも藤樹書院（中江藤樹(なかえとうじゅ)）、堀川塾（伊藤仁斎(じんさい)）などがあります。ちなみに寺子屋（手習所）とは、武士や僧侶、神官などが開いた私的な教育機関であり、読み、書き、そろばん（計算）を中心に学習が行われました。

学校制度の変遷についてもたびたび出題されることがあります。下の図は、1900（明治33）年の学校制度を表していますが、現在と大きく異なっています。主に6～12歳を対象とする学校に着目すると、下の図では尋常小学校（一部、高等小学校）となっていますが、国民学校令（1941（昭和16）年公布）の施行から第二次世界大戦終了までは国民学校となり、戦後に学校教育法（1947（昭和22）年公布）の施行以後に小学校となります。また、2016（平成28）年の学校教育法の改正によって、一部の小学校は、中学校との9年一貫教育を行う義務教育学校となりました*12。

＊11 綴り方教授
生活に根差した綴り方を書き、それを研究することを通して教育全体を改革しようとした民間教育運動が、生活綴方運動です。芦田恵之助や鈴木三重吉がその最初のリーダーでした。

ひとこと
＊12 このように、学校の名称の歴史をその根拠となる法律とともにおさえておくことで、学校制度の変遷についての出題が解けるようになります。

○ 1900（明治 33）年の学校制度

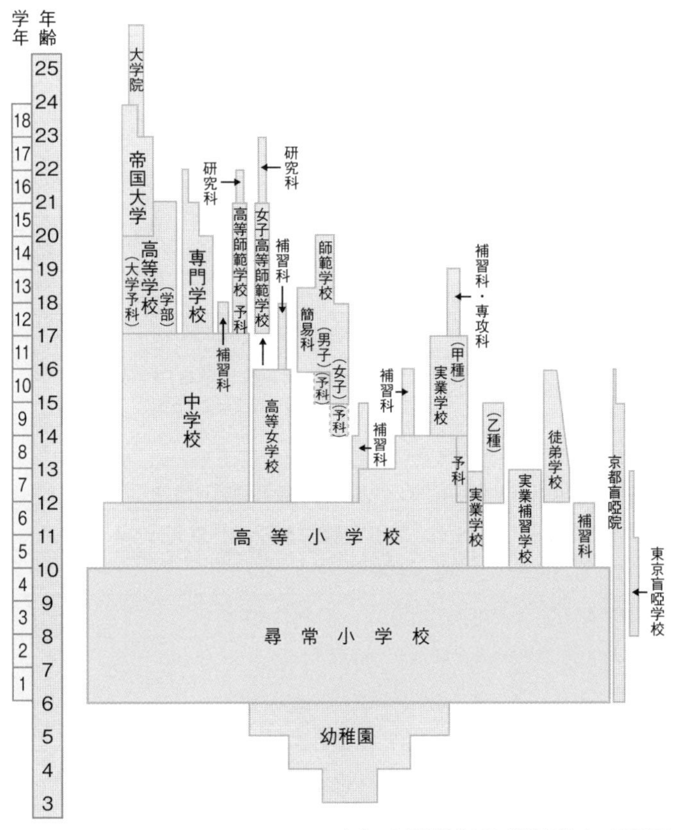

出典：文部科学省HP「学制百年史　資料編」

理解度チェック　一問一答

全問クリア　月　日

Q

□ ❶ 性善説の立場をとり、本来子ども一人一人のなかにある固有の価値を認め、それを伸ばしていこうと考え、子どもは大人に無理に教えられなくとも、自ら学び、成長していく力を持っているとしたのは、ペスタロッチである。 R4年（後期）

□ ❷ イギリス産業革命期にスコットランドのニュー・ラナークの紡績工場の経営に従事し、人間の性格が環境の産物であり、環境を整えることで性格形成が可能であるという考えをもつに至り、『新社会観』を執筆するとともに、性格形成学院を開校したのは、ランカスターである。 R5年（前期）

□ ❸ エレン・ケイは、「児童の権利条約」に深く影響を与え、「児童の権利条約の精神的な父」とも呼ばれている。 予想

□ ❹ 1945（昭和20）年に、「日本国憲法」と「教育基本法」が施行された。 R2年（後期）

□ ❺ 森有礼は、江戸時代に幼児教育や家庭教育の大切さを指摘した。主な著書として『和俗童子訓』がある。 R2年（後期）

A

❶ × ペスタロッチではなく、ルソーである。主著として『エミール』がある。ペスタロッチは、直観教育に基づく教育実践を行った人物で、主著として『隠者の夕暮』等がある。

❷ × ランカスターではなく、オーエンである。オーエンは、ベルと同時期に、「モニトリアル・システム」を主張した人物である。

❸ × エレン・ケイではなくコルチャックである。コルチャックは、ポーランドの医師・作家であり、「児童の権利条約」に大きな影響を与えた人物である。

❹ × 「日本国憲法」と「教育基本法」が施行されたのは、1945（昭和20）年ではなく、正しくは1947（昭和22）年である。1945（昭和20）年は、終戦の年であり、まだ戦前の教育制度が引き続き実施されていた。

❺ × 森有礼ではなく、正しくは貝原益軒である。森有礼は、1885（明治18）年に初代文部大臣となった人物である。

3 教育の制度

頻出度

教育制度に関しては、教育の目的および意義の項目と関連して出題されています。日本国憲法、教育基本法、学校教育法などに加え、教育職員免許法や教育委員会に関する法令についても目を配りましょう。

教育制度の基礎

*1 **日本国憲法**
R5年(後)(第26条)
R6年(前)(第23条)
過去には第13条、第25条についても出題されています。

1 日本国憲法*1

日本国憲法（昭和21年11月3日公布、昭和22年5月3日施行）は、日本の最高法規であり、国民主権、基本的人権の尊重、平和主義の3つを基本原理とし、前文と全103条から構成されています。

教育にかかわる条文は次の通りです。

第11条（基本的人権の享有と本質）	国民は、すべての基本的人権の享有を妨げられない。この憲法が国民に保障する基本的人権は、侵すことのできない永久の権利として、現在及び将来の国民に与へられる

第12条 （自由・権利の保持の責任とその濫用の禁止）	この憲法が国民に保障する自由及び権利は、国民の不断の努力によつて、これを保持しなければならない。又、国民は、これを濫用してはならないのであつて、常に公共の福祉のためにこれを利用する責任を負ふ
第13条 （個人の尊重、生命・自由・幸福追求の権利の尊重）	すべて国民は、個人として尊重される。生命、自由及び幸福追求に対する国民の権利については、公共の福祉に反しない限り、立法その他の国政の上で、最大の尊重を必要とする
第14条 （法の下の平等、貴族制度の否認、栄典の限界）	すべて国民は、法の下に平等であつて、人種、信条、性別、社会的身分又は門地により、政治的、経済的又は社会的関係において、差別されない 2　華族その他の貴族の制度は、これを認めない 3　栄誉、勲章その他の栄典の授与は、いかなる特権も伴はない。栄典の授与は、現にこれを有し、又は将来これを受ける者の一代に限り、その効力を有する
第19条 （思想及び良心の自由）	思想及び良心の自由は、これを侵してはならない
第23条 （学問の自由）	学問の自由は、これを保障する
第25条 （生存権、国の生存権保障義務）	すべて国民は、健康で文化的な最低限度の生活を営む権利を有する 2　国は、すべての生活部面について、社会福祉、社会保障及び公衆衛生の向上及び増進に努めなければならない
第26条 （教育を受ける権利、教育を受けさせる義務、義務教育の無償）	すべて国民は、法律の定めるところにより、その能力に応じて、ひとしく教育を受ける権利を有する 2　すべて国民は、法律の定めるところにより、その保護する子女に普通教育を受けさせる義務を負ふ。義務教育は、これを無償とする

2 教育基本法[*2]

教育基本法は、教育の目的及び理念、教育の実施に関する基本的な条項を定めるとともに、国及び地方公共団体の責務を明示しているものです。同法は、1947（昭和22）年に制定（前文及び全11条で構成）されましたが、約60年を経た2006（平成18）年に改正（前文及び全18条で構成）されました。

教育や育児、幼児教育にかかわる条文は次の通りです。

*2 **教育基本法**
R4年（前）（第4条）
R4年（後）（第3条）
R5年（前）（第11条）
R6年（前）（第1条）

前文	我々日本国民は、たゆまぬ努力によって築いてきた民主的で文化的な国家を更に発展させるとともに、世界の平和と人類の福祉の向上に貢献することを願うものである 我々は、この理想を実現するため、個人の尊厳を重んじ、真理と正義を希求し、公共の精神を尊び、豊かな人間性と創造性を備えた人間の育成を期するとともに、伝統を継承し、新しい文化の創造を目指す教育を推進する ここに、我々は、日本国憲法の精神にのっとり、我が国の未来を切り拓く教育の基本を確立し、その振興を図るため、この法律を制定する
第1条 （教育の目的）	教育は、人格の完成を目指し、平和で民主的な国家及び社会の形成者として必要な資質を備えた心身ともに健康な国民の育成を期して行われなければならない
第2条 （教育の目標）	教育は、その目的を実現するため、学問の自由を尊重しつつ、次に掲げる目標を達成するよう行われるものとする 1　幅広い知識と教養を身に付け、真理を求める態度を養い、豊かな情操と道徳心を培うとともに、健やかな身体を養うこと 2　個人の価値を尊重して、その能力を伸ばし、創造性を培い、自主及び自律の精神を養うとともに、職業及び生活との関連を重視し、勤労を重んずる態度を養うこと 3　正義と責任、男女の平等、自他の敬愛と協力を重んずるとともに、公共の精神に基づき、主体的に社会の形成に参画し、その発展に寄与する態度を養うこと 4　生命を尊び、自然を大切にし、環境の保全に寄与する態度を養うこと 5　伝統と文化を尊重し、それらをはぐくんできた我が国と郷土を愛するとともに、他国を尊重し、国際社会の平和と発展に寄与する態度を養うこと
第3条 （生涯学習の理念）	国民一人一人が、自己の人格を磨き、豊かな人生を送ることができるよう、その生涯にわたって、あらゆる機会に、あらゆる場所において学習することができ、その成果を適切に生かすことのできる社会の実現が図られなければならない
第4条 （教育の機会均等）	すべて国民は、ひとしく、その能力に応じた教育を受ける機会を与えられなければならず、人種、信条、性別、社会的身分、経済的地位又は門地によって、教育上差別されない 2　国及び地方公共団体は、障害のある者が、その障害の状態に応じ、十分な教育を受けられるよう、教育上必要な支援を講じなければならない 3　国及び地方公共団体は、能力があるにもかかわらず、経済的理由によって修学が困難な者に対して、奨学の措置を講じなければならない

第5条（義務教育）	国民は、その保護する子に、別に法律で定めるところにより、普通教育を受けさせる義務を負う 2　義務教育として行われる普通教育は、各個人の有する能力を伸ばしつつ社会において自立的に生きる基礎を培い、また、国家及び社会の形成者として必要とされる基本的な資質を養うことを目的として行われるものとする 3　国及び地方公共団体は、義務教育の機会を保障し、その水準を確保するため、適切な役割分担及び相互の協力の下、その実施に責任を負う 4　国又は地方公共団体の設置する学校における義務教育については、授業料を徴収しない
第9条（教員）	法律に定める学校の教員は、自己の崇高な使命を深く自覚し、絶えず研究と修養に励み、その職責の遂行に努めなければならない 2　前項の教員については、その使命と職責の重要性にかんがみ、その身分は尊重され、待遇の適正が期せられるとともに、養成と研修の充実が図られなければならない
第10条（家庭教育）	父母その他の保護者は、子の教育について第一義的責任を有するものであって、生活のために必要な習慣を身に付けさせるとともに、自立心を育成し、心身の調和のとれた発達を図るよう努めるものとする 2　国及び地方公共団体は、家庭教育の自主性を尊重しつつ、保護者に対する学習の機会及び情報の提供その他の家庭教育を支援するために必要な施策を講ずるよう努めなければならない
第11条（幼児期の教育）	幼児期の教育は、生涯にわたる人格形成の基礎を培う重要なものであることにかんがみ、国及び地方公共団体は、幼児の健やかな成長に資する良好な環境の整備その他適当な方法によって、その振興に努めなければならない
第16条（教育行政）	教育は、不当な支配に服することなく、この法律及び他の法律の定めるところにより行われるべきものであり、教育行政は、国と地方公共団体との適切な役割分担及び相互の協力の下、公正かつ適正に行われなければならない

教育法規・教育行政の基礎

1　学校教育法[*3]

学校教育法は、1947（昭和22）年に教育基本法と同時に公布され、日本国憲法・教育基本法の理念を学校教育制

*3 **学校教育法**
R4年(前)（第22条）
R4年(後)（第81条）
R6年(前)（第3条）

度に具現化した基本的な法律です。

幼稚園や家庭支援にかかわる代表的な条項は次の通りです。

第1条（学校の範囲）	この法律で、学校とは、幼稚園、小学校、中学校、義務教育学校、高等学校、中等教育学校、特別支援学校、大学及び高等専門学校とする
第11条（懲戒）	校長及び教員は、教育上必要があると認めるときは、文部科学大臣の定めるところにより、児童、生徒及び学生に懲戒を加えることができる。ただし、体罰を加えることはできない。
第22条（幼稚園の目的）	幼稚園は、義務教育及びその後の教育の基礎を培うものとして、幼児を保育し、幼児の健やかな成長のために適当な環境を与えて、その心身の発達を助長することを目的とする
第23条（幼稚園教育の目標）	幼稚園における教育は、前条に規定する目的を実現するため、次に掲げる目標を達成するよう行われるものとする 1　健康、安全で幸福な生活のために必要な基本的な習慣を養い、身体諸機能の調和的発達を図ること 2　集団生活を通じて、喜んでこれに参加する態度を養うとともに家族や身近な人への信頼感を深め、自主、自律及び協同の精神並びに規範意識の芽生えを養うこと 3　身近な社会生活、生命及び自然に対する興味を養い、それらに対する正しい理解と態度及び思考力の芽生えを養うこと 4　日常の会話や、絵本、童話等に親しむことを通じて、言葉の使い方を正しく導くとともに、相手の話を理解しようとする態度を養うこと 5　音楽、身体による表現、造形等に親しむことを通じて、豊かな感性と表現力の芽生えを養うこと
第24条（家庭・地域への教育支援）	幼稚園においては、第22条に規定する目的を実現するための教育を行うほか、幼児期の教育に関する各般の問題につき、保護者及び地域住民その他の関係者からの相談に応じ、必要な情報の提供及び助言を行うなど、家庭及び地域における幼児期の教育の支援に努めるものとする
第29条（小学校の目的）	小学校は、心身の発達に応じて、義務教育として行われる普通教育のうち基礎的なものを施すことを目的とする
第30条（教育の目標）	(1) 小学校における教育は、前条に規定する目的を実現するために必要な程度において第21条各号に掲げる目標を達成するよう行われるものとする (2) 前項の場合においては、生涯にわたり学習する基盤が培われるよう、基礎的な知識及び技能を習得させるとともに、これらを活用して課題を解決するために必要な思考力、判断力、表現力その他の能力をはぐくみ、主体的に学習に取り組む態度を養うことに、特に意を用いなければならない
第31条（体験活動）	小学校においては、前条第一項の規定による目標の達成に資するよう、教育指導を行うに当たり、児童の体験的な学習活動、特にボランティア活動など社会奉仕体験活動、自然体験活動その他の体験活動の充実に努めるものとする。この場合において、社会教育関係団体その他の関係団体及び関係機関との連携に十分配慮しなければならない

理解度チェック　一問一答

全問クリア　月　日

Q

□ ❶ 「教育基本法」前文において、「全て国民は、児童が良好な環境において生まれ、かつ、社会のあらゆる分野において、児童の年齢及び発達の程度に応じて、その意見が尊重され、その最善の利益が優先して考慮され、心身ともに健やかに育成されるよう努めなければならない」と述べられている。R4年（後期）

□ ❷ 「学校教育法」において、「幼稚園は、義務教育及びその後の教育の基礎を培うものとして、幼児を保育し、幼児の健やかな成長のために適当な教材を与えて、その心身の発達を援助することを目的とする」と定められている。R2年（後期）

□ ❸ 「学校教育法」第11条（児童・生徒等の懲戒）において、「校長及び教員は、教育上必要があると認めるときは、文部科学大臣の定めるところにより、児童、生徒及び学生に懲戒を加えることができる。ただし、体罰を加えることはできない」と定められている。R3年（前期）

□ ❹ 「学校教育法」第31条において、「小学校においては（中略）教育指導を行うに当たり、児童の体験的な学習活動、特にボランティア活動など社会奉仕体験活動、自然体験活動その他の体験活動の充実に努めるものとする」と定められている。R3年（後期）

A

❶ ×「教育基本法」前文ではなく、「児童福祉法」第1章「総則」の第2条の条文である。

❷ ×「適当な環境を与えて、その心身の発達を助長すること」が目的であることが「学校教育法」（第22条）に定められている。

❸ ○ 教育上必要な範囲で懲戒を加えることは認められている。当然のことながら体罰は認められていない。

❹ ○ さらに同条では、これらの体験活動を実施するに当たり、「社会教育関係団体その他の関係団体及び関係機関との連携に十分配慮しなければならない」と定められている。

4 教育の実践

頻出度

教育方法については、代表的な教授・学習理論、学習指導の形態、カリキュラムなどについて出題されています。これらについて代表的な人物ごとに整理するとともに特徴を理解することが大切です。

教授・学習理論
・教科カリキュラム
・直観教授法
・プロジェクト・メソッド
⋮

カリキュラム
・経験カリキュラム
⋮

𝄞♪教育の内容 ―― 幼稚園教育要領 ――

ココが出た!
*1 **幼稚園教育要領**
R4年(前)(第1章)
R4年(後)(第1章)
R5年(前)(前文)
R5年(後)(第1章)

2017（平成29）年に新しい「幼稚園教育要領*1」が告示されました。1948（昭和23）年の「保育要領」（文部省）以後、おおむね10年ごとに改訂されています（前回の改訂は平成20年）。過去の「幼稚園教育要領」については、特に第１章「総則」、第２章「ねらい及び内容」から出題されており、丁寧に読み込んでおくことが大切です。新しい「幼稚園教育要領」では、第１章「総則」において幼稚園教育において育てたい資質・能力と、５歳児終了時までに育って欲しい具体的な姿が「幼児期の終わりまでに育って欲しい姿」として明確化され、幼児教育と小学校教育との接続性の強化が図られています（幼稚園等におけるカリキュラム・マネジメントも含む）。なお、今回の「幼稚園教育要領」の改訂は、「保育所保育指針」と「幼保連携型認定こども園教育・保育要領」、さらに小学校や中学校の「学習指導要領」と同時に改訂が行われており、それぞれの関連性について比較検討することが大切です。

○ **幼稚園教育要領**

第1章　総則

第1　幼稚園教育の基本

幼児期の教育は、生涯にわたる人格形成の基礎を培う重要なものであり、幼稚園教育は、学校教育法に規定する目的を達成するため、幼児期の特性を踏まえ、環境を通して行うものであることを基本とする。

このため、教師は幼児との信頼関係を十分に築き、(中略)幼児と共によりよい教育環境を創造するように努めるものとする。これらを踏まえ、次に示す事項を重視して教育を行わなければならない。

1　幼児は安定した情緒の下で自己を十分に発揮することにより発達に必要な体験を得ていくものであることを考慮して、幼児の主体的な活動を促し、幼児期にふさわしい生活が展開されるようにすること。

2　幼児の自発的な活動としての遊びは、心身の調和のとれた発達の基礎を培う重要な学習であることを考慮して、遊びを通しての指導を中心として第2章に示すねらいが総合的に達成されるようにすること。

3　幼児の発達は、心身の諸側面が相互に関連し合い、多様な経過をたどって成し遂げられていくものであること、また、幼児の生活経験がそれぞれ異なることなどを考慮して、幼児一人一人の特性に応じ、発達の課題に即した指導を行うようにすること。(以下略)

第2章　ねらい及び内容

この章に示すねらいは、幼稚園教育において育みたい資質・能力を幼児の生活する姿から捉えたものであり、内容は、ねらいを達成するために指導する事項である。各領域は、これらを幼児の発達の側面から、心身の健康に関する領域「健康」、人との関わりに関する領域「人間関係」、身近な環境との関わりに関する領域「環境」、言葉の獲得に関する領域「言葉」及び感性と表現に関する領域「表現」としてまとめ、示したものである。内容の取扱いは、幼児の発達を踏まえた指導を行うに当たって留意すべき事項である。

各領域に示すねらいは、幼稚園における生活の全体を通じ、幼児が様々な体験を積み重ねる中で相互に関連をもちながら次第に達成に向かうものであること、内容は、幼児が環境に関わって展開する具体的な活動を通して総合的に指導されるものであることに留意しなければならない。(以下略)

𝄞♪ 教授・学習理論の系譜

代表的な教授法・学習理論[*2]については、次の表のように整理することができます。

*2 **教授法・学習理論**
R4年(後)(スキナー)
R5年(後)(プロジェクト・メソッド)
R6年(前)(モンテッソーリ、フレーベル)

人　物	教授・学習理論	特　　　徴
ソクラテス	産婆術	教師の問いと学習者の応答によって構成される方法
コメニウス	直観教授	具体的な事物を感覚を通して観察させることにより認識させる方法
ルソー	子どもの発見	子どもは「小さなおとな」ではなく独自の発達段階があり、価値を持った人間であると考えた
ペスタロッチ	直観教授法	コメニウスの直観教授を発展させ、教育は子どもに初めから備わっている諸能力を内部から発展させる（生活が陶冶する）とした
ヘルバルト	四段階教授法	明瞭⇒連合⇒系統⇒方法による教授段階論
ツィラー	五段階教授法	分析⇒総合⇒連合⇒系統⇒方法による教授段階論。ヘルバルトの「明瞭」を「分析」＋「総合」に区別した
ライン	五段階教授法	予備⇒提示⇒比較⇒概括⇒応用による教授段階論。日本には、明治20～30年代にかけてハウスクネヒトによって紹介された
デューイ	問題解決学習	学習者自らの生活経験から問題を発見し、実践的に解決する作業を通して知識を習得していく方法で、問題を解決する過程で調べたり考えたりすることに意義がある（暗示⇒知性化⇒仮説設定⇒推理⇒検証の5段階からなる）とする
キルパトリック	プロジェクト・メソッド	デューイの経験主義に基づき、実践的な作業を通して問題解決をしていく方法（目的設定⇒計画立案⇒実行⇒判断・評価の4段階からなる）
モリソン	モリソン・プラン	デューイの問題解決学習とヘルバルトの教授段階論を融合（探究⇒提示⇒類化⇒組織⇒発表の5段階からなる）
パーカースト	ドルトン・プラン	「自由」と「協同」を原理とする個別学習方法。生徒の興味に応じて教科を選択させ、教科別の「実験室」で指導を受けながら個別に学習を進め、進度に応じて個別に進級させる方法。わが国では、澤柳政太郎による成城学園における実践で注目を集めた
スキナー	プログラム学習	プログラム学習とは、学習内容を小さな段階に分け、学習者のレベルに応じた個別の学習プログラムによる学習方法を指す。スキナー箱（動物が箱内部のレバーを押すと餌や水などが与えられるようになっているもの）を用いて、実験的行動分析という学問分野を確立した
ブルーナー	発見学習	発見には2つの意味が込められており、①直観や想像力を働かせ、知識の構造を自ら発見する過程とすること、②①のような学習を通して、学習の仕方そのものを発見することである

ブルーム	完全習得学習	アメリカの教育心理学者、評価論の研究者。教育目標の分類学（タクソノミー）に基づく完全習得学習を提唱した。これまでの教育が生徒の3分の1程度の者しか十分な理解ができないということを前提に行われてきたことを批判し、個々の生徒の学習状況を把握し適切な指導を行うために診断的評価、形成的評価、総括的評価を提唱した
オーズベル	有意味受容学習	学習内容が理解しやすくなるよう先行して与える情報を「先行オーガナイザー」と命名し、「有意味受容学習」（「無意味」なことを機械的に記憶するのではなく、学習者がすでに所有している知識と関連づけて提示する学習方法）を提唱した
レイヴとウェンガー	正統的周辺参加	徒弟制において職人技が伝承されていく様子をもとに、初心者が熟達者の仕事を真似て覚えていくなかで、「周辺的」な位置から次第に「中心的」な役割を果たすようになっていく姿を学習と捉え、それを「正統的周辺参加（LPP：Legitimate Peripheral Participation）」として提唱した
イヴァン・イリイチ	脱学校論	『脱学校の社会』のなかで、学校制度を通じて「教えられ、学ばされる」ことにより学習していく動機を持てなくなる様子を「学校化」として批判的に分析し、このような学校の解体が必要だと主張した
パウロ・フレイレ	問題提起型学習	『被抑圧者の教育学』のなかで、学校で子どもに知識が一方的に授けられる様子を「銀行型教育」と批判し、これに対してコミュニケーション（対話）を重視する問題提起型学習が重視されるべきであると主張した

主要な教授・学習理論

代表的な教授法・学習理論について下表のように整理することができます。

教授法・学習理論	人物	概要
モニトリアル・システム	ベル・ランカスター	モニターを選び、下級生の指導に当たらせる方法。これにより多数の児童生徒に教育を受けさせることが可能になった
イエナ・プラン	ペーターゼン	学年別学級を廃止し、指導する立場と指導される立場の両方を経験しながら生活共同体として学習する形態
チーム・ティーチング	ケッペル	2人以上の教師がチームを組み、協力して指導にあたる形態

（つづく）

モジュール方式		授業時間を15～20分に小さく区分（モジュール）し、その組み合わせで授業を行う形態

𝄞♪ カリキュラムの類型

カリキュラム*3 は、教育内容を選択し組織する原理をどこに求めるのかによって異なります。次の２つが代表的なものです。

■ 教科カリキュラム

知識や技術を系統的に伝達するのに適したカリキュラムですが、知識偏重、受動的な暗記学習になる傾向があるなどの短所があります。

■ 経験カリキュラム

生活カリキュラムや活動カリキュラムとも呼ばれ、経験主義の立場で子どもたちの興味・欲求から出発し問題を解決していくことで生活経験を積み重ねていきます。しかし教育内容の組織化が難しいこと、教育評価が曖昧であることなどの短所があります。教科カリキュラムと経験カリキュラムの間に相関カリキュラム*4、融合カリキュラム*5、広領域カリキュラム*6、コア・カリキュラム*7 などがあります。

𝄞♪ 教育評価

■ 相対評価と絶対評価

相対評価とは、児童や生徒などの集団の中でその個人がどのような位置にあるのかを示す評価方法（例：５段階相対評価、５と１をそれぞれ７%、４と２を24%、３を38%を目安に評価を行う）で、教員側は評価をつけやすいですが、子どもの努力が必ずしも評価されないと指摘されています。絶対評価とは、教育の目標に対してその個人がどこまで達成することができたのかを示す評価方法で、評価を

***3 カリキュラム**
R5年(後)（潜在的カリキュラム）
R6年(前)（教科カリキュラム）

用語解説

***4 相関カリキュラム**
教科の区分を残したまま、複数の教科間に共通性を見出し、それらの内容を相互に関連させて指導するために構成されたカリキュラムの形態

***5 融合カリキュラム**
教科の枠を取り外し、2つ以上の教科間で相互に関連する内容を融合し、新しい教科や領域を構成するカリキュラムの形態

***6 広領域カリキュラム**
融合カリキュラムの形態をすべての指導領域まで拡大し、複数の大きな領域から構成されたカリキュラムの形態

***7 コア・カリキュラム**
カリキュラムにコア（中核）を設け、コアとコア以外との有機的連関の実現を志向するカリキュラムの形態

行う教員個人の主観的な評価であると批判されました。

■ ポートフォリオ評価

ポートフォリオ評価とは、児童や生徒などの学習記録や作品、作文などを作成した時間的経過に合わせてファイルなどに整理したものを評価に利用する方法です。個人内評価の一つであり、子ども自身が学習の成果に関するものを整理する作業を通して、学習の到達度や今後の課題等を客観的に把握し、自発的な学習意欲を高めることにつながると考えられています。

■ パフォーマンス評価

パフォーマンス評価とは、様々な知識やスキルを総合して活用することを求めるような複雑な課題（パフォーマンス課題、例：レポート課題やプレゼンテーションなど）を評価するのに適した方法、ルーブリックという成功の度合いを示す評価基準表を用いて採点します。

理解度チェック　一問一答

全問クリア　月　日

Q

□ ❶ 「幼稚園教育要領」第1章「総則」において、「教育課程の実施に必要な人的又は物的な体制を確保するとともにその改善を測っていくことなどを通して、教育課程に基づき組織的かつ計画的に各幼稚園の教育活動の質の向上を図っていくこと（以下、「アプローチ・カリキュラム」という。）」に努める」ことが述べられている。 R4年（後期）

□ ❷ 経験カリキュラムとは、「主として学校において、子どもたちが学校の文化ひいては近代社会の文化としての価値、態度、規範や慣習などを知らず知らず身につけていく一連のはたらきのことである。無意図的に、目に見えない形ではあるが、子どもたちに影響を及ぼし、その発達を方向づけていく」ことを指す。 R2年（後期）

A

❶ × アプローチ・カリキュラムではなく、カリキュラム・マネジメントである。アプローチ・カリキュラムとは、幼児教育から小学校教育への接続期のカリキュラムを指す。また、小学校入学後は「スタートカリキュラム」を実施することとされている。

❷ × 経験カリキュラムではなく、この文章は潜在的カリキュラムを説明したものである。

5 生涯学習社会における教育

頻出度

2006（平成18）年に教育基本法が改正され、「生涯学習の理念」が盛り込まれて以降、生涯教育・生涯学習に関する問題が数回出題されました。日本だけではなく、諸外国における歴史的な経緯を丁寧におさえつつ、中央教育審議会や生涯学習審議会などの答申にも目を配りましょう。

生涯教育・生涯学習の歴史

生涯教育・生涯学習[*1]の歴史は、下表のように整理することができます。

年	概　要
1965（昭和40）年	ユネスコ成人教育推進国際会議で、ポール・ラングラン*2が「生涯教育論」を提唱した
1973（昭和48）年	OECDが「リカレント教育*3」を提唱した
1981（昭和56）年	中央教育審議会答申「生涯教育について」が提出された
1986（昭和61）年	臨時教育審議会答申で「生涯学習体系への移行」が打ち出される

知っトク

*1 **生涯教育・生涯学習**

R2年（後）に出題されたハッチンスは、「学習社会」という後の生涯学習につながる概念を提唱した人物です。また、ノールズは「アンドラゴジー」という成人教育学を提唱した人物です。

年	概　要
1990（平成2）年	・中央教育審議会答申「生涯学習の基盤整備について」 ・「生涯学習の振興のための施策の推進体制等の整備に関する法律（生涯学習振興法）」が制定される ・文部省に「生涯学習審議会」が設置される
1992（平成4）年	生涯学習審議会答申「今後の社会の動向に対応した生涯学習の振興方策について」
1996（平成8）年	生涯学習審議会答申「地域における生涯学習機会の充実方策について」
1998（平成10）年	生涯学習審議会答申「社会の変化に対応した今後の社会教育行政の在り方について」
1999（平成11）年	生涯学習審議会答申「学習の成果を幅広く生かす～生涯学習の成果を生かすための方策について～」「生活体験・自然体験が日本の子どもの心をはぐくむ」
2006（平成18）年	教育基本法に新たに「生涯学習の理念」が盛り込まれる
2008（平成20）年	中央教育審議会答申「新しい時代を切り開く生涯学習の振興方策について～知の循環型社会の構築を目指して～」

生涯教育・生涯学習の端緒となったのは、1965（昭和40）年のポール・ラングランによる「生涯教育論」です。日本では1971（昭和46）年に生涯教育の必要性が指摘されるようになり、1981（昭和56）年の中央教育審議会答申「生涯教育について」において初めて「生涯学習」という言葉が使用され、「生涯教育」との違い（下記）が明示されました。

■ 生涯学習
各人が自発的意思に基づいて行うことを基本とするものであり、必要に応じ、自己に適した手段・方法はこれを自ら選んで、生涯を通じて行うもの。

■ 生涯教育
自ら学習する意欲と能力を養い、社会の様々な教育機能を相互の関連性を考慮しつつ総合的に整備・充実しようとすること。

日本で生涯学習の推進が指摘されるようになったのは、1990（平成２）年の中央教育審議会答申以降のことで、同年には生涯学習振興法（略称）が制定され、文部省（現：文部科学省）内に生涯学習審議会が発足しました。そして

用語解説

*2 **ポール・ラングラン**
フランスの教育思想家で、著書に『生涯教育入門』などがあります。ラングランの後任となったジェルピは、生涯学習の要ともいえる自己決定学習（self-directed learning）概念を提起しました。

用語解説

*3 **リカレント教育**
リカレント教育は、スウェーデンの経済学者レーンが提唱し、1970（昭和45）年のOECDの教育政策会議で初めて取り上げられました。生涯教育の一形態であり、フォーマルな学校教育を終えて社会の諸活動に従事した後、個人の必要に応じて教育機関に戻るなど交互に行き交う教育を指します。

2006（平成18）年には教育基本法が改正され、その第3条に「生涯学習の理念」として「国民一人一人が、自己の人格を磨き、豊かな人生を送ることができるよう、その生涯にわたって、あらゆる機会に、あらゆる場所において学習することができ、その成果を適切に生かすことのできる社会の実現が図られなければならない」と定められました。

■ 持続可能な開発のための教育（ESD：Education for Sustainable Development）

現代社会における課題（環境、貧困、人権、平和、開発など）を自らの問題としてとらえ、身近なところから取り組むことにより課題の解決につながる新しい価値観や行動を生み出すことによって、持続可能な社会を創造していくことを目指す学習や活動を指します。

ココが出た！
*4 SDGs
R4年（前）

関連して、「持続可能な開発目標（SDGs：Sustainable Development Goals）*4」は、「誰一人取り残さない」持続可能でよりよい社会の実現を目指す世界共通の目標です。2015年の国連サミットで、すべての加盟国が合意した「持続可能な開発のための2030アジェンダ」の中で掲げられました。2030年を達成年限として、17のゴールと169のターゲットから構成されています。

現代の教育課題

1 新学習指導要領

ココが出た！
*5 学習指導要領
R4年（前）
「小学校学習指導要領」について出題されました。

平成29年に「学習指導要領*5」が改訂されました。近年の急速なグローバル化や人工知能（AI）の活用による技術革新など社会の変化が進むことを見通し、新しい「学習指導要領」では「何ができるようになるか」という観点から、「知識及び技能」「思考力・判断力・表現力等」「学びに向かう力、人間性等」の３つの柱からなる「育成すべき資質・能力」を総合的にバランスよく育んでいくことが目指されています。このような資質・能力を育むために「主体的・対話的で深い学び（アクティブ・ラーニング）」の視点からの授業改善が重要視されています。とくに充実化を図るものとして、外国語教育（小学校3・4年で「外国語活動」が、小学校5・6年で教科としての「外国語」を導入）、プログラミング教育、道徳教育（小・中学校では「特別の教科 道徳」）、主権者教育（高等学校では公民科に必修科目「公共」が新設）、消費者教育などがあげられます。

2 生きる力

「生きる力」とは、「確かな学力」「豊かな人間性」「健康・体力」のバランスのとれた力を指します。第15期中央教育審議会答申において「生きる力」の必要性が説かれ、第16期中央教育審議会答申では「生きる力」の育成のために学校、家庭、地域社会の連携の必要性が主張されました。1998（平成10）年の小学校および中学校の学習指導要領に初めて「生きる力」が盛り込まれ、その後2003（平成15）年の一部改訂、2008（平成20）年の改訂、2020（令和2）年の改訂においても継続して「生きる力」を育むことの必要性が説かれています。2020（令和2）年度の学習指導要領の改訂内容を説明した文部科学省発行のパンフレットのタイトルは「生きる力・学びの、その先へ」となっています。

3 いじめをめぐる近年の動向

公立の小・中・高校及び特別支援学校における2022（令和4）年度のいじめの認知件数は68万1,948件で、前年度（61万5,351件）よりも増加しました。近年ではインターネットやスマートフォン（携帯電話）によるいじめなども加わり様態が多様化しています。学校裏サイトやSNS等の問題とも関連しており、情報活用能力やメディア・リテラシーの育成が求められています。

2011（平成23）年10月のいじめによる自殺事件（滋賀

県大津市）など、文部科学省によるいじめに関する調査や対応について整理すると、2010（平成22）年の『生徒指導提要*6』の刊行（2022（令和４）年に改訂)、2012（平成24）年の「子ども安全対策支援室」設置、2013（平成25）年の教育再生実行会議による「いじめの問題等への対応について（第１次提言)」、文部科学省「早期に警察へ相談・通報すべきいじめ事案について（通知)」により新しいいじめの定義が出されています。同年６月には「いじめ防止対策推進法」が公布され、同年10月には文部科学省「いじめの防止等のための基本的な方針」（いじめ防止基本方針)、12月には「児童生徒の問題行動等生徒指導上の諸問題に関する調査」結果が発表されました。

*6 **生徒指導提要**
R5年（前）
特別活動について出題がありました。
令和4年の改訂版では、特別活動において育成を目指す資質・能力について以下のように記載されています。
①人間関係形成
集団の中で、人間関係を自主的、実践的によりよいものへと形成するという視点です。
②社会参画
よりよい学級・学校生活づくりなど、集団や社会に参画し様々な問題を主体的に解決しようとするという視点です。
③自己実現
集団の中で、現在及び将来の自己の生活の課題を発見し、よりよく改善しようとする視点です。

○ いじめ防止対策推進法

第1章　総則

第1条　この法律は、いじめが、いじめを受けた児童等の教育を受ける権利を著しく侵害し、その心身の健全な成長及び人格の形成に重大な影響を与えるのみならず、その生命又は身体に重大な危険を生じさせるおそれがあるものであることに鑑み、児童等の尊厳を保持するため、いじめの防止等（いじめの防止、いじめの早期発見及びいじめへの対処をいう。以下同じ。）のための対策に関し、基本理念を定め、国及び地方公共団体等の責務を明らかにし、並びにいじめの防止等のための対策に関する基本的な方針の策定について定めるとともに、いじめの防止等のための対策の基本となる事項を定めることにより、いじめの防止等のための対策を総合的かつ効果的に推進することを目的とする。

第2条　この法律において「いじめ」とは、児童等に対して、当該児童等が在籍する学校に在籍している等当該児童等と一定の人的関係にある他の児童等が行う心理的又は物理的な影響を与える行為（インターネットを通じて行われるものを含む。）であって、当該行為の対象となった児童等が心身の苦痛を感じているものをいう。

第3条　いじめの防止等のための対策は、いじめが全ての児童等に関係する問題であることに鑑み、児童等が安心して学習その他の活動に取り組むことができるよう、学校の内外を問わずいじめが行われなくなるようにすることを旨として行われなければならない。

2　いじめの防止等のための対策は、全ての児童等がいじめを行わず、及び他の児童等に対して行われるいじめを認識しながらこれを放置することがないようにするため、いじめが児童等の心身に及ぼす影響その他のいじめの問題に関する児童等の理解を深めることを旨として行われなければならない。

3　いじめの防止等のための対策は、いじめを受けた児童等の生命及び心身を保護することが特に重要であることを認識しつつ、国、地方公共団体、学校、地域住民、家庭その他の関係者の連携の下、いじめの問題を克服することを目指して行われなければならない。

第８条　学校及び学校の教職員は、基本理念にのっとり、当該学校に在籍する児童等の保護者、地域住民、児童相談所その他の関係者との連携を図りつつ、学校全体でいじめの防止及び早期発見に取り組むとともに、当該学校に在籍する児童等がいじめを受けていると思われるときは、適切かつ迅速にこれに対処する責務を有する。

第15条　学校の設置者及びその設置する学校は、児童等の豊かな情操と道徳心を培い、心の通う対人交流の能力の素地を養うことがいじめの防止に資することを踏まえ、全ての教育活動を通じた道徳教育及び体験活動等の充実を図らなければならない。

4　不登校をめぐる近年の動向

文部科学省によれば、不登校児童生徒とは、「何らかの心理的、情緒的、身体的あるいは社会的要因・背景により、児童生徒が登校しないあるいはしたくともできない状況であるために年間30日以上欠席した者のうち、病気や経済的な理由による者を除いたもの」と定義されています。

これまで「学校基本調査」においては、年度内に30日以上欠席した児童生徒を長期欠席者とし、その欠席理由を「病気」「経済的理由」「学校ぎらい」「その他」に区分してきましたが、その後「不登校」という用語が一般的に使用されるようになったため、1998（平成10）年度から「学校ぎらい」が「不登校」に変更されました。

2022（令和４）年度の不登校児童生徒数は35万9,623人（小中高合計）で、小中学校は増加傾向にあります。1991（平成３）年度の小中学校の不登校児童生徒数は６万6,817人でしたが、2022（令和４）年度は29万9,048人と過去最多を記録しました（令和４年度「児童生徒の問題行動・不登校等生徒指導上の諸問題に関する調査結果の概要」）。

近年の文部科学省による不登校への対応を整理すると、2016（平成28）年に「義務教育の段階における普通教育に相当する教育の機会の確保等に関する法律」を制定し、不登校児童生徒に対する教育機会の確保、個々の状況に応じた必要な支援等を行うことを定めました。また、2019（令和元）年には「不登校児童生徒への支援の在り方について（通知）」が出され、不登校児童生徒への支援は「学校に登校する」という結果だけを目標にするのではなく、自らの進路を主体的に捉え、社会的に自立することを目指して適切な支援やはたらきかけを行うこととされました。また、不登校を未然に防ぐために魅力ある学校づくりや、スクールカウンセラーやスクールソーシャルワーカー等との連携による組織的な教育相談体制の構築、不登校特例校やフリースクールなどによる多様な教育機会の確保等の取り組みを充実させることが指摘されています。

5 体罰をめぐる近年の動向

2012（平成24）年12月に発生した大阪市立桜宮高校の男子生徒が部活動の顧問による体罰を苦に自殺した事件を契機として、文部科学省は2013（平成25）年に「体罰の禁止及び児童生徒理解に基づく指導の徹底について（通知）」「体罰に係る実態把握（第２次報告）の結果について」「体罰根絶に向けた取組の徹底について（通知）」などの対応をしました。なお、体罰に関連する教育法規としては、特に「学校教育法」第11条（懲戒と体罰）、同法第35条（出席停止）、「学校教育法施行規則」第26条（懲戒）の３つがあげられます。

6 特別支援教育をめぐる近年の動向

特別支援教育に関する文部科学省の動向を整理すると次の通りです。

2003（平成15）年	文部科学省・特別支援教育の在り方に関する調査研究協力者会議による「今後の特別支援教育の在り方について（最終報告）」

2004（平成16）年	文部科学省「小・中学校におけるLD（学習障害）、ADHD（注意欠陥／多動性障害）、高機能自閉症の児童生徒への教育支援体制の整備のためのガイドライン（試案）」
2005（平成17）年	中央教育審議会の答申「特別支援教育を推進するための制度の在り方について」
2006（平成18）年	「学校教育法施行規則」の一部が改正され通級による指導の対象に自閉症・LD・AD/HDを追加
2007（平成19）年	「特殊教育」が「特別支援教育」へと転換。文部科学省「特別支援教育の推進について（通知）」*7
2012（平成24）年	中央教育審議会「共生社会の形成に向けたインクルーシブ教育システム構築のための特別支援教育の推進（報告）」*8
2013（平成25）年	「学校教育法施行令」の一部が改正され就学先を決定する仕組みが改正
2018（平成30）年	中央教育審議会答申「幼稚園、小学校、中学校、高等学校及び特別支援学校の学習指導要領等の改善及び必要な方策等について」

7 キャリア教育をめぐる近年の動向

「キャリア教育」という文言が初めて登場したのは、1999（平成11）年の中央教育審議会の答申「初等中等教育と高等教育との接続の改善について」です。その後の動向を整理すると下表の通りです。

2002（平成14）年	国立教育政策研究所「児童生徒の職業観・勤労観を育む教育の推進について（調査研究報告）」、文部科学省で「キャリア教育の推進に関する総合的調査研究協力者会議」が設置
2003（平成15）年	文部科学省など「若者自立・挑戦プラン」
2004（平成16）年	文部科学省「キャリア教育の推進に関する総合的調査研究協力者会議」（報告書）、文部科学省など「若者の自立・挑戦のためのアクションプラン」
2006（平成18）年	「若者の自立・挑戦のためのアクションプラン」が改訂
2007（平成19）年	内閣府など「キャリア教育等推進プラン－自分でつかもう自分の人生－」

（つづく）

知っトク

*7 **特別支援教育の推進について（通知）**
特別支援教育は、「知的な遅れのない発達障害も含めて、特別な支援を必要とする幼児児童生徒が在籍する全ての学校において実施されるもの」であること、「障害の有無やその他の個々の違いを認識しつつ様々な人々が生き生きと活躍できる共生社会の形成の基礎となるもの」であることなどに言及しています。

*8 **インクルーシブ教育**
日本も批准している「障害者の権利に関する条約」第24条に「障害者を包容するあらゆる段階の教育制度」として記載されています。具体的には、障害のある者と障害のない者がともに学ぶ仕組みであり、自己の生活する地域において初等中等教育の機会が与えられること、個人に必要な「合理的配慮」が提供されることなどとされています。

2008（平成20）年	文部科学省「教育振興基本計画（第1期）」においてキャリア教育・職業教育の推進と生涯を通じた学び直しの機会の提供の推進
2011（平成23）年	中央教育審議会の答申「今後の学校におけるキャリア教育・職業教育の在り方について」

8 教育振興基本計画

教育振興基本計画は、教育基本法に示された理念の実現と、教育振興に関する総合的・計画的な推進を図るために政府が作成した計画を指します。最新の内容は、2023（令和５）年６月に閣議決定された「第４期　教育振興基本計画」で、計画期間は2023（令和５）年度～2027（令和９）年度までです。詳細は文部科学省のホームページに掲載されており、次期計画のコンセプトは「2040年以降の社会を見据えた持続可能な社会の創り手の育成」と「日本社会に根ざしたウェルビーイングの向上」とされ、今後の教育政策に関する５つの基本的な方針（①グローバル化する社会の持続的な発展に向けて学び続ける人材の育成、②誰一人取り残されず、全ての人の可能性を引き出す共生社会の実現に向けた教育の推進、③地域や家庭で共に学び支え合う社会の実現に向けた教育の推進、④教育デジタルトランスフォーメーション（DX）の推進、⑤計画の実効性確保のための基盤整備・対話）について、具体的な目標、測定指標、施策群について確認しておきましょう。

9 子どもの貧困対策

厚生労働省「2022（令和４）年国民生活基礎調査」によれば、日本の子どもの貧困率は11.5％にのぼり、約９人に１人が貧困状態にあります。文部科学省「就学援助実施状況等調査」（令和５年度）によると、経済的理由によって就学援助を受けている小中学生は、全国に約126万人います。また、2016（平成28）年のOECDのデータによれば、日本の子どもの貧困率は42か国中21番目に高く、ひとり親世帯の貧困率は韓国、ブラジルに次いで３番目となっており、日本は貧困率が高いことがわかります。

子どもの将来が生まれ育った環境によって左右されたり、貧困の世代間連鎖を防ぐことなどを目的として、2013（平成25）年に「子どもの貧困対策の推進に関する法律」が成立、2019（令和元）年には同法が改正されました。

また、2014（平成26）年には「子供の貧困対策に関する大綱」が閣議決定されました。その後、「子供の貧困対策に関する有識者会議」等における検討を踏まえ、2019（令和元）年には「子供の貧困対策に関する大綱～日本の将来を担う子供たちを誰一人取り残すことがない社会に向けて～」が新たに閣議決定され、①教育の支援（少人数指導や習熟度別指導、教育相談体制の充実、高校中退者への学習支援、大学等の授業料減免や給付型奨学金の実施）、②生活の安定に資するための支援（子育て世代包括支援センターの全国展開、生活困窮者に対する自立相談や就労準備等）、③保護者に対する職業生活の安定と向上に資するための就労の支援（資格取得や学び直しの支援、ショートステイ等の両立支援等）、④経済的支援（児童扶養手当制度の見直し、教育費負担の軽減、養育費の確保の推進等）の４つが重点施策として掲げられています。

10 令和の日本型学校教育、GIGAスクール構想、ICT教育

2021（令和３）年、中央教育審議会は「『令和の日本型学校教育』の構築を目指して～全ての子供たちの可能性を引き出す、個別最適な学びと、協働的な学びの実現～」（答申）を出しました。Society5.0*9 時代や新型コロナウイルス感染拡大等による予測困難な時代の中で、「一人一人の児童生徒が、自分のよさや可能性を認識するとともに、あらゆる他者を価値ある存在として尊重し、多様な人々と

用語解説

*9 **Society5.0**
内閣府によると、現代の情報社会（Society 4.0）に続く、新たな社会を指すもので、「サイバー空間（仮想空間）とフィジカル空間（現実空間）を高度に融合させたシステムにより、経済発展と社会的課題の解決を両立する、人間中心の社会（Society）」と定義されています。

協働しながら様々な社会的変化を乗り越え、豊かな人生を切り拓き、持続可能な社会の創り手となること」が目指されています。

本答申では、2020年代を通じて実現すべき「令和の日本型学校教育」として、①個別最適な学び（GIGAスクール構想[*10]によるICT環境の整備、少人数指導等による「個に応じた指導」の充実等）と、②協働的な学び（探究的な活動や体験活動等を通じて、多様な他者との協働からよりよい学びを生み出す）を一体的に実施することにより、「主体的・対話的で深い学び」（新学習指導要領）の実現が目指されています。

幼児教育については、①幼児教育の内容・方法の改善・充実（小学校教育との円滑な接続の推進、ICT活用、特別な配慮を必要とする幼児への支援等）、②幼児教育を担う人材の確保・資質及び専門性の向上（処遇改善等による人材確保、各種研修機能の充実等）、③幼児教育の質の評価の促進（PDCAサイクルの構築、評価の仕組みの構築等）、④家庭・地域における幼児教育の支援（保護者に対する相談体制や地域における家庭教育支援の充実、関係機関との連携強化等）、⑤幼児教育を推進するための体制の構築等（幼児教育センターの設置、幼児教育アドバイザーの育成・配置等）が掲げられています。

*10 GIGAスクール構想
R5年(前)　R5年(後)
文部科学省「GIGA スクール構想の実現へ」の中で、以下のように説明されています。
1)1人1台の端末と、高速大容量の通信ネットワークを一体的に整備することで、特別な支援を必要とする子供を含め、多様な子供たちを誰一人取り残すことなく、公正に個別最適化され、資質・能力が一層確実に育成できる教育環境を実現する
2) これまでの我が国の教育実践と最先端のICTのベストミックスを図ることにより、教師・児童生徒の力を最大限に引き出す
今後の日本政府が目指す教育の方向性を理解する助けになるので、資料に目を通しておくとよいでしょう。

理解度チェック　一問一答

全問クリア　月　日

Q

□ ❶ 「OECD生徒の学習到達度調査2018年調査（PISA2018）のポイント」（令和元年、文部科学省・国立教育製作所）における日本の結果として、「読解力の問題で、日本の生徒の正答率が比較的低かった問題には、テキストから情報を探し出す問題や、テキストの質と信ぴょう性を評価する問題などがあった」と指摘された。 R4年（後期）

□ ❷ ユネスコ（UNESCO）の成人教育推進国際委員会において、「生涯にわたって統合された教育」を提唱したのは、ラングラン（Lengrand, P.）である。 R2年（後期）

□ ❸ 中央教育審議会答申「「令和の日本型学校教育」の構築を目指して～全ての子供たちの可能性を引き出す、個別最適な学びと、協働的な学びの実現～」に「「みんなと同じことができる」「言われたことを言われたとおりにできる」というように、均質な労働者の育成が現代社会の要請として学校教育に求められている。」と記載されている。 R5年（後期）

□ ❹ 「いじめ防止対策推進法」で、「いじめの防止等のための対策は、いじめが全ての児童等に関係する問題であることに鑑み、児童等が安心して学習その他の活動に取り組むことができるよう、学校内ではいじめが行われなくなるようにすることを旨として行われなければならない」と定められている。 R2年（後期）

A

❶ ○ テキストから情報を探し出す問題（例：必要な情報がどのWebサイトに掲載されているか推測し探し出す）や、テキストの質と信ぴょう性を評価する問題（例：情報の質と信ぴょう性を評価し、自分ならどう対処するか、根拠を示して説明する、自由記述）について、正答率が比較的低かったと報告されている。

❷ ○ 生涯教育・生涯教育の端緒となったのは、1965（昭和40）年のポール・ラングランによる「生涯教育論」である。

❸ × 本答申では、均質な労働者の育成ではなく、予測困難な時代において社会的変化を乗り越えられるような個別最適な学び、協働的な学びが求められている。

❹ × 問題文は「いじめ防止対策推進法」第3条であり、「学校内では」ではなく、「学校内外を問わず」が正しい。

MEMO

社会的養護

社会的養護を必要とする子どもたちのケアも保育士の仕事の一つです。何らかの事情により、家族と一緒に生活できない子どもや、専門的な支援が必要な子どもや家庭に対して保育士として何ができるでしょうか。そのような子どもたちを支援する社会の仕組みや資源について一つずつ学んでいきましょう。

出題の傾向と対策

過去5回の出題傾向と対策

① **社会的養護の歴史に関する問題：**明治期にキリスト教の影響により多くの施設が設立され、仏教や神道による施設も作られました。これらの先駆的な施設と創設者に加えて、戦後の児童福祉法制定から現在までの法改正、ノーマライゼーションやホスピタリズムなどの考え方、子どもの権利に関する歴史的な流れなどが出題されています。

② **児童福祉法、児童福祉施設の基準に関する問題：**児童福祉法の第1条から第3条はよく出題されるので、一語一句理解しておくことが必要です。児童福祉法や「児童福祉施設の設備及び運営に関する基準」については、必ず出題されますので、法の理念や原則、定義などとともに、各施設の目的、設備、生活指導の内容、職員配置の特徴を確認しておく必要があります。また、法や基準の主な改正年と改正内容についても理解しておくことが大切です。特に、2019（令和元）年の改正では、親権者などによる体罰の禁止、児童相談所に医師と保健師を１人以上、弁護士の配置に関する体制整備等について確認しておく必要があります。第３条の２に、社会的養護を必要とする児童の養育の場が明記されましたので、特に理解が必要です。

③ **社会的養護の制度・事業に関する問題：**里親制度、小規模住居型児童養育事業（ファミリーホーム）、児童自立生活支援事業の目的や現状について出題されています。社会的養護の制度や事業については、近年、特に国が力を入れている里親制度や児童自立生活支援事業、ケアの小規模化に関する取り組みなどを理解しておきましょう。

④ **社会的養護の現状に関する問題：**５年ごとに実施され公表される「児童養護施設入所児童等調査結果の概要」から、施設数の変化や入所児童数や入所理由、入所経路等が必ず出題されています。執

筆時の最近の結果は2023（令和5）年2月1日調査のものです。

⑤ **児童虐待の防止と虐待を受けた子どものケアに関する問題：**毎年、事例の問題が出ていますが、その多くが虐待に関してです。虐待を発見した場合の対応、虐待により一時保護や施設入所となった子どものケア、保護者とのかかわり、リービングケアについて出題されています。

⑥ **社会的養護の運営に関する問題：**児童福祉施設の設置責任と費用負担について、子どもの自立や進学に関する費用について出題されています。

⑦ **社会的養護の課題と将来像から新しい社会的養育ビジョンへ：**2011(平成23)年に「社会的養護の課題と将来像」が発表され、翌年には社会的養護の施設ごとに「運営指針」が示されました。2017（平成29）年には「新しい社会的養育ビジョン」が発表されています。

原典を確認しておきたい法律・資料

子ども福祉と特に関連が深い法律・資料は上巻「子ども家庭福祉」の科目で紹介していますので、そちらも確認してください。

「社会的養護」の過去5回の出題キーワード

問題	R6年（前期） 2024年	R5 年（後期） 2023年	R5年（前期） 2023年	R4 年（後期） 2022年	R4年（前期） 2022年
1	児童養護施設運営指針	児童福祉法	児童の権利に関する条約	新しい社会的養護ビジョン	社会的養育の推進に向けて
2	社会的養護関係施設における親子関係再構築支援ガイドライン	里親及びファミリーホーム養育指針	小規模住居型児童養育事業（ファミリーホーム）	里親及びファミリーホーム養育指針	児童養護施設入所児童等調査の概要
3	新しい社会的養育ビジョン	社会的養護に関わる専門職	児童養護施設運営指針	母子生活支援施設入所世帯の状況	里親及びファミリーホーム養育指針における家庭養護の要件
4	児童養護施設運営ハンドブック	社会的養護の地域支援	里親支援専門相談員	家庭支援専門相談員	児童養護施設運営ハンドブック
5	児童養護施設運営指針	社会的養育の推進に向けて（親子関係再構築支援）	社会的養育の推進に向けて	一時保護	社会的養護に関する報告書等の年代並べかえ
6	里親及びファミリーホーム養育指針	児童養護施設運営指針（自立支援およびアフターケア）	児童養護施設運営指針	自立支援計画	アタッチメント
7	被措置児童等虐待対応ガイドライン	児童養護施設運営指針（養育・支援）	相談援助の専門用語	児童養護施設運営指針の心理的ケア	乳児院の配置職員
8	社会的養護に関する歴史的人物	小規模住居型児童養育事業（ファミリーホーム）	第三者評価事業	児童養護施設の記録	社会的養護における相談援助
9	グループホームの支援（事例）	児童福祉法（要保護児童）	母子生活支援施設（事例）	母子生活支援施設（事例）	地域小規模児童養護施設での援助方法（事例）
10	児童養護施設運営指針（養育のあり方の基本）	児童養護施設の支援（事例）	グループホームの支援（事例）	里親委託ガイドライン（事例）	母子生活支援施設における支援（事例）

1 社会的養護の意義と歴史

頻出度

少子化の時代に、社会的養護を必要とする子どもが増加し、歴史的に築きあげられた社会的養護の仕組みはますます重要になっています。現在の社会的養護の仕組み、子どもの権利を護る仕組みがどのように創られてきたのかを理解し、特に明治以降の施設名と創設者は必ず覚えましょう。

現代における社会的養護の意義

1 社会的養護とは

社会的養護とは、「保護者のない児童や、保護者に監護させせることが適当でない児童を、公的責任で社会的に養育し、保護するとともに、養育に大きな困難を抱える家庭への支援を行う」(「社会的養護の課題と将来像」より)ことです。

2 社会的養護の基本理念

2012（平成24）年に策定された「児童養護施設運営指針」で明記された社会的養護の基本理念は、「子どもの最善の利益のために」と「すべての子どもを社会全体で育む」です。この２つの理念のもとに社会的養護は行われています。

■ 子どもの最善の利益のために

社会的養護は、子どもの権利擁護を図るための仕組みであり、「子どもの最善の利益のために」をその基本理念とするとしています（児童福祉法第２条、児童憲章前文、児童の権利に関する条約第３条と密接に関係します。それぞれの条文を確認しておいてください）。

■ すべての子どもを社会全体で育む

社会的養護は、保護者の適切な養育を受けられない子どもを、公的責任で社会的に保護・養育するとともに、養育に困難を抱える家庭への支援を行うものです。「すべての子どもを社会全体で育む」をその基本理念とします（児童福祉法第１条、第２条、第３条の２、児童の権利に関する条約第20条と密接に関係します。それぞれの条文を確認しておいてください）。

■ 家庭と同様の養育環境で継続的に養育される

2016（平成28）年に児童福祉法*1 の第１～３条が改正されました。改正の内容は、①第１条に児童の権利に関する条約（子どもの権利条約）の精神が取り入れられて明文化され、子どもの能動的権利を定める法律となったこと（子どもの意見表明権と最善の利益の重要性）、②第２条に子どもの養育責任について第一義的に保護者にあるとし、保護者と国の役割が明確にされたこと、③第３条の２では、家庭で育てられない子どもには家庭と同様の養育環境で継続的に養育すること*2 が明確にされたこととなります。この③は、子どもの育つ社会的養育の場についての基本理念であり、行政の役割として加えられたと理解できます。

*1 **児童福祉法理念**
R5年（後）
基本理念と原理に関する問題が出題されました。

*2 **家庭と同様の環境における養育の推進**
児童養護施設などでの養育とは区別されていますので、用語の定義を押さえておきましょう。過去には「家庭と同様の養育環境」と「できる限り良好な家庭的環境」について問われました。
「家庭と同様の養育環境」での養育は里親、ファミリーホームが該当し、家庭養護といわれています。

児童福祉法

（児童福祉の理念）
第1条　全て児童は、児童の権利に関する条約の精神にのつとり、適切に養育されること、その生活を保障されること、愛され、保護されること、その心身の健やかな成長及び発達並びにその自立が図られることその他の福祉を等しく保障される権利を有する。

（児童養育の責任）
第2条　全て国民は、児童が良好な環境において生まれ、かつ、社会のあらゆる分野において、児童の年齢及び発達の程度に応じて、その意見が尊重され、その最善の利益が優先して考慮され、心身ともに健やかに育成されるよう努めなければならない。
②児童の保護者は、児童を心身ともに健やかに育成することについて第一義的責任を負う。
③国及び地方公共団体は、児童の保護者とともに、児童を心身ともに健やかに育成する責任を負う。

（原理の尊重）
第3条　前二条に規定するところは、児童の福祉を保障するための原理であり、この原理は、すべて児童に関する法令の施行にあたつて、常に尊重されなければならない。

（国及び地方公共団体の責務）
第3条の2　国及び地方公共団体は、児童が家庭において心身ともに健やかに養育されるよう、児童の保護者を支援しなければならない。ただし、児童及びその保護者の心身の状況、これらの者の置かれている環境その他の状況を勘案し、児童を家庭において養育することが困難であり又は適当でない場合にあつては児童が家庭における養育環境と同様の養育環境において継続的に養育されるよう、児童を家庭及び当該養育環境において養育することが適当でない場合にあつては児童ができる限り良好な家庭的環境において養育されるよう、必要な措置を講じなければならない。

※第3条の3は省略

3 社会的養護の意義と機能

■ 社会的養護の意義

社会的養護では、家庭で保護者の下での適切な養育を受けられない子どもたちに、以下で解説する機能により、適切な養育環境を保障し、不適切な環境での養育の影響であるマイナス面をケアして、親子再統合や自立生活を支援します。大きな困難を抱えた子どもたちの育成に重要な意義を持っています。

■ 社会的養護の機能

社会的養護には次のような機能があります。

① 養育機能

家庭で適切に養育されない子どもを適切に養育する機能で、社会的養護を必要とするすべての子どもに保障されるもの。

② 心理的ケアの機能

虐待等さまざまな背景のもとで生じる発達のゆがみや心の傷を癒し、回復させ、適切な発達を図る機能。

③ 地域支援等の機能*3

家庭関係の再構築などの家庭関係の調整、地域における子どもの養育や保護者への支援、自立支援やアフターケアの機能。

諸外国における社会的養護の歴史

1 諸外国における社会的養護の歩み

キリスト教による慈善事業として修道院等での孤児の養育が古くから行われていました。ヨーロッパでは、キリスト教による慈善事業が児童福祉の出発です。国家として初めて取り組んだのは、1601年にイギリスで制定されたエリザベス救貧法ですが、その目的は孤児等の救済というよりも治安維持が優先されたもので、収容所は劣悪な状態でした。ディケンズの小説「オリバー・ツイスト*4」には、当時の孤児の生活が描かれています。

イギリスでは、17世紀にエリザベス救貧法*5による救貧院が養育の場となりましたが、劣悪な状態でした。19世紀末に設立された「バーナードホーム*6」は、家庭的養育を行うなど、救貧事業であった孤児院を保護事業*7へと転換する先駆けとなりました。

20世紀になると、1922年の世界児童憲章は、イギリス児童救済基金団体連合会が発表したものですが、「世界を通じて児童養護の最低基準を確保する」ことをうたっています。1924年のジュネーブ宣言（国際連盟による児童権

*3 **社会的養護の地域支援**
R5年（後）

*4 **オリバー・ツイスト**
イギリスの孤児院の生活を描いた小説です。救貧院の前で母親が倒れ生まれた子どもが、さまざまな体験をして、結末には大金持ちの子どもであったことが判明する小公子の物語です。

*5 **エリザベス救貧法**
16世紀のイギリスでは、生活困窮者が増加して社会不安となり、治安を維持するために浮浪者・孤児等を収容するための法律が1601年に制定されました。保護というよりも治安維持が目的の法律です。

*6 **バーナードホーム**
1870年に、医者であるT.バーナードが設立した施設。大規模な収容型の孤児院ではなく、小舎制で家庭的な生活を保障し、孤児の自立を見通した保護と教育を実践しました。この養護は、わが国の児童養護に大きな影響を与えています。

利宣言）をはじめとして子どもの保護と権利について注目が高まりました。第二次世界大戦後には、「ホスピタリズム」という考えや「ボウルビィ報告」などによって、社会的養護の改善が各国共通の問題として取り組まれることとなりました。

2 ノーマライゼーションと脱施設化運動

「ノーマライゼーション」は、1953年デンマークのバンク·ミケルセンが唱えた理念です。1959年にデンマークの法律に位置付けられました。知的障害者の大規模施設の弊害についての批判から生まれた考え方で、障害があっても一般の人々と同じように生活できる社会こそあるべき社会の姿とするものです。この考えは、1970年代にアメリカを中心として、大規模施設を廃止し、施設の小規模化、地域化、社会化を進める脱施設化運動に大きな影響を与え、その後のグループホームの展開に重要な役割を果たしてきています。

3 ホスピタリズムとボウルビィ報告

ホスピタリズムは「施設病」「施設症」と訳され、長期間福祉施設や病院、刑務所などで社会から隔絶された生活を過ごすことにより生じる、社会への不適応症状及び心身の障害のことを指しています。20世紀の初めに、アメリカの乳児院の乳児の死亡数の多さから問題提起され、WHO（世界保健機構）の要請により乳幼児の母性と生育の関係を調査したイギリスの児童精神科医ボウルビィが1951年に提出した報告書「乳幼児の精神衛生」を「ボウルビィ報告」といいます。この報告では、母性喪失の養育は子どもに深刻な発達上の障害をもたらすとされ、我が国のホスピタリズム論争*8 の根拠ともなりました。

4 子ども虐待の社会的発見と取り組み

アメリカの小児科医ヘンリー・ケンプが、怪我をして小

用語解説

*7 **保護事業**
命を救済することにとどまらず、教育や職業訓練、人間関係等の援助による社会的自立を目的とした福祉事業をいいます。

知っトク

*8 **ホスピタリズム論争**
ホスピタリズムは1950（昭和25）年に、東京都立石神井学園の園長堀文次によって紹介され、「家庭の在り方と施設養護」について大きな論争となりました。女性の社会進出も始まった頃で「母親は家庭に帰れ」などの風潮を強くした反面、「施設養護の劣悪さ」が浮き彫りとなり、職員配置などの改善を進める役割を果たしました。

児科を受診する子どもの状況を調査し、親による暴力とみられる割合が高いことを1962年に論文「殴打された子どもの症候群（バタード・チャイルド・シンドローム）」で報告し、子ども虐待が世界的に注目されるようになりました。アメリカでは、1970年代初めにはすべての州で「子ども虐待通告法」が制定され、虐待防止と被虐待児童のケア及び親への指導などが進められ、日本にも大きな影響を与えています。

𝄞♪日本における社会的養護の歴史

1 古代から近世まで

日本の社会的養護は、聖徳太子が593年に悲田院を設置し、その後も、８世紀には元正天皇が興福寺に、光明皇后が皇后宮に設置したことが知られています。13世紀に仏教徒である叡尊（えいそん）や忍性（にんしょう）が孤児や貧窮者の救済を行い、その後各地の寺院に広がり、江戸時代まで寺院が孤児の養育に役割を果たしていました。

*9 **東京市養育院**
ロシア皇太子アレクセイが訪日することに合わせて、東京の浮浪者などを収容し、その後、初めての公立の施設となったものです。子どもの施設というより、働けない大人を中心とした施設でした。

2 明治期から戦前の社会的養護

明治に入り、キリスト教徒による慈善施設の設立が相次ぎます。棄児、孤児、非行児、障害児などの支援は、民間の慈善活動として行われていました。主な施設は以下の通りです。

*10 **浦上養育院**
R6年（前）
1874（明治7）年、岩永マキが3人の女性信者（カトリック信者）とともに、長崎県の浦上本原郷に国内初の児童養護施設とされる「小部屋」（現在の浦上養育院）を開設し、多数の孤児を引き取り養育を行いました。

育児施設（児童養護施設、保育所）		
1869（明治2）年	松方正義	「日田（ひた）養育館」
1872（明治5）年	渋沢栄一	「東京市養育院*9」
1874（明治7）年	岩永マキ	「浦上養育院*10」
1879（明治12）年	今川貞山	「福田会育児院」
1887（明治20）年	石井十次	「岡山孤児院」
1900（明治33）年	野口幽香・森島峰	「二葉幼稚園」
感化施設（児童自立支援施設）		
1883（明治16）年	池上雪枝	自宅で非行少年の保護
1885（明治18）年	高瀬真卿（しんけい）	「私立予備感化院」
1899（明治32）年	留岡幸助	「家庭学校」

障害児施設
1891（明治24）年　石井亮一　「孤女学院(滝乃川学園)」
1909（明治42）年　脇田良吉　「白川学園」
1942（昭和17）年　高木憲次[*11]　「整肢療護園」
1946（昭和21）年　糸賀一雄[*12]　「近江学園」
1963（昭和38）年　糸賀一雄　「びわこ学園」

※ 福田会育児院の今川貞山、私立予備感化院の高瀬真卿は仏教、感化施設の池上雪枝は神道。先駆的保育所である二葉幼稚園の野口幽香らはキリスト教で、石井十次は、バーナードホームにならって小舎制を実践し、無制限収容[*13]を唱えて多い時は1,200人を預かりました。留岡幸助は、のちに、北海道に広大な敷地を求め教育と労働を中心とした教護の考え方を確立しました。石井亮一の滝乃川学園は、わが国初の知的障害児施設です。

3 戦後の社会的養護

戦後、戦争孤児[*14]への対応は重要で緊急な課題でした。日本国憲法及び児童福祉法により、社会的養護は国の責任とされ、当初9種類の施設[*15]が法定化されて認可されました。その後、高度経済成長期を経て、国民の生活水準が上がり、世の中が安定するに伴って、社会的養護のニーズも変化してきました。社会と児童の状況に応じて児童福祉施設は14種類になり、また、数々の事業が整備されます。1997（平成9）年には、施設の再編成とそれぞれの施設の目的に「自立の支援」が加えられるなどの児童福祉法改正が行われました。

なお、児童福祉施設の数は、2024（令和6）年に里親支援センターが加わり13種類[*16]となっています。

4 児童虐待の防止の取り組み

1990年代に入り、日本でも児童虐待が社会問題化します。1990（平成2）年の虐待相談件数は1,101件でしたが、2000（平成12）年には1万7,725件となり、この年に児童虐待の防止等に関する法律（児童虐待防止法）が成立しました。その後3年ごとに改正され、「同居の大人が行う行為」「児童の前で配偶者に暴力を振るう行為」も児童虐待と定められ、また、立ち入り検査や親への指導、したがわない時

知っトク

*11 高木憲次
アメリカでリハビリテーションの技術を学び、日本に伝え、療養と教育を合わせた「療育」という言葉を作り出しました。

*12 糸賀一雄
重度の障害児たちとの生活をとおして「この子らに世の光を」でなく「この子らを世の光に」と福祉の思想を示しました。

*13 無制限収容
石井十次の岡山孤児院十二則の中から、「満腹主義」「家族主義」などが出題されています。

*14 戦争孤児
1948（昭和23）年の国の調査では全国に約12万3,000人と報告されています。

*15 児童福祉法制定時の9種類の施設
この9種類は、保育所、養護施設、教護院、乳児院、児童厚生施設、助産施設、精神薄弱児施設、母子寮、療育施設です（名称は当時のママ）。

＊16 現法の児童福祉施設

以下の13種類です。助産施設、乳児院、母子生活支援施設、保育所、幼保連携型認定こども園、児童厚生施設、児童養護施設、障害児入所施設、児童発達支援センター、児童心理治療施設、児童自立支援施設、児童家庭支援センター、里親支援センター

＊17 児童虐待に関する法改正

児童虐待の疑いがある保護者に対して、再出頭要求を経ずとも、裁判所の許可状により、児童相談所による臨検・捜索を実施できるようになったことが出題されました。

の臨検なども実施できるようになっています＊17。さらに、被虐待児童の保護及び自立に関しても規定されています。2017（平成29）年の改正では司法の関与が強化されました。

児童虐待の通告については、防止法のほか児童福祉法第25条に定められ、児童相談所に加えて児童委員、市町村、福祉事務所も通告先となっています。

2018（平成30）年と2019（平成31）年には、社会的に大きく注目された虐待死事件がありました。また2019（令和元）年6月には児童福祉法及び児童虐待防止法が改正され、しつけを理由とした親権者の体罰の禁止や児童相談所において、家庭支援を行う職員と一時保護などの介入を行う職員を分けるなどの体制強化等について定められました。2018（平成30）年12月には政府は児童虐待防止対策体制総合強化プラン（新プラン）を閣議決定し、児童福祉司等、児童相談所の専門職の増員を目標の一つとして掲げました。なお、2022（令和4）年には新たな児童虐待防止対策体制総合強化プランが作成され、専門職のさらなる増員を行う、としています。

2022（令和4）年には、民法が改正され、親権者には必要な範囲で認められていた懲戒権の規定が削除されました。同時に親権者は「体罰等の、子の心身の健全な発達に有害な影響を及ぼす言動をしてはならない」ことが明記されました。

渋沢栄一と社会福祉

新しい一万円札に描かれている渋沢栄一（1840 ～ 1931年）は埼玉県の農家に生まれ、江戸幕府の幕臣となり欧州諸国を見聞した後、大蔵省（現：財務省）で戸籍制度の創設や造幣などを行いました。その後、実業家になり、第一国立銀行の総監役や約500の企業の育成に携わり、「日本資本主義の父」と呼ばれていました。同時に、慈善事業や教育事業、民間外交を積極的に行い、東京市養育院の院長、滝乃川学園の理事長、中央慈善協会の初代会長などを担いながら、社会に貢献し続けた人物です。

理解度チェック　一問一答

全問クリア　月　日

Q

□ ❶ 「新しい社会的養育ビジョン」では、「新たな社会的養育という考え方では、そのすべての局面において、子ども・家族の参加と支援者との協働を原則とする」と記述されている。 R6年（前期）

□ ❷ 社会的養護には、在宅指導措置（児童福祉法第27 条第1項第2号）が含まれる。 R4年（後期）

□ ❸ 「児童福祉法」及び「児童虐待の防止等に関する法律」平成28年の改正では、児童虐待の疑いのある保護者に対して、再出頭要求を経ずとも裁判所の許可状により、児童相談所による臨検・捜索を実施できるものとした。 H31年（前期）

□ ❹ 石井十次は女学校の教頭であったが、明治24年に発生した濃尾地震の被災孤児のための施設、「孤女学院」を開設し、女学校を退職した。その後、入所児童の中に知的障害のある少女がいたことがきっかけとなり、渡米して知的障害児教育を学んだ。また孤児院を、知的障害児を対象とした施設に転換し、施設名称の変更を行った。 H30年（前期）

A

❶ ○

❷ ○ 行政処分としての措置に含むものとされている。

❸ ○ 手続きの間に手遅れになる事件もあり改正された。

❹ × 石井十次ではなく、石井亮一が正しい。問題文の施設は「滝乃川学園」である。なお、石井十次は「岡山孤児院」を創設した人物である。

2 社会的養護の基本

頻出度

児童憲章第２項には「すべての児童は、家庭で、正しい愛情と知識と技術をもつて育てられ、家庭に恵まれない児童には、これにかわる環境が与えられる」とあります。社会的養護における子どもの権利擁護についてはよく出題されるところです。

子どもの人権擁護と社会的養護

1 人権擁護の役割

児童福祉施設は、社会的養護の基本理念「子どもの最善の利益のために」を実現する役割があります。子どもは自分の権利を正しく行使できる力が育っていません。そのため、権利を適切に行使し、権利侵害から身を守ること、及び権利侵害により傷ついた心身を回復するために保護することを権利擁護[*1]といいます。

安心できる保護者を失った子どもたちにとって、社会的

知っトク

*1 権利擁護
R1年（後）では、「児童養護施設運営指針」（平成24年3月）内の第Ⅱ部各論「権利擁護」の内容から「子どもが自己の生い立ちを知ることは、自己形成の視点から重要であり、子どもの発達等に応じて、可能な限り事実を伝える」ことについて出題されました。ただし、家族の情報の中には子どもに知られたくない内容がある場合があり、伝え方等については十分な配慮が必要です。

養護の関係者は権利侵害から守ってくれる存在でなければなりません。

2 子どもの権利に関する宣言・条約の流れ

子どもの権利条約（児童の権利に関する条約）までの主な宣言などは以下の表のとおりです。

○ 子どもの権利に関する宣言・条約

年	宣言・法律・条約名	機関・国
1922（大正11）年	世界児童憲章	イギリス児童救済基金団体連合会
1924（大正13）年	児童権利宣言（ジュネーブ宣言）*2	国際連盟総会
1930（昭和5）年	アメリカ児童憲章	アメリカ合衆国
1947（昭和22）年	児童福祉法成立	日本
1951（昭和26）年	児童憲章	日本
1959（昭和34）年	児童権利宣言	国際連合
1979（昭和54）年	国際児童年	国際連合
1989（平成元）年	児童の権利に関する条約	国際連合総会
1994（平成6）年	児童の権利に関する条約批准	日本
2009（平成21）年	児童の代替的養護に関する指針*3	国際連合
2022（令和4）年	こども基本法の成立	日本

国際的な宣言として、第一次世界大戦後1924年国際連盟、第二次世界大戦後1959年国際連合で「児童権利宣言」が採択されています。しかし、拘束力がなかったため、国際法上の拘束力を持つ条約が必要として、ポーランドが1978年に提案し、10年かけて検討され採択されたのが児童の権利に関する条約*4（子どもの権利条約）です。子どもを「保護される存在」から「権利の主体者としての存在」に高めた児童観を確立したものといえます。「児童の最善の利益（第３条）」「児童の意見表明権（第12条）」などとともに子どもの権利を理解しておくことは大切です。

3 子どもの権利ノートと子どもの権利

社会的養護の施設では、子どもの権利擁護のために、子

*2 児童権利宣言
1924年の児童権利宣言は児童の権利に関するジュネーブ宣言とも呼ばれています。1959年の児童権利宣言は「ジュネーブ宣言」を受け継いだもので、単に児童の権利に関する宣言というとこちらを示すことが多いです。

*3 児童の代替的養護に関する指針
「児童の権利条約」「親の養護を奪われまたは奪われる危険にさらされている児童の保護」「福祉に関するその他の国際文書の関連規定の実施」を強化することを目的として政策及び実践の望ましい方向性を定めたものです。この指針は、日本の家庭養護重視の方針にも影響を与えました。

*4 児童の権利に関する条約
R5年（前）
条約内で児童とは、18歳未満のすべての者と定義されています。

*5 **児童福祉施設での権利擁護**
R4年（後）　R5年（後）
R6年（前）
「里親及びファミリーホーム養育指針」における子どもの権利擁護、養育・支援などについて出題されています。
読んだことがない指針やガイドラインであっても、このテキストで解説している子どもの権利擁護の内容をおさえておくことで解答することが可能です。

どもの権利ノートを活用した取り組みを行っています[*5]。子どもの権利ノートは、カナダの児童養護施設の子どもたちに活用されていたものを参考にして1995（平成７）年大阪府で初めて作成され、現在では多くの都道府県及び市が作成して社会的養護の子どもに配布し説明しています。

2008（平成20）年の児童福祉法改正で、「被措置児童等虐待の禁止」が明文化され、施設は不適切な対応があった場合に、都道府県に報告することが義務となりました。施設に入所している子どもへの体罰等の不適切な対応は、児童の権利に関する条約を批准した翌年の1995（平成７）年以降、毎年、指摘されており、施設内での適切な養育と子どもの権利擁護が課題になっています。施設では「子どもの権利ノート」などを活用して、子どもに権利について伝えるとともに、職員における児童の権利養護意識を高めること、及び「風通しの良い組織運営」「開かれた組織運営」が行えるよう運営を向上させて、不適切な対応を引き起こさない取り組みが求められています。

4 こども基本法

前述のように、日本も児童の権利に関する条約に批准していますが、障害者基本法のような国の方針を定めた法律が存在していませんでした。そこで、2022（令和４）年にこども基本法が制定され、子どもの権利に関する国としての基本方針が明記されるとともに、こども政策推進会議の設置やこども大綱の策定等を定めています。これを受けて、2022（令和4）年度より子どもの権利擁護にかかわる環境を整備することが、都道府県の義務となりました。また、意見表明等支援事業（子どもの意見表明等を支援するための事業）が制度化されました。

こども基本法
第1条
この法律は、日本国憲法及び児童の権利に関する条約の精神にのっとり、次代の社会を担う全てのこどもが、生涯にわたる人格形成の基礎を築き、自立した個人としてひとしく健やかに成長することができ、心身の状況、置かれている環境等にかかわらず、その権利の擁護が図られ、将来にわたって幸福な生活を送ることができる社会の実現を目指して、社会全体としてこども施策に取り組むことができるよう、こども施策に関し、基本理念を定め、国の責務等を明らかにし、及びこども施策の基本となる事項を定めるとともに、こども政策推進会議を設置すること等により、こども施策を総合的に推進することを目的とする。

社会的養護の原理（基本原則）

本章第１節で解説した「社会的養護の基本理念」に基づき、社会的養護において、長年の取り組みの中から、子どもたちに保障すべき養育環境の整備や必要な関わりと支援として整理されたものです。社会的養護の各施設運営指針に共通して次のように示されています（簡略化して掲載）。

○ 社会的養護の原理*6

家庭的養育と個別化
・適切な養育環境で、安心できる養育者によって、一人ひとりの個別的な状況を十分に考慮 ・愛され大切にされていると感じることができ、将来に希望が持てる生活の保障 ・「あたりまえの生活」を保障していく、できるだけ家庭あるいは家庭的な環境で養育する「家庭的養護」と、個々の子どもの育みを丁寧に進めていく「個別化」
発達の保障と自立支援
・未来の人生を作り出す基礎となるよう、子ども期の健全な心身の発達の保障 ・愛着関係や基本的な信頼関係の形成を基盤として、自立に向けた生きる力の形成、健やかな身体的、精神的、社会的発達の保障 ・自立や自己実現を目指して、子どもの主体的な活動を大切にし、さまざまな生活体験を通して自立した社会生活に必要な力を形成
回復を目指した支援
・虐待体験や分離体験等による悪影響からの癒しや回復を目指した専門的ケアや心理的ケアなどの治療的な支援 ・安心感を持てる場所で、大切にされる体験を積み重ね、信頼関係や自己肯定感（自尊心）を取り戻していける支援
家族との連携・協働
・子どもや親の問題状況の解決や緩和を目指して、それに的確に対応するため、親とともに、親を支えながら、あるいは親に代わって、子どもの発達や養育を保障していく包括的な取り組み

（つづく）

ココが出た！
*6 社会的養護の原理
R5年（前）

継続的支援と連携アプローチ
・始まりからアフターケアまでの継続した支援と、できる限り特定の養育者による一貫性のある養育 ・児童相談所等の行政機関、施設、里親等の社会的養護の担い手が、専門性を発揮して巧みに連携し合ってのアプローチ ・支援の一貫性、継続性、連続性というトータルなプロセスの確保 ・一人ひとりの子どもに用意される社会的養護は「つながりのある道すじ」として子ども自身に理解されるアプローチ
ライフサイクルを見通した支援
・社会に出てからの暮らしを見通した支援、長くかかわりを持ち続け帰属意識を持つことができる存在 ・子どもが親になっていくという、世代間で繰り返されていく子育てのサイクルへの支援 ・貧困や虐待の世代間連鎖を断ち切っていけるような支援

社会的養護における倫理と責務

わが国が「児童の権利に関する条約」を批准した1994（平成６）年の夏には、全国児童養護施設高校生交流会において、わが国で最初に子どもたちと子どもの権利についての学習会を実施しています。その翌年、参加した高校生が「施設の生活の中にある体罰を告発」しました。1995（平成７）年以降、社会福祉施設での入所者及び入所児童への不適切な関わりが問題となりました。2008（平成20）年には、児童福祉法第33条の10に「被措置児童等虐待の防止」が明記されました。施設関係者は倫理要綱等を作成して、養育者の倫理と責務を明確にするとともに、権利擁護についての研修の充実などを図っています。

1 被措置児童等虐待とは

児童福祉法第33条の10に以下のとおり定められています。

> 1　被措置児童等の身体に外傷が生じ、又は生じるおそれのある暴行を加えること。
> 2　被措置児童等にわいせつな行為をすること又は被措置児童等をしてわいせつな行為をさせること。

3　被措置児童等の心身の正常な発達を妨げるような著しい減食又は長時間の放置、同居人若しくは生活を共にする他の児童による前二号又は次号に掲げる行為の放置その他の施設職員等としての養育又は業務を著しく怠ること。
4　被措置児童等に対する著しい暴言又は著しく拒絶的な対応その他の被措置児童等に著しい心理的外傷を与える言動を行うこと。

2　被措置児童等虐待の現状

1995（平成７）年以降、福岡県、千葉県、神奈川県の児童養護施設の体罰事件が大きく報道されました。2008（平成20）年の法改正により、被措置児童等虐待の届け出が義務付けられています。国が発表している数字は以下のとおりです。

1. 報告・通告数（届出・受理件数）
2014（平成26）年度　220件　　2018（平成30）年度　246件　2019（令和元）年度　290件　2020（令和2）年度　389件

2. 虐待と認定された件数
2014（平成26）年度　62件　2018（平成30）年度　95件
2019（令和元）年度　94件　2020（令和2）年度　121件

3. 虐待と認定された件数施設別件数（2020年度）
乳児院　2件　　児童養護施設　67件　　児童心理治療施設　8件
児童自立支援施設　6件　　里親・ファミリーホーム　20件
障害児入所施設　11件　　児童相談所一時保護所　11件

4. 虐待の種類別件数（2020年度）
身体的虐待　62件　　ネグレクト　7件
心理的虐待　36件　　性的虐待　16件

3　人権擁護委員会、倫理要綱、被措置児童等虐待対応ガイドライン

■ 都道府県単位の人権擁護委員会

東京都や神奈川県では、児童福祉施設での虐待事件を受けて子どもの人権擁護委員会等が設置され、調査、改善命令を出して、運営改善を図る取り組みが進められました。実際に、被措置児童等虐待の構造的な問題として経営者による施設運営の私物化が問題となり、経営者の交代により改善が図られた施設もあります。

■ 倫理要綱の作成、人権擁護チェックシートの活用

乳児院の全国組織である全国乳児福祉協議会は、2008（平成20）年に前文と6項目の「乳児院倫理綱領」を採択し、権利擁護の項では「私たちは、児童憲章と子どもの権利条約の理念を遵守し、子どもたちの人権を尊重します。私たちは、子どもたちへのいかなる差別や虐待も許さず、また不適切な関わりをしないよう、自らを律します」としています。

2010（平成22）年には、「全国児童養護施設協議会 倫理綱領」が採択され、前文と10項目が明記されています。これらを参考に多くの施設で独自に倫理要綱や対応や関わりのチェックシートの活用などが行われています。

*7 **被措置児童等虐待対応ガイドライン**
R6年（前）
虐待防止のための施設運営についての出題がありました。本書の解説内容を確認しておきましょう。

■ 被措置児童等虐待対応ガイドライン*7

国は2008（平成20）年の児童福祉法改正に合わせて、翌年「被措置児童等虐待対応ガイドライン」を作成し家庭福祉課長名で都道府県知事及び指定都市市長に通知しました。ガイドラインは、虐待が発生した場合の対応を定めたものですが、被措置児童等虐待の予防として、「風通しの良い組織運営」「開かれた組織運営」「職員の研修、資質の向上」「子どもの意見をくみ上げる仕組み等」について明記しています。2022（令和4）年の改定では、上記内容の他に、「里親・ファミリーホームにおける予防的な視点」が追加されています。そして、施設では、苦情解決体制(苦情解決責任者、第三者委員の設置等)を確保するほか、第三者評価が導入されています*8。なお、第三者評価は、社会的養護関係施設（乳児院、児童養護施設、母子生活支援施設、児童心理治療施設、児童自立支援施設）に受審とその結果の公表が義務付けられています。定められた評価基準に基づいて、3年に1回以上受審します。その間の年も評価基準に沿って毎年自己評価を行わなければなりません。それにあわせて利用者調査を必ず行います。評価結果は、職員同士で分析や検討をして、改善策や改善実施計画を施設として作成し、改善につなげます。なお、里親支援

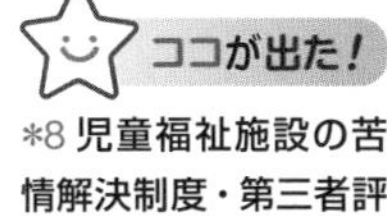

*8 **児童福祉施設の苦情解決制度・第三者評価**
R3年（後）　R5年（前）
児童福祉施設の苦情解決制度や第三者評価については、上巻「社会福祉」で確認しておくとよいでしょう。

センターでは義務、ファミリーホーム（小規模住居型児童養育事業）と自立援助ホームは努力義務となっています。

■ 安全計画策定の義務化

2023（令和５）年から、保育所を含む多くの児童福祉施設は、「児童の安全を確保するための計画」を策定することが義務化されました。

理解度チェック　一問一答

全問クリア　　月　　日

Q

□ ❶ 「児童養護施設運営指針」において示された社会的養護の原理として、「家庭的養護と個別化」「尊厳をめざした支援」「緊急的支援と連携アプローチ」などが記載されている。 H30年（前期）

□ ❷ 子どもたちにも体罰や不適切なかかわりについて、権利ノート等を活用して説明し、子どもが自分自身を守るための知識、もしもの時に自分の身を守れるよう具体的な対処方法について学習する機会を設けることが大切である。 H27年

□ ❸ 社会的養護関係施設には、3年に1回以上の第三者評価の受審と結果の公表、2年に1回の自己評価が義務付けられている。 R3年（後期）

A

❶ × 「尊厳をめざした支援」ではなく「回復をめざした支援」であり、「緊急的支援と連携アプローチ」ではなく「継続的支援と連携アプローチ」が正しい。

❷ ○ 1994（平成6）年の子どもの権利条約の批准後、カナダにならって1995（平成7）年に大阪府が作成した子どもの権利ノートは、その後すべての都道府県に広がり、社会的養護下の児童に配布されている。また、国もこの子どもの権利ノートを活用していくことを奨励している。

❸ × 毎年度、第三者評価の評価項目に沿って自己評価を行わなければならない。

3 社会的養護の制度と実施体系

頻出度

社会的養護は、児童福祉法第1条〜第3条の3に規定されている「児童福祉の理念」「児童育成の責任」「原理の尊重」「国及び地方公共団体の責務」による必要な措置として行われ、児童福祉法で定める施設において、児童福祉法等で定める制度と専門職により実施されます。
児童福祉法に定める社会的養護の施設の目的と児童福祉施設の設備及び運営に関する基準に定める社会的養護の施設の基準について特徴を覚えておきましょう。

社会的養護の原理
→それぞれの施設の「施設運営指針」を参照
運営
→「児童福祉施設の設備と運営の基準」を参照

ココが出た！

***1 社会的養護の法体系**
R4年(前)
年代順に並びかえる問題が出題されました。

***2 施設の基準**
「最低基準」は、都道府県で定めた基準をいいますが、「従うべき基準」は全国一律の基準として、都道府県において地域性を反映した「それを下まわらない基準」が条例で定められています。

社会的養護の制度と法体系[*1]

子どものための施設は、児童福祉法第7条に定められている法定施設と、児童福祉法第6条の3に定められている事業としての施設があります。

法定施設は児童福祉法で施設種別ごとに対象児童及び目的が明記され、児童福祉法第45条の定めにより「児童福祉施設の設備及び運営に関する基準」において、施設の設置等の基準[*2]が定められています。また、厚生労働省の通知などで法律の目的を満たすように指導が行われています。

𝄞♪社会的養護の仕組みと実施体系

1 社会的養護の仕組み

社会的養護は、子どもの権利を擁護する仕組みです。そして、子どもの最善の利益を大切にし、すべての子どもを社会全体で養育する仕組みです。要保護児童の発見から社会的養護の実施までを確認しておきましょう。

■ 社会的養護が必要な子どもの発見

児童福祉法第25条には「要保護児童発見者の通告の義務」が規定されています。市町村、児童相談所、福祉事務所への通告が義務付けられています。

児童虐待の防止等に関する法律（児童虐待防止法）では、第５条に「児童虐待の早期発見の努力義務」が定められ、学校、児童福祉施設、病院その他の児童に関わる団体及びそこに従事する専門職等に対して早期発見の努力義務を定めています。市町村、福祉事務所、児童相談所は、児童の福祉を相談する機関としての役割があります。適切に役割を発揮できることが求められています。

■ 要保護児童の認定と社会的養護の開始

通告や相談により社会的養護が必要かどうかを調査します。施設等の設置主体が市町村である母子生活支援施設などの場合は、市町村及び福祉事務所が施設入所等を決めます。設置主体が都道府県である乳児院・児童養護施設などの場合は、児童相談所が判断する仕組みになっています。児童相談所については児童福祉法第12条～第15条に定められています。2022（令和4）年に児童相談所の体制強化として「新たな児童虐待防止対策体制総合強化プラン」が取りまとめられています。

■ 保護の開始と一時保護所

＊3 **一時保護**
R4年（後）

児童福祉法第33条には「児童の一時保護[＊3]」が定められています。一時保護は児童相談所の判断で行います。保護者の承諾を必要としません。子どもの安全を優先して、緊急に一時保護することもあります。全国の児童相談所234か所のうち155か所に一時保護所が設置されています。（2024（令和6）年厚生労働省データ）。なお、一時保護所に空きがない場合、乳児等一時保護所が適当でない場合には、「一時保護委託」として乳児院や児童養護施設、里親等で保護します。一時保護所では原則２か月のうちに、児童の行動観察が行われ、今後の生活の場所と養育についての検討資料とされ児童の状況に応じた施設等の選択が行われます[＊4]。

＊4 **一時保護所の質の担保**
一時保護所の質が担保されていないと問題提起され、今後、「一時保護ガイドライン」を策定することや第三者評価を受審することが決定されました。

■ 施設等への入所・里親への委託

児童福祉法第27条の規定により、保護者の承諾を得て施設入所及び里親への委託が行われます。保護者が施設入所等を承諾しない場合は、同法第28条の規定により裁判所に児童相談所長が申し立てて、裁判所の判断を得て施設入所等を行います。

なお、児童福祉法で、施設入所中、または里親委託中の子どもに対して、施設長、里親等は、その児童の福祉のために必要な監護、教育を行うことができ、親権者がそれを不当に妨げてはならないと規定されています。

■ 親権の制限

虐待を受けた子どもの保護のために、現行の民法による親権の規定では、問題のある場合の親権の剥奪は明記されているものの、「親権の一時停止」規定がなく、施設入所後も親権がさまざまな問題となっていました。そこで、施設入所の場合に親権の停止等が柔軟に行えることが必要であるとして、2011（平成23）年に民法が改正され、裁判所への児童相談所の申し立てにより２年間の親権の一時停止が可能となりました。

■ 施設からの退所・里親委託の解除

保護の理由が消滅した場合には、保護者のもとに戻ります（親子再統合）*5。保護者のもとに戻る可能性がない場合には、里親委託・特別養子縁組委託などが検討されます。里親は20歳まで継続できます。施設も里親も成長して自立した後のアフターケアに取り組んでいます。

ココが出た！
*5 親子再統合
R6年（前）
「社会的養護関係施設における 親子関係再構築支援ガイドライン」の「親子関係再構築」の説明が出題されています。

2 社会的養護の実施体系

社会的養護の実施の全体像を示すと、原則次のようになります。

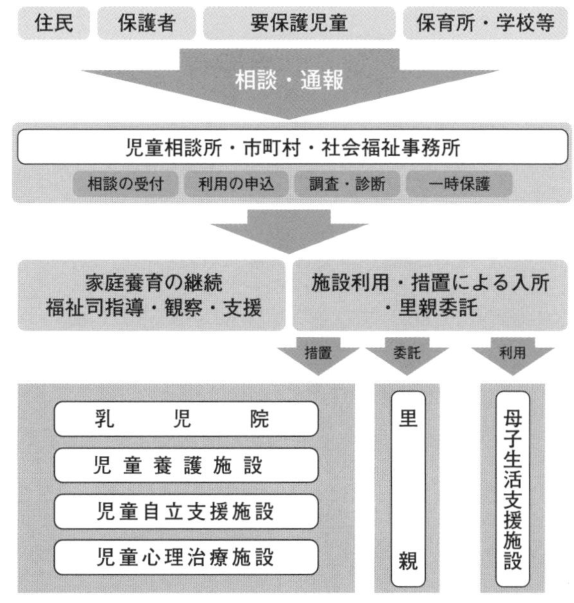

3 施設養護の実施体制

社会的養護の実施体制は、児童福祉法に定める目的を達成するために「児童福祉施設の設備及び運営に関する基準」において、生活の環境（建物、設備、居室の定員）、職員の配置*6、養育内容が定められています。次ページより詳細を示します。なお、職員については基本的に設備運営

*6 職員の配置
R5年（後）
さまざまな児童福祉施設の職員の配置を問う問題が出ています。

基準上の必置職員のみ掲載します。実際には、このほかに措置費上の配置職員や加算職員が配置されます。

乳児院	児童福祉法第37条
目的	保護を必要とする乳児（保健上、安定した生活環境の確保その他の理由により特に必要のある場合には、幼児を含む）を入院させて、養育し、あわせて退院した者について相談その他の援助を行うこと
内容	養育は、乳児の健全な発育を促進し、その人格の形成に資することとなるもの、内容は、精神発達の観察及び指導、授乳、食事、おむつ交換、入浴、外気浴及び安静、身体測定、健康診断、感染症等の予防処置
設備	寝室（乳児1人につき2.47m²以上）と観察室（乳児1人につき1.65m²以上）、診察室、病室、ほふく室、相談室、調理室、浴室、便所 ※10人未満の施設の場合：乳幼児の養育のための専用の室（1室あたり9.91m²以上とし、乳幼児一人につき2.47m²以上）と相談室
職員	・施設長・医師・嘱託医・看護師・保育士・児童指導員 ・個別対応職員・心理療法担当職員※・家庭支援専門相談人 ・栄養士・調理員 ※心理療法を行う必要がある乳幼児又は保護者が10人以上いる場合

児童養護施設	児童福祉法第41条
目的	保護者のない児童（乳児を除く。ただし、安定した生活環境の確保その他の理由により特に必要のある場合には、乳児を含む）、虐待されている児童その他環境上養護を要する児童を入所させて、養護し、あわせて退所した者に対する相談その他の自立のための援助を行うこと
内容	生活指導は、児童の自主性を尊重し、基本的生活習慣を確立するとともに豊かな人間性及び社会性を養い、児童の自立を支援することを目的として行う。児童の家庭関係の調整を行う。職業指導は、就労の基礎的な能力及び態度を育てることにより、児童の自立を支援することを目的として、児童の適性・能力に応じて行う
設備	居室（1室の定員4人以下*7 、1人当たり4.95m²以上）、便所（男女別）、調理室、浴室、相談室、児童の年齢に応じ職業指導のできる設備、医務室及び静養室（定員30人以上）
職員	・施設長 ・児童指導員・保育士（本体施設）0～1歳児 1.6人につき1人 2歳児 2人につき1人　幼児（3歳以上）4人につき1人 児童（小学生以上）5.5人につき1人 ・個別対応職員 ・心理療法担当職員※ ・家庭支援専門相談員 ・職業指導員（実習） ・栄養士（40人以下の場合は配置しなくても可）

知っトク

*7 **1室の定員**
1室の定員は4人以下です。
なお、乳幼児のみの居室は6人以下です。

	・調理員（全て外部委託する場合は配置しなくても可） ・看護師（0〜1歳児 1.6人につき1人） ※心理療法を行う必要がある子どもが10人以上いる場合
児童心理治療施設＊8	**児童福祉法第43条の2**
目的	家庭環境、学校における交友関係その他の環境上の理由により社会生活への適応が困難となった児童を、短期間、入所させ、又は保護者の下から通わせて、社会生活に適応するために必要な心理に関する治療及び生活指導を主として行い、あわせて退所した者について相談その他の援助を行うこと
内容	心理療法及び生活指導は、児童の社会的適応力の回復を図り、児童が施設を退所した後、健全な社会生活ができるようにすることを目的に行う。児童の保護者に児童の状態及び能力を説明するとともに、家庭の状況に応じて親子関係の再構築等を図る
設備	居室（1室の定員4人以下、1人あたり4.95m²以上、男女別）、医務室、静養室、遊戯室、観察室、心理検査室、相談室、工作室、調理室、浴室、便所。男子と女子の居室は別とする
職員	・施設長・医師・心理療法担当職員・看護師 ・児童指導員・保育士（児童4.5人につき1人） ・家庭支援専門相談人・栄養士・調理員（調理業務を外部委託する場合は配置しなくても可）
児童自立支援施設＊9	**児童福祉法第44条**
目的	不良行為をなし、又はなすおそれのある児童及び家庭環境その他の環境上の理由により生活指導等を要する児童を入所させ、又は保護者の下から通わせて、個々の児童の状況に応じて必要な指導を行い、その自立を支援し、あわせて退所した者について相談その他の援助を行うこと
内容	生活指導及び職業指導は、児童がその適性及び能力に応じて、自立した社会人として健全な社会生活を営んでいけるよう支援する。学科指導は、学校教育法の規定による学習指導要領を準用する。児童の自立支援のため、随時心理学的及び精神医学的診査及び教育評価を行わなくてはならない。家庭関係の調整を行う
設備	・学科指導に関する設備は、設置基準に関する学校教育法の規定を準用する。1室の定員4人以下1人当りの面積4.95m²以上 ・その他の設備については児童養護施設の規定を準用する
職員	・施設長 ・児童自立支援専門員・児童生活支援員（児童4.5人につき1人） ・個別対応職員 ・家庭支援専門相談員 ・心理療法担当職員※ ・医師・嘱託医・栄養士（定員40人以上）・調理員（調理業務を外部委託する場合は配置しなくても可） ・職業指導員（職業指導を行う場合のみ。実習設備を設ける） ※心理療法を行う必要がある子どもが10人以上いる場合

（つづく）

＊8 **児童心理治療施設**
1961（昭和36）年に法定化された施設で以前は情緒障害児短期治療施設という名称でした。当時は情緒的問題で不登校等のあるおおむね小学3年生までを対象としていましたが、近年は被虐待児の施設として18歳までを対象としています。必要がある場合は、20歳までの延長が可能となっています。

＊9 **児童自立支援施設**
児童自立支援施設は、都道府県に最低1か所の設置が義務付けられています。そのため、58か所のうち民間立の2か所を除いてすべて公立で、その中の2か所は国立です。

*10 **母子生活支援施設**

R5年（後）

母子生活支援施設は「児童福祉法」に基づく要保護児童の措置が採られる入所先ではないということで出題されています。児童福祉法に規定されている施設ですが、要保護児童の入所措置の対象となる施設ではなく、母子の生活支援のための施設になります。

母子生活支援施設*10 児童福祉法第38条	
目的	配偶者のない女子またはこれに準ずる事情にある女子及びその者の監護すべき児童を入所させて、これらの者を保護するとともに、これらの者の自立の促進のためにその生活を支援し、あわせて退所した者について相談その他の援助を行うこと
内容	生活指導は、個々の母子の家庭生活及び稼働の状況に応じ、就労、家庭生活、児童の養育に関し相談及び助言の支援を行い、自立を促進する。私生活を尊重して行わなければならない。保育所に準ずる施設を設ける時は、保育所の規定を準用
設備	母子室（1室につき30m²以上）、集会・学習等を行う部屋、相談室、母子室には調理設備、浴室及び便所。母子室は1世帯につき1室以上、乳幼児を入所させる施設は保育所等が利用できない場合は保育所に準ずる設備、静養室、医務室（乳幼児30人以上）
職員	・施設長・母子支援員*11 ・保育士・少年指導員兼事務員 ・心理療法担当職員※・個別対応職員・嘱託医・調理員 ※母子10人以上に心理療法を行う場合

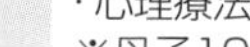

*11 **母子支援員の資格**

①都道府県の指定する児童福祉施設の職員を養成する学校及び施設を卒業した者、②保育士の資格を有する者、③社会福祉士の資格を有する者、④精神保健福祉士の資格を有する者、⑤高校卒業後2年以上児童福祉事業に従事した者。

■ 自立援助ホーム（児童自立生活援助事業）

義務教育終了後の子ども及び20歳未満の者を対象とした自立を支援する「自立援助ホーム」があります。児童福祉法第6条の3、第33条の6で「児童自立生活援助事業」として規定される第二種社会福祉事業です。高校生や大学生や必要性が認められた場合には、20歳以上でも利用できます*12。

*12 **自立援助ホームの年齢制限**

2024（令和6）年4月より、年齢制限が撤廃されました。

■ 児童家庭支援センター

児童家庭支援センター*13 児童福祉法第44条の2	
目的	地域の児童の福祉に関する各般の問題につき、児童に関する家庭その他からの相談のうち、専門的な知識及び技術を必要とするものに応じ、必要な助言を行うとともに、市町村の求めに応じ、技術的助言その他必要な援助を行うほか、規定による指導を行い、あわせて児童相談所、児童福祉施設等との連絡調整その他厚生労働省令の定める援助を総合的に行うこと
内容	支援にあたっては、児童、保護者その他の意向の把握に努め、懇切を旨とする。他の関係機関との連絡調整は、支援を迅速かつ適切に行えるように円滑に行う
設備	相談室・プレイルーム、事務室、その他必要な設備
職員	・相談・支援を担当する職員 ・心理療法等を担当する職員

■ 里親支援センター

里親支援センター　児童福祉法第44条の3	
目的	里親支援事業を行うほか、里親及び里親に養育される児童並びに里親になろうとする者について相談その他の援助を行うこと
内容	里親制度その他の児童の養育に必要な制度の普及促進、新たに里親になることを希望する者の開拓、里親、小規模住居型児童養育事業に従事する者及び里親になろうとする者への研修の実施、児童の委託の推進など
設備	事務室、相談室等
職員	・施設長　・里親制度等普及促進担当者　・里親等支援員 ・里親研修等担当者

■ 子育て短期支援事業

一時的に家庭で養育が困難になった子どもを短期間、児童養護施設等で保護する短期生活の援助「短期入所生活援助事業（ショートステイ）」があります[*14]。また、保護者労働のため夜間に子どもを監護できないひとり親の子どものための「夜間養護等事業（トワイライトステイ）」があります。

■ 障害がある子どもへの支援体制[*15]

児童発達支援センター　児童福祉法第43条	
目的	障害児を日々保護者の下から通わせて、高度の専門的な知識及び技術を必要とする児童発達支援を提供し、あわせて障害児の家族、障害児通所支援事業者等の関係者に対し、相談、専門的な助言等の必要な援助を行うこと
内容	福祉型障害児入所施設の規定を準用
設備	発達支援室、遊戯室、屋外遊技場（付近にある代わるべき場所を含む）、医務室、相談室、調理室、便所、静養室並びに児童発達支援の提供に必要な設備及び備品。指導訓練室1室の定員はおおむね10人とし、面積は児童1人につき2.47m^{2}以上。 遊戯室の面積は、児童1人につき1.65m^{2}以上
職員	・嘱託医、児童指導員、保育士、栄養士、調理員及び児童発達支援管理責任者。機能訓練を行う場合には、機能訓練担当職員。医療的ケアを行う場合には看護職員。定員40人以下の施設は栄養士を、調理業務の全部を委託する施設は調理員を置かないことができる。児童指導員、保育士及び機能訓練担当職員の総数は、おおむね児童の数を4で除して得た数以上

（つづく）

知っトク

*13 **児童家庭支援センター**
1997（平成9）年の児童福祉法改正により新たに位置付けられた施設です。当初は、他の児童福祉施設に附置するとされ、児童養護施設等に開設されました。2008（平成20）年の法改正で附置が削除され、現在は単独で開設できる施設となっています。

*14 **短期入所生活援助事業**
R5年（後）
短期入所生活援助事業（ショートステイ）や児童家庭支援センターについて、社会的養護の地域支援が出題されています。

知っトク

*15 **障害がある子どもへの支援体制**
障害児支援施設においては、これらの表に記した以外に、障害種別に応じた設備・運営基準があります。

福祉型障害児入所施設　児童福祉法第42条	
目的	障害児を入所させて保護、日常生活における指導、独立自活に必要な知識技能の付与を行うこと
内容	・生活指導は、児童が日常の起居の間に、当該福祉型障害児入所施設を退所した後、できる限り社会に適応するよう行う。学習指導は、児童がその適性、能力に応じた学習ができるよう、適切な相談、助言、情報提供等の支援により行う ・職業指導は、児童の適性に応じ、児童が将来できる限り健全な社会生活を営むことができるよう行う ・児童の保護者及び児童の意向、児童の適性、児童の障害の特性その他の事情をふまえた計画（入所支援計画）を作成し、これに基づき支援を提供する ・児童の保護者に児童の性質及び能力を説明するとともに、通学する学校、児童福祉司及び児童委員と常に密接な連絡を取り児童の生活指導、学習指導、職業指導につき協力を求める
設備	・児童の居室、調理室、浴室、便所、医務室及び静養室、ただし、児童30人未満を入所させる施設であって主として知的障害のある児童を入所させるものにあっては医務室を、主として盲児またはろうあ児を入所させるものにあっては医務室及び静養室を設けないことができる ・児童の居室の1室の定員は4人以下とし、1人あたりの面積は4.95m²以上、ただし、乳幼児のみの居室は定員6人以下、1人あたり3.3m²以上
職員	・嘱託医、児童指導員、保育士、栄養士、調理員、児童発達支援管理責任者（定員40人以下の施設は栄養士を、調理業務の全部を委託する施設は調理員を置かないことができる）心理支援担当職員（児童5人以上に心理支援を行う場合）、職業指導を行う場合には職業指導員
医療型障害児入所施設　児童福祉法第42条	
目的	障害児を入所させて保護、日常生活における指導、独立自活に必要な知識技能の付与及び治療を行うこと
内容	・児童の保護者に児童の性質及び能力を説明するとともに、通学する学校、児童福祉司及び児童委員と常に密接な連絡を取り児童の生活指導、学習指導、職業指導につき協力を求める ・児童の保護者及び児童の意向、児童の適性、児童の障害の特性その他の事情を踏まえた計画（入所支援計画）を作成し、これに基づき支援を提供し、その効果について継続的な評価を実施して適切かつ効果的に支援を提供する
設備	医療法に規定する病院設備、支援室、浴室
職員	・医療法に規定する病院として必要な職員、児童指導員·保育士、児童発達支援管理責任者

・障害児通所支援

児童福祉法第６条の２の２には、障害児通所支援として、障害児の通所による支援を行う事業が定められています。

・**児童発達支援事業**

集団療育や個別療育を行う必要があると認められる主に未就学の障害児に対して、日常生活における基本的動作の指導、知識技能の付与、集団生活への適応訓練などを行います。

・**居宅訪問型児童発達支援事業**

重度の障害等の状態にある障害児で、外出することが著しく困難なものに対し訪問して発達支援を行う事業です。

・**放課後等デイサービス事業**

学校（幼稚園・大学を除く）に就学している障害児について、授業の終了後または休業日に児童発達支援センターその他の施設に通わせ、生活能力の向上のための訓練、社会との交流の促進などを行う事業です。

・**保育所等訪問支援事業**

保育所や小学校、特別支援学校等への訪問支援を行う事業です。また、乳児院や児童養護施設の入所者に占める障害児の割合は３割程度となっていることから、2018（平成30）年に児童養護施設と乳児院も訪問対象に加わりました。児童が集団生活に適応するための専門的な支援を必要とする場合に、訪問支援を実施する事業です。

4 社会的養護に関わる専門職

児童福祉施設には多くの専門職が配置されています。近年、児童虐待等の増加により、心身に困難を抱える子どもの入所が顕著となっています。そのため、新たな専門職の配置も進んでいます。

■ 職員[*16]

・**保育士・児童指導員**

保育士・児童指導員は直接援助職員ともいわれます。保育士資格は、児童福祉法第18条の４に定められた国家資格です。施設によって母子支援員、少年指導員、自立支援員、遊びを指導する職員、などの呼び名があります。児童の担

知っトク

*16 **医療的ケアを担当する職員**

児童養護施設において、医療的ケアを必要とする児童が15人以上入所している場合に配置するための加算があります。

当職員として生活をともにし、さまざまな生活援助をする職員です。

ココが出た！

＊17 **家庭支援専門相談員**

R4年（後）

母子生活支援施設には配置されていません。

・家庭支援専門相談員（ファミリーソーシャルワーカー）＊17

児童の早期家庭復帰（家族再統合）や里親委託等の促進、児童相談所との連絡調整など家庭関係調整を役割として、乳児院、児童自立支援施設、児童心理治療施設、児童養護施設に、2004（平成16）年度から配置された職員です。

・心理療法担当職員

児童虐待等により心理療法を必要とする児童の増加を受けて配置された専門職で、児童心理治療施設、心理療法を必要とする児童が10人以上いる児童養護施設、児童自立支援施設、心理療法を必要とする母子が10人以上の乳児院、母子生活支援施設に配置された職員です。また、母子生活支援施設には、夫の暴力・虐待等により心理療法を必要とする母及び児童の合計が、10人以上の施設に配置されます。

・里親支援専門相談員（里親支援ソーシャルワーカー）

2012（平成24）年度より乳児院及び児童養護施設に配置された職員で、児童相談所と連携して里親についての普及と里親開拓、里親やファミリーホームの支援を行うとともに施設と里親のパートナーシップを構築する役割を持つ専門職とされています。

・児童発達支援管理責任者

障害児通所支援と障害児入所支援に配置が義務付けられており、個別支援計画作成や、その他、管理的な働きを担う者です。定められた実務経験要件・研修要件をともに満たす必要があります。

・児童自立支援専門員

児童自立支援施設において児童の自立支援を行う者で、資格は医師、社会福祉士の資格を有する者などとなっています。

・**児童生活支援員**

児童自立支援施設において児童の生活支援を行う者で、資格は、保育士の資格を有する者、社会福祉士の資格を有する者、3年以上児童自立支援事業に従事した者のいずれかとなっています。

・**個別対応職員**

児童虐待等による児童のケアは、個別の対応が必要であることから、2000（平成12）年度から児童養護施設、乳児院、母子生活支援施設、児童心理治療施設、児童自立支援施設に配置された職員です。

・**基幹的職員**

実務経験が10年以上等の要件を満たした職員で、職員のスーパービジョンを行う等事務費に加算がされる職員です。

・**職業指導員**

児童養護施設において、実習設備を設けて職業指導を行う場合に配置する必要があります。

・**看護師**

乳児院では基本となる職員として配置され、児童養護施設でも、乳児を入所させる場合は必置です。また、日々の生活で医療的なケアが必要な児童が15人以上いる施設に配置されています。

こども家庭ソーシャルワーカーの創設

年々増え続ける児童虐待相談に対応する児童福祉司などの人材の専門性を高めるため、新たな「こども家庭福祉」を専門とする資格を創設する検討が、厚生労働省社会保障審議会児童部会のワーキンググループで行われました。実務経験と指定研修受講が要件となり、資格試験を受けて合格した場合に認定されます。まずは、民間資格として養成されます。

用語解説

＊18 家庭的養護と家庭養護

厚生労働省は、社会的養護を施設養護と家庭的養護に分類しています。家庭的養護の中の、里親やファミリーホームによる養護を家庭養護として位置付け、小規模施設やグループホーム等、家庭に近い形態のものを家庭的養護としています。

家庭養護と施設養護[＊18]

1 家庭養護と施設養護

児童福祉法第３条の２で明確にされた「家庭養育優先原則」に基づき、厚生労働省は、社会的養護の形態を示しています（「社会的養育の推進に向けて」2024（令和６）年６月　厚生労働省）。

社会的養護の基盤づくりでは、「家庭での養育が困難又は適当でない場合は、養育者の家庭にこどもを迎え入れて養育を行う里親やファミリーホーム（家庭養護）を優先するとともに、児童養護施設、乳児院等の施設についても、できる限り小規模かつ地域分散化された家庭的な養育環境の形態（家庭的養護）に変えていく」「大規模な施設での養育を中心とした形態から、一人一人のこどもをきめ細かく育み、親子を総合的に支援していけるよう、ハード・ソフトともに変革していく」としています。

「社会的養育の推進に向けて」で示されている次の図は、2016年（平成28）年の児童福祉法改正で、国と地方公共団体の責任として、「家庭と同様の環境における養育の推進」が示されたときに使われた図です。その中で、養子縁組、小規模住居型児童養育事業、里親は家庭と同様の養育環境とされています。施設の中の小規模型施設は、良好な家庭環境と位置づけられています。

○ 家庭と同様の環境における養育の推進 ＊19

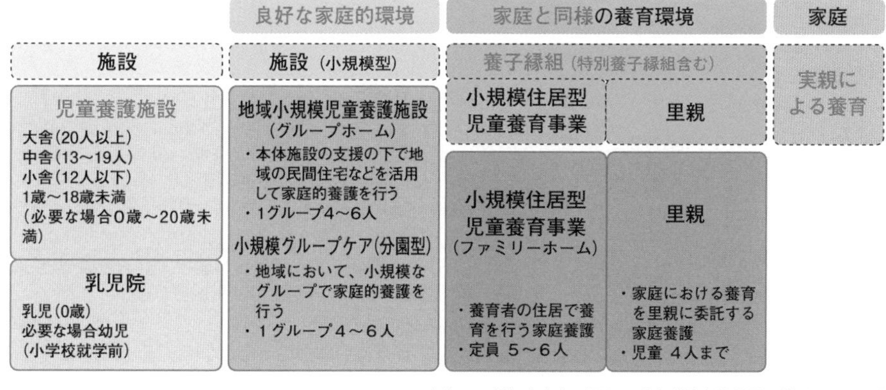

出典：こども家庭庁（2024 年）「社会的養護の推進に向けて」

2 家庭養護

＊19 **家庭と同様の環境における養育の推進**
R4年（前） R5年（前）
上記の表が出題され、赤字部分が問われました。

■里親制度

要保護児童を養育することを希望する者であって、都道府県知事が適当と認めるものが里親です。1947（昭和22）年に「里親等家庭養育運営要綱」が制定され、翌年の児童福祉法の施行によって制度が発足しました。2008（平成20）年には、児童福祉法に里親の種類が規定され、養育里親を「養育することを希望するもの」と、「養子縁組によって養親となることを希望するもの」とに分類し、「その他これに類するものとして内閣府令で定めるもの」と明記され、次ページの４種類となっています。2011（平成23）年に「里親委託ガイドライン＊20」が、2012（平成24）年には「里親及びファミリーホーム養育指針＊21」が制定され養育のあり方が示されています。この指針の中で、家庭養護の５つの要件、「一貫かつ継続した特定の養育者の確保」「特定の養育者との生活基盤の共有」「同居する人たちとの生活共有」「生活の柔軟性」「地域社会に存在」が示されています。

＊20 **里親委託ガイドライン**
R4年（後）

＊21 **里親及びファミリーホーム養育指針**
R4年（前） R4年（後）

*22 **里親制度運営要綱**
里親制度運営要綱では、親族里親を除き「経済的に困窮していないこと」が条件になっています。結果、生活保護を受給している場合は、親族里親以外の里親にはなれません。

*23 **親族里親**
阪神淡路大震災の後、親族等に引き取られた子どもへの支援として整備され、東日本大震災の後も多くの子どもが親族に引き取られ、この制度を活用しています。

里親制度（里親制度運営要綱 *22による分類）児童福祉法第6条の4	
対象	18歳未満の要保護児童（引き続き20歳まで可）
養育里親	要保護児童を養育する里親として認定を受けた者で、数か月以上数年間ないし長年にわたって里子を受託しケアする里親
専門里親	養育里親であって、2年以内の期間を定めて、児童虐待などによって心身に有害な影響を受けた児童、非行等の行動のあるもしくは恐れのある児童、障害のある児童に対し専門性を有していると認定された者が2名以内の里子を受託しケアする里親
養子縁組里親	養子縁組によって養親となることを希望し、里子を養子として養育する里親。なお、里親手当は支給されない
親族里親 *23	次の条件を満たす者のこと。 ・要保護児童の扶養義務者及びその配偶者である親族であること。 ・要保護児童の両親等が死亡、行方不明、拘禁、疾病による入院等の状態となったことにより、これらの者による養育が期待できない要保護児童の養育を希望する者であること。 この場合には「経済的に困窮していないこと」という里親の要件は適用されない。児童の養育費が支給される。なお、叔父伯母は扶養義務者ではないため親族里親の要件には当てはまらず、養育里親制度が適用されれば里親手当が支給される

■ 養子縁組を希望する里親

養子縁組を希望する里親は、養育里親としての認定を受け、一定期間、里子の養育を経た上で適切と判断されれば養子縁組が成立することになっています。

2016（平成28）年に「民間あっせん機関による養子縁組のあっせんに係る児童の保護等に関する法律」が成立し2018（平成30）年４月に施行されました。あっせん機関の届出制を許可制にし、児童保護のため国の監督を強めて養子縁組を推進していく法律となっています。

■ 特別養子縁組制度

実親の養育が著しく困難な特別な理由がある場合に、家庭裁判所に申し立てて、実親との法的関係を終了させ、養親子の関係を安定させる制度で、1987（昭和62）年の民法改正で成立しました。６歳未満の児童に限られていましたが、2020（令和２）年度から15歳未満と改正されました。

■ 小規模住居型児童養育事業（ファミリーホーム）[*24]

2009（平成21）年に第二種社会福祉事業として認定されたもので、養育者の住居において児童定員5～6人として、家庭的環境において要保護児童の養育を行います。里親としての登録を行ったうえで実施する養育事業と里親登録を行わないで実施する養育事業があります。また、施設の職員による養育事業も行われています。養育者に2名の補助者を確保できる事務費が支弁されます。2022（令和4）年3月末現在で全国に446か所、1,718人の子どもが生活しています。

■ 里親支援センター[*25]

家庭養育の推進により、子どもの養育環境を向上させるために2024（令和6）年4月から設置された児童福祉施設です。里親制度の普及や相談対応などを行います。

3 施設の形態

■ 大舎制養護[*26]

「1舎あたりの児童定員が20人以上での生活」を大舎制養護といいます。大舎制の利点は、少ない職員で多くの子どもをみることができる職員体制と集団の持つ教育的・治療的な力の活用があげられます。問題点は、子どもの個別の状況に応じた細やかな援助や子どもが特定の職員との関係を築きにくいことがあげられます。なお、児童自立支援施設は、夫婦による小舎制が展開されてきた歴史があり、児童養護施設とは逆に、小舎制が多数となっています。

■ 中舎制養護

「1舎の定員13～19人の生活」を中舎制養護といいます。大舎制の利点を活かしながら問題点を弱め、より家庭的な環境をつくるものです。

■ 小舎制養護

「1舎の定員12人以下の生活」を小舎制養護といいます。特定の少数の職員と家庭的な住居環境のもとで生活するも

*24 **小規模住宅型児童養育事業**
R5年（前）

*25 **里親支援センター**
里親支援事業を行うほか、里親及び小規模住居型児童養育事業（ファミリーホーム）に従事する者（里親等）、その養育される児童（里子等）並びに里親になろうとする者について相談その他の援助を行い、家庭養育を推進するとともに、里子等が心身ともに健やかに育成されるよう、その最善の利益を実現することを目的とする施設です。

*26 **大舎制養護**
大舎制養護約50%の中には、中舎制や小舎制も取り入れている施設があり、中舎制・小舎制のところで二重にカウントされています。大舎制養護単独の形態をとっている施設は少数です。

のです。

■ 小規模児童養護施設・小規模グループケア

小規模児童養護施設とは、地域の一般的な住宅において6名程度の児童を養育する施設で、特定の職員との関係を築き、一般的な生活体験を重視した形態で、グループホームと呼ばれています。小規模グループケアとは、本体施設または地域の家屋において、小規模なグループ（6～8人）を一つの生活ユニット（一つの家としての設備）で養育します。

■ 施設の入所

児童福祉施設の入所利用には、都道府県の措置による入所と保護者の申し込みによる利用契約に基づいた入所があります。

①措置入所

行政の判断で施設入所を決めることです。乳児院、児童養護施設、児童心理治療施設、児童自立支援施設では、児童相談所の決定を得て入所します。

②利用契約入所

保護者等の申し込みにより契約をして入所します。①の施設以外の児童福祉施設は、希望により利用する施設となります。

なお、②の施設においても、家庭の状況等により措置で入所する場合もあります。

■ 施設で働く体制

・会議と計画（方針）

施設では職員会議、援助会議、ケース会議、担当者会議などがあり、会議で計画・方針が検討され、計画に基づいて援助が実施されます。生活に必要な役割を分担して行います。

＊27 **子どもの養育・支援の記録**
R4年（後）

・職種間の連携

一人の子どもにさまざまな職種の職員がかかわります。計画に基づいて職種間で連携して援助を行います。

・チームワーク、記録

24時間の生活施設では、職員が交代制で援助にあたります。そのためには、援助の一貫性やより良い援助を行うための、円滑なチームワークと専門職間の連携が不可欠です。

養育の記録は、援助の統一や子どもの理解を共通化するために重要で、記録をすることが義務付けられています*27。子ども一人一人の入所からアフターケアまでの養育・支援の実施状況を適切に記録します。また、子どもへの支援だけでなく、家族や関係機関とのやりとりなども記します。

・スーパービジョン*28 *29

援助を行う上では、独断にならず、また、職員が心身ともに健康であることが重要です。報告・連絡・相談を適切に行い、自らの援助の内容を振り返り向上させていくために、スーパーバイザーによる助言を受けて働きます。日々の働きを通して職場内で助言を受けて学ぶ仕組みをオン・ザ・ジョブ・トレーニング（OJT）といいます。

知っトク

*28 スーパービジョン
スーパービジョンは、職員の援助内容を向上させるための仕組みです。助言等を行う者をスーパーバイザーと呼び、助言を受ける職員をスーパーバイジーと呼びます。

*29 相談援助の用語
R5年（前）
ソーシャルアクション、スーパービジョン、ネットワーキング、ケースワークについて出題されました。詳しくは上巻「社会福祉」を参照してください。

理解度チェック　一問一答

全問クリア　月　日

Q

□ ❶ 乳児院は、「児童福祉法」に定める「乳児」のみを対象とした施設である。 R2年（後期）

□ ❷ 家庭支援専門相談員の配置が義務づけられていない児童福祉施設は、児童自立支援施設である。 R4年（後期）

□ ❸ 児童心理治療施設には、医師、心理療法担当職員、児童指導員、保育士、看護師、個別対応職員、家庭支援専門相談員、栄養士及び調理員を置かなければならない。ただし、調理業務の全部を委託する施設にあっては、調理員を置かないことができる。 H30年（前期）改

A

❶ × 児童福祉法には、入院対象として「保健上、安定した生活環境の確保その他の理由により特に必要のある場合には、幼児を含む」と記載されている。

❷ × 乳児院、児童自立支援施設、児童心理治療施設、児童養護施設に配置義務がある。

❸ ○

- □ ❹ 児童福祉施設の長は親権を有し、児童の懲戒等すべてについて親に代わって行うことが認められている。 予想

- □ ❺ 里親支援専門相談員の業務内容の範囲は里親委託までであり、委託後の里親支援については、児童相談所が担う。 R5年（前期）

- □ ❻ 里親支援専門相談員(里親支援ソーシャルワーカー）は、児童養護施設および乳児院に、地域の里親およびファミリーホームを支援する拠点としての機能をもたせ、児童相談所の里親担当職員、里親委託等推進員、里親会等と連携して、里親委託の推進および里親支援の充実を図る。厚生労働省雇用均等・児童家庭局長通知（2016（平成28）年）には、里親支援専門相談員の配置の趣旨及び業務内容について定められている。 H30年（前期）

- □ ❼ 施設が行う援助について、入所している者またはその保護者等からの苦情に迅速かつ適切に対応するため、苦情を受け付ける窓口を設置することが定められている。 予想

❹ × 児童福祉施設の長は、法的に後見人の指定がない場合、親権を代行する役割であり、親権を有してはいない。また、2022（令和4）年の民法改正に伴い、児童福祉法の改正が行われ、懲戒権の規定は削除された。

❺ ×

❻ ○ この文章は通知の趣旨と同じであり、配置の目的を記している。

❼ ○ 社会福祉法第82条には、「利用者からの苦情の適切な解決に努めなければならない」と定められている。

4 社会的養護の内容と実際

社会的養護の各施設等の現状と援助の実際を理解しましょう。施設の数や入所児童数に関しては毎年出題されています。施設数や入所児童数の多い順などで覚えることがポイントです。

頻出度

児童自立支援施設入所の経路

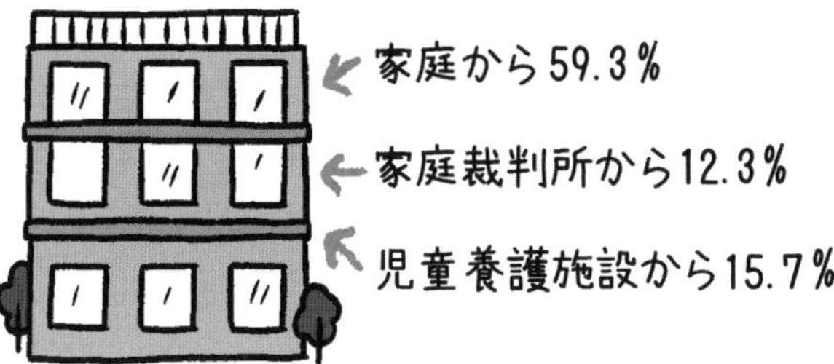

出典：こども家庭庁「児童養護施設入所児童等調査の概要」（令和5年2月1日）

社会的養護における子どもの理解

1 社会的養護の対象児童

■ 対象児童の特徴と背景

乳児院、児童自立支援施設、児童心理治療施設、児童養護施設運営指針が示している「対象児童の特徴と背景」をまとめると次のようになります。

入所の理由
- 父母の死別又は生死不明の児童、父母から遺棄された児童など保護者のない子どもは多くはない
- 半数以上は保護者から虐待を受けたために保護された子ども
- 次に、親の疾患、離婚等により親の養育が受けられない子ども

入所の背景
・入所の背景になった要因は、単純ではなく複雑・重層化している
・虐待の背景を例に挙げると、経済的困難、両親の不仲、精神疾患、養育能力の欠如など多くの要因が絡み合っている

子どもの特徴
・知的障害や発達障害など、発達に問題を抱える子どもは虐待を受けるリスクが高い
・乳幼児期の発達課題である基本的信頼関係（愛着関係）の形成ができていないことが多い
・トラウマや抑うつ・不安など心理的困難を抱え、生きづらさを感じている子どもたちが多い
・実際に入所児童の乳児では、約半数が病児、虚弱児、障害児、被虐待児である
・養護性、障害性の観点から見て、医療や関係機関との連携が欠かせない児童がほとんどである

■ 子どもの理解

前述したとおり、適切な養育を受けてこなかったことにより、子どもの健全な発達が阻害されていることが容易に理解できます。保護される前の生活の体験は、子どもの認知や認識にも大きな影響を及ぼします。年齢に応じた「身辺の自立」「コミュニケーション」「協調性」「責任感」などが育っていないことが多くあります。そのために、生活の中で「失敗すること」「トラブルを引き起こすこと」「人を誤解すること」「誤解されること」が多く発生します。

しかし、これらは、子どもの責任ではありません。このことを十分に理解して関わることが重要です。

*1 **児童養護施設運営指針**
R5年（前） R5年（後） R6年（前）
R6年（前）では、本指針の解説書としての性格をもつ「児童養護施設運営ハンドブック」から地域支援について出題されましたが、「児童養護施設運営指針」と共通の記載内容が問われました。まずは、「児童養護施設運営指針」の内容をしっかりと把握することが大切です。

2 社会的養護の支援

児童養護施設運営指針[*1] から支援の内容についてまとめました。

■ 養育・支援の基本

① 子どもの存在そのものを認め、子どもが表出する感情や言動をしっかり受け止め、子どもを理解する
② 基本的欲求の充足が、子どもとともに日常生活を構築することを通してなされるよう養育・支援する
③ 子どもの力を信じて見守るという姿勢を大切にし、子どもが自ら判断し行動することを保障する
④ 発達段階に応じた学びや遊びの場を保障する
⑤ 秩序ある生活を通して、基本的生活習慣を確立するとともに社会常識及び社会規範、様々な生活技術が習得できるよう養育・支援する

■ 日常生活支援

日常生活の支援は、まず、親元を離れて不安な子どもが「安心を実感する場」「安心を実感する食事」「安心を実感するプライバシー」「安心を実感する権利擁護」「安心を実感する職員との信頼関係」「自分をそのまま受け入れてくれる職員の存在」を、日々の繰り返しの生活の安定の中で確かなものとして育む営みであり、生活を通して様々な遅れを取り戻していく重要な支援です。そのため、食生活、衣生活、住生活、健康と安全、性に関する教育、自己領域の確保、主体性・自立性を尊重、経済的観念、学習支援などを日々の生活の中で進めていきます。

■ 治療的支援

障害のある子どもや心理的治療の必要な子ども、行動上に問題を持つ子どもには、心理指導員や精神科医による治療を行います。児童心理治療施設では、施設内で子ども個々の特性に応じた支援計画を立てて、医学的な治療支援が行われます。児童養護施設などでは、児童相談所や外部の精神科医など関係機関との連携のもとに治療的支援が行われます[*2]。

*2 心理的ケア
R4年(後)

■ 自立支援

自立支援は、社会的養護の施設の目的にも明記されています。

社会的養護の実際

2023(令和5)年の「児童養護施設入所児童等調査の概要」から、施設数と在所児童数をみてみましょう。

1 委託の理由

主な養護問題の発生理由は入所施設ごとに異なっており、次ページの表の通りです。

里親委託児						
母の精神疾患等	母の放任・怠だ	養育拒否	母の死亡	その他	母の行方不明	破産等の経済的理由
14.8%	14.1%	13.6%	9.2%	7.2%	4.9%	5.8%

児童養護施設児					
母の放任・怠だ	母の虐待・酷使	母の精神疾患等	父の虐待・酷使	その他	養育拒否
16.4%	15.0%	14.5%	12.5%	9.0%	4.7%

児童心理治療施設児					
児童の問題による監護困難	母の虐待・酷使	父の虐待・酷使	母の放任・怠惰	母の精神疾患等	その他
34.7%	15.4%	14.9%	10.0%	6.7%	4.7%

児童自立支援施設児					
児童の問題による監護困難	父の虐待・酷使	母の虐待・酷使	母の放任・怠惰	母の精神疾患等	その他
64.3%	7.2%	7.0%	5.1%	4.1%	2.5%

乳児院児						
母の精神疾患等	その他	母の放任・怠惰	母の虐待・酷使	破産等の経済的理由	養育拒否	父の虐待・酷使
24.6%	16.6%	14.9%	8.1%	6.2%	5.9%	3.2%

（出典：こども家庭庁「児童養護施設入所児童等調査の概要（令和5年2月1日現在）」より）

2 委託の経路

里親への委託経路及び施設の委託経路は次の通りです。

■ 里親委託児

家庭からが43.9%、次いで乳児院29.8%、そして児童養護施設11.9%となっています。

■ 児童養護施設児

家庭からが62.4%、次いで乳児院22.5%となっています。

■ 児童心理治療施設児

家庭からが60.9%、児童養護施設15.5%となっています。

■ 児童自立支援施設児

家庭からが59.3%、次いで児童養護施設の15.7%、そして家庭裁判所が12.3%となっています。

■ 乳児院児

家庭からが43.8%、次いで医療機関42.6%となっています。

3 委託時の保護者の状況

委託時の保護者の状況は、次の表の通りです。

○ 委託（入所）時の保護者の状況

	総数	両親又は父母のどちらかあり	両親ともいない	両親とも不明
里親	6,057 100.0%	5,215 86.1%	708 11.7%	106 1.8%
児童養護施設児	23,043 100.0%	21,990 95.4%	767 3.3%	222 1.0%
児童心理治療施設	1,334 100%	1,268 92.8%	45 3.4%	13 1.0%
児童自立支援施設	1,135 100.0%	1,088 95.9%	29 2.6%	10 0.9%
乳児院	2,404 100.0%	2,382 99.1%	10 0.4%	9 0.4%
ファミリーホーム	1,713 100.0%	1,536 89.7%	107 6.2%	51 3.0%
自立援助ホーム	958 100.0%	859 89.7%	73 7.6%	22 2.3%

（出典：こども家庭庁「児童養護施設入所児童等調査の概要（令和５年２月１日現在）」）

4 委託時の児童の年齢

■ 委託時の児童の年齢と在籍児の平均年齢

委託時の年齢別児童数と平均年齢、そして調査時の在籍児童の平均年齢は次の通りです。

・里親委託児

最も多いのが２歳の836人、次いで０歳児816人となり、０～2歳が38.5%を占めています。委託時の平均年齢は5.4

歳となります。在籍児童の調査時の平均は9.9歳です。

・児童養護施設児

最も多いのが２歳で3,824人、次いで３歳の3,186人となっています。入所時の平均年齢は6.7歳となります。調査時の平均は11.8歳です。

・児童心理治療施設児

最も多いのが10歳で184人、次いで11歳の175人です。小学生が47.2%を占め、入所時の平均年齢は10.2歳となります。調査時の平均は12.7歳です。

・児童自立支援施設児

最も多いのが13歳の351人、30.9%で、次いで14歳の276人、24.3%、12歳の202人、17.8%（中学生が78.2%を占めます。小学生は13.7%でその半分を６年生が占めています）。入所時の平均年齢は12.8歳となります。調査時の平均は13.9歳です。

・乳児院児

最も多いのは０歳児1,729人で71.9%を占め、次いで１歳児477人となっています。４～５歳児で入所する児童もわずかにみられます。入所時の平均年齢は0.4歳です。調査時の平均は1.6歳です。

5 委託児童の在所期間

調査時点では、児童心理治療施設を除くすべての施設で最も多いのが１年未満で全体の19.1％を占めます。平均在所年数は里親委託児4.5年、児童養護施設児5.2年、児童心理治療施設児2.5年、児童自立支援施設児1.1年、乳児院児1.4年となっています。

6 委託児童の状況

■ 被虐待体験の児童の増加

委託理由とは別に、被虐待体験のある児童では、里親委託児46.0%、児童養護施設児71.7%、児童心理治療施設児

83.5%、児童自立支援施設児73.0%、乳児院児50.5%となっています（前回の平成30年の被虐待体験の児童の割合よりも数値がどの施設でも増加しています）。

■ 障害のある児童の増加

児童養護施設では、近年障害のある児童が増加しています。1998（平成10）年には入所児童の10.3%でしたが、10年後の2008（平成20）年には23.4%、2018（平成30）年は36.7%となっています。

■ 家族との交流関係の状況

家族との交流のない児童は、里親委託児では63.9%、児童養護施設児は24.8%、児童心理治療施設児は21.2%、児童自立支援施設児は16.1%、乳児院児は26.0%となっています。家族との「交流あり」のうち「面会」をしている割合は比較的高く、里親で23.9%、児童養護施設35.4%、児童心理治療施設は37.6%、児童自立支援施設は40.3%、乳児院では59.5%となっており、里親委託児は交流なしが高い割合ですが、他は家族と交流のある児童が大半を占めています。

■ 進学・就職の状況

・中学卒業後

高校等進学は、児童養護施設児で94.9%で、中卒者全体では、2019（令和元）年度学校基本調査によると98.8%であることから低いことがわかります。

中学卒就職は、児童養護施設児2.2%、中卒者全体の0.2%と比べ高いことがわかります。

・高等学校等卒業後

高等学校卒業時の進路では、大学等進学は、児童養護施設児17.8%であり、全高卒者52.7%と比較すると極めて低い状況にあるといえます。

高卒時の就職は、児童養護施設児58.8%、全高卒者18.3%となっています。なお、家庭復帰が難しいため、措置解除後も施設から大学等に通う場合は、食費等の実費を支払えば施設への在所が可能となっています。2012（平成24）年度からは特別の事情がある場合、20歳まで措置延長して措置児として大学に通うことも可能になっています。

※中学卒業後、高等学校等卒業後のいずれの数値も厚生労働省家庭福祉課調べ、2019（令和元）年度に卒業した児童の進路、2020（令和2）年5月1日現在

7 里親養育の状況

■ 里親家庭の数と委託児童数

現に児童が委託されている里親家庭の総数は、4,844世帯で、委託児童数は6,080人で、年々増加しています（こども家庭庁「社会的養育の推進に向けて」（2024（令和6）年6月））。

■ ファミリーホームの数と委託児童数

養育者の住居において家庭的養護を行う「小規模住居型児童養育事業（ファミリーホーム）」のホーム数は、446か所、委託児童数が1,718人で、前年と比較して増加しています（こども家庭庁「社会的養育の推進に向けて」（2024（令和6）年6月））。

8 母子生活支援施設の状況

■ 児童数別入所世帯数

総数	1人	2人	3人	4人	5人以上
2,780	1,547	775	290	100	41
100.0%	55.6%	27.9%	10.4%	3.6%	1.5%

（出典：こども家庭庁「児童養護施設入所児童等調査の概要（令和5年2月1日現在)」）

■ 入所理由

最も多いのが「配偶者からの暴力」で50.3%、次いで「住宅事情」15.8%、そして「経済的理由」10.6%となっています。

■ **在所期間**

入所期間は原則２年間ですが、実際の在所期間は、「１年未満」が最も多く、29.4％で、「５年未満」にまとめると84.2%となります。「10年以上」も2.8%あります。

入所中であっても保育所等に通うことはできます。

■ **入所時の母の年齢**

「30 ～ 39歳」が最も多く、41.6%と約半数を占めています。

■ **母子世帯となった理由**

「離婚」が最も多く56.1％、「その他」22.0%、「未婚の母」が17.0%、「死別」0.9%となっています。

■ **現在の状況**

「１年以内に退所の見込み」が16.7%、「適当な住居さえあれば退所できる」が12.4%、「３か月以内に退所の見込み」が11.3%、「末子が18歳になるまで退所困難」が10.8%となっています。

■ **入所世帯の年間所得**[*3]

「100万～ 199万円」が最も多く27.7%を占め、平均所得金額は、165万円であり、一般家庭の545.7万円（2022（令和４)年国民生活基礎調査）の３割程度になっています。母親の就労形態は、臨時･日雇･パートが40.1%と最も多く、常勤勤労者は、13.8%となっています。

*3 **入所世帯の年間所得**
R4（後）
母子生活支援施設でできる支援や入所世帯の状況について出題されました。

■ **虐待を受けた経験のある児童**

「虐待を受けたことがある児童」は、入所児童総数4,538人の65.2%にあたる2,961人となっています。

施設養護の支援内容

1 アセスメントと自立支援計画書

■ **児童相談所の援助指針**

児童相談所は、養護相談や虐待等の通告を受けると、児童の安全確認を行い、場合によっては一時保護を行って、調査・診断を行います。診断に基づき、子どもの援助指針を作成し、子どもの入所等を決定します。

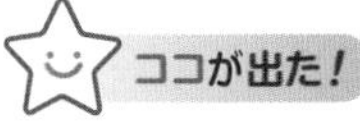

*4 **自立支援計画の策定の義務**

R4年(後)

児童養護施設、乳児院、母子生活支援施設、児童心理治療施設、児童自立支援施設にて策定が義務化されています。

■ **自立支援計画の策定**[*4]

児童相談所からの援助指針は、施設に示され、施設は入所後の観察を経て、子どもと保護者のニーズを探り（アセスメント）、すべての入所児の自立支援計画を策定します。自立支援計画は、生活支援計画、家庭支援計画、地域支援計画の３つで構成されています。この計画書は、①児童や保護者の意向を尊重、②職員の協議によって策定、③半年程度で見直しを行う（再アセスメント）こととされています。自立支援計画は児童相談所と協議して確定します。

2 施設の生活支援

■ **基本的生活習慣**

子どもの年齢に合った基本的生活習慣を確立できるように援助します。生活のリズムの安定は、安心と安全を体感し、子どもの持つ能力を健全に発揮できる環境として重要です。子ども一人ひとりの安全や安心を感じることができる居室などの居場所を確保することが必要です。中学生以上は個室が望ましいですが、相部屋でもパーテーションを用いるなどして、できるだけ個人の空間を設定することが必要です。

■ **学習**

施設では、学習ボランティア等の支援も受けて、学習指導に力を入れます。なお、高校進学等を保障するため、2010（平成22）年度から中学３年生の子どもには、塾にかかる費用が国から支弁されるようになりました。

■ **生活**

日々の生活におけるさまざまな体験を通して、健康の保持、年齢に応じた生活の自立、子ども間の良好な人間関係、本人が持つ問題等の改善について援助します。

■ 職員との関係

職員は、子どもの入所前のさまざまなマイナス体験を理解し、そのことによる不適切な言動等を受け止め、子どもが安心できる存在になることが求められます。指導や教育に力を入れれば、注意や叱ることが多くなり信頼関係を築くのは難しくなります。子どもの心情を思いやり寄り添う関係が重要です。

■ 主体性の確保

日常生活のことは、子どもたちが自分たちで主体的に考え、子ども会やミーティングなどを行えるよう支援します。また、行事などの企画や運営、余暇の過ごし方など、主体的にかかわれるよう配慮します*5。

*5 **子どもの主体性の確保**
R5年（前）

3 ケアニーズが高い子どもの現状

■ 被虐待児童*6・障害のある子ども・医療的ケアが必要な子どもの増加

施設入所児童に占める被虐待児童の割合は、前述したように、児童養護施設では半数を超え、里親では46.0%となっています。

児童養護施設の入所児童の近年の特徴のもう一つに、障害のある子どもの増加があげられます。知的障害、発達障害などと診断された子どもは、1998（平成10）年度は11.7%でしたが、2008（平成20）年には24.2%、2013（平成25）年には28.4%、2018（平成30）年は36.7%になっています。特に、知的障害、注意欠如多動症（ADHD)、自閉スペクトラム症の子どもの増加がみられます。また、医療的ケアが必要な子ども、自殺企図や行動障害の子どもも増えています。

*6 **児童虐待相談件数**
児童相談所が受理した児童虐待相談件数は、年々増加しています。2021（令和3）年度は、20万7,660件です。

■ 心理治療

虐待を受けた経験のある子ども、障害のある子どもの増加により、心理的なケアの必要性から、心理治療室を設置して定期的な心理面接などを行い、日々の援助に活かしていくことや精神科医などによる診断治療を取り入れています[*7]。

*7 心理的ケア
R4年(後)

■ SST・セカンドステップ

人間関係の問題や暴力的な行動に対して、SST(ソーシャルスキル・トレーニング)やセカンドステップ(暴力防止プログラム)などが取り組まれています。

*8 ライフストーリーワーク
R5年(後)
ライフストーリーに関する記述を選択する問題が出題されました。

■ ライフストーリーワーク[*8]

家族との分離経験をしている子どもや、複雑な環境を経てきた子どもなどに対して、自分の生い立ちや家族との思い出や、関係性を整理し、前向きに人生を歩めるようにすることです。欧米では、ライフストーリーブックで自分について整理し、語る手段として活用されてきました。

*9 家庭関係の調整
1998(平成10)年、児童福祉施設の基準に「児童養護施設の役割」として、子どもの保護者との家庭関係調整が位置付けられました。それ以前は、児童相談所の役割とされていました。

4 家庭関係の調整[*9]

■ 親子関係を大事にする

委託·入所時に、親のいる子どもは8割を超えており、「子どもの最も大きい関心ごと」である親との関係を放置しては、子どもの安定した生活は築けません。親子の状況に応じて適切に関係を調整することは重要な施設の援助となっています。面会、通信[*10]、帰省を必要に応じて実施し、親子関係の再構築を図り家族再統合に向けて援助します。

■ 親への援助

虐待を行った親への援助として、児童相談所や一部の施設ではペアレント・トレーニングなどを実施し、また、施設内での親子体験生活を通して、家族療法などの取り組みが行われています。

5 リービングケアとアフターケア[*11]

■ 自立を見通した生活

リービングケアは、イギリスの児童養護施設出身者の自立の問題を指摘した1988年のワグナー報告以後、児童養護施設からの退所後の自立を見通した退所支援というもので、生活の必要性から生まれた援助内容です。自立の力を養う内容をプログラム化することで、生活の中で職業訓練や生活訓練を行うことです。

■ 家庭復帰後、自立後の援助

アフターケアは、施設を退所した後の援助です。児童福祉施設は、施設退所後1年間について、状況を把握し援助することとされています。

■ パーマネンシー・プランニング（永続的計画）*12

要保護児童には、施設や里親などをたらい回しにされてしまう状況がありました。そこでパーマネンシー・プランニング（永続的計画）を立て、長期にわたり成長を見守る存在の確保を保障する必要があります。

*10 **面会・通信の禁止と虐待**

「児童福祉法第28条による措置（親の承諾がない場合に家庭裁判所に申し立てて施設入所を決定する）」及び「虐待を理由として施設入所した児童」の場合には、施設長の判断で、面会・通信の制限ができることになっています（2008（平成20）年児童虐待の防止等に関する法律の改正）。
裁判所が判断した施設入所の期間は2年間を超えることはできませんが、更新はできることになっています。

*11 **リービングケアとアフターケア**

R5年（後） R6年（前）

*12 **パーマネンシー・プランニング**

R4年（前）

理解度チェック　一問一答

全問クリア　　月　　日

Q

□ ❶ 「児童養護施設運営指針」には、心理的ケアを行うことが養育のいとなみの主眼であり、保育士がこれを単独で行うことで子どもとの関係形成を深めると記述されている。 R4年（後期）

□ ❷ 親とのコミュニケーションにおいて、家庭支援専門相談員に求められる技術は、「受容」「共感」「指導」である。 H31年（前期）

□ ❸ 夜間養護等（トワイライトステイ）事業において対象となる者は、保護者の仕事等の理由により、平日の夜間又は休日に不在となる家庭の児童とされている。 H30年（後期）

□ ❹ 子ども自身が自分たちの生活について主体的に考えて、自主的に改善していくことができるような活動（施設内の子ども会、ミーティング等）を行うことができるよう支援する。 R5年（前期）

□ ❺ 「児童福祉施設の設備及び運営に関する基準」（昭和23年厚生省令第63号）に定められた児童福祉施設の一般原則の中で、児童福祉施設は、地域社会との交流及び連携を図ること等が示されている。 R2年（後期）

A

❶ × 施設における他の専門職種との多職種連携の強化などにより、心理的支援に施設全体で有効に取り組むと記載されている。

❷ × 「社会的養護施設関係における親子関係再構築支援ガイドライン」（2014（平成26）年3月）では、求められる技術は「受容」「共感」「傾聴」と明記している。信頼関係を作ることが大切であり、指導する姿勢は不適切となる。

❸ ○ この事業はショートステイ（短期入所事業）とともに、児童福祉法第6条の3第3項に定められた「子育て短期支援事業」で、家庭において養育が一時的に困難となった児童を対象とする。

❹ ○

❺ ○ 「児童福祉施設の設備及び運営に関する基準」第5条2項に記載されている。

5 社会的養護の現状と課題

頻出度 ✿✿✿

社会的養護の全体像の理解と未来について展望しましょう。児童虐待の増加等、要保護児童が増加しています。社会的養護の量や質などが大きな課題となっています。なお、児童福祉法第３条の２で、子どもが養育される場が明記されました。必ず確認して覚えておきましょう。

家庭養育・家庭的養護の推進

社会的養護の全体像としての現状

1 家庭養育優先原則

2009（平成21）年に、国連総会で、「代替的養育の指針」が採択決議されました。それを受けて、日本でも児童福祉施設の最低基準の見直しが行われました。

2011（平成23）年に、社会的養護専門委員会によって「社会的養護の課題と将来像」がまとめられ、社会的養護の基本的方向として、「家庭的養護の推進」「専門的ケアの充実」「自立支援の充実」「家族支援、地域支援の充実」が示されました。具体的には、里親委託、ファミリーホーム委託を増やすことや、生活単位の小規模化として、小規模グループケアやグループホームでの養育を増やすことが示されています。

2017（平成29）年には、新たな社会的養育の在り方に関する検討会で、2016（平成30）年に改正された児童福祉法の理念を具体化するために「新しい社会的養育ビジョン*1」がまとめられ、里親委託率の向上を急ぐため、具体的な数値目標の設定とフォスタリング機関の強化等が示されました。この家庭養育優先原則を徹底するために、各都道府県は、「都道府県社会的養育推進計画*2」を策定することが求められるようになりました。

***1 新しい社会的養育ビジョン**
R4年（前） R4年（後） R5年（後）

***2 都道府県社会的養育推進計画**
児童福祉法改正等を受けて、2018（平成30）年に「都道府県社会的養育推進計画の策定要領」が示されました。計画には、「各年度における代替養育を必要とする子ども数の見込み」や、「当事者である子どもの権利擁護の取組（意見聴取・アドボカシー）」等を記載することが示されています。

2 障害のある子どもの増加

要保護児童の中で、障害のある子どもが増えています。何らかの理由があり、保護者が育てられず、また発達支援の必要性が認められた子どもは、障害児入所施設に入所します。さらに手厚い医療も必要な子どもは、医療型障害児入所施設に入所となります。しかし、障害児入所施設の数が少ないことや、児童養護施設などに入所してから発達障害など障害があることがわかってきたケースなどが増えており、里親では29.6％、児童養護施設では42.8％の障害児がいることが明らかになっています（こども家庭庁「児童養護施設入所児童等調査の概要（令和５年２月１日現在）」）。そこで、地域の児童発達支援センターなどと連携する必要性があります。特に、保育所等訪問支援事業は、児童発達支援の専門職者が、保育所や幼稚園、小学校、特別支援学校などへ通う障害児を訪問し、多くの子どもたちと集団で過ごすために必要な支援などを行う事業です。支援者は、障害児が他の子どもたちと一緒に過ごす様子を観察し、環境調整を行ったり、その現場の教職員に適切な支援方法を伝えたりするなどの支援を行います。2018（平成30）年から、乳児院や児童養護施設などに入所している障害児を訪問支援することも可能となりました。

3 子育て支援制度と母子保健制度との連携

市町村では、児童福祉法第21条の９に規定されている事業（放課後児童健全育成事業、子育て短期支援事業、乳児家庭全戸訪問事業、養育支援訪問事業、地域子育て支援拠点事業、一時預かり事業、病児保育事業及び子育て援助活動支援事業など）が実施されています。また、2024（令和６）年４月から子育て世帯訪問支援事業、児童育成支援拠点事業、親子関係形成支援事業が追加されました。地域で、産前産後や子育てに関する相談を担ってきた母子健康包括支援センターと、子ども家庭総合支援拠点の一体的な運用が望ましいことから、2024（令和６）年度から「こども家庭センター」として再編されることになりました。すべての妊産婦、子育て世帯や子どもへのソーシャルワークを用いた支援を行う機関となります。具体的には、地域の子どもや妊産婦の実状把握、情報提供、相談支援、要保護児童対策地域協議会の調整、子どもの居場所づくりなど地域の子育て支援資源の把握や創出などのほか、新たに「サポートプラン」の作成が求められています。

フォスタリング機関とは？

2016（平成28）年の児童福祉法改正により、家庭養育優先原則が示されました。そこで、都道府県が行わなければならないフォスタリング業務を具体的に示した「フォスタリング機関（里親養育包括支援機関）及びその業務に関するガイドライン」が、2018（平成30）年7月6日の厚生労働省通知で示されました。フォスタリング機関とは、里親制度の普及啓発や研修、マッチング、養育支援など、里親の包括的な支援を行う機関です。

4 社会的養育経験者の自立支援の必要性

児童福祉法の改正で、2024（令和6）年4月から社会的養護自立支援拠点事業が創設されることになりました。今までも児童自立生活援助事業があり、児童養護施設などを退所した者への居住支援や相談支援などが行われてきましたが、今回から年齢制限が撤廃されることになりました。また、都道府県はこの事業を行う義務があります。

理解度チェック　一問一答

全問クリア　月　日

Q

□ ❶ 平成28年6月に改正された「児童福祉法」では、国・地方公共団体は、家庭における養育が困難あるいは適当でない児童について、社会性を身につけさせるために、家庭における養育環境よりも集団で生活をおくれる環境で養育することを優先するとした。 H30年（前期）

□ ❷ 児童養護施設入所は、相談や通告に基づいて、児童相談所が家庭及び児童等の調査をし、所内の審議を経て都道府県知事から委託を受けた児童相談所の長が入所措置を決定する。 H30年（後期）

□ ❸ 虐待を受けた児童等を施設で養育する際に、親権を理由に保護者が「児童の福祉のために必要な施設の援助」を拒む問題が発生していることから、親権の停止制度が民法の改正により創設された。 予想

A

❶ × 家庭における養育が困難あるいは適当でない児童については「家庭と同様の養育環境において継続的に養育すること」を優先すると明記されている。

❷ ○ 乳児院、児童養護施設、児童自立支援施設、児童心理治療施設の入所措置は、児童相談所が担当している。母子生活支援施設は市町村の福祉事務所が母親等の申し込みを受けて決定する。

❸ ○ 「父または母による親権の行使が子の利益を害する時は親権を停止する審判を行うことができる」とし、その期間は「2年を超えない範囲」とされている。

保育実習理論

この科目では、保育園や児童福祉施設に実習を行うときに知っておくべきことや、音楽、造形、言語（読み聞かせ）などの保育実技など、実践的な知識が学べます。
この科目は、ある程度、出題パターンが決まっていますので、この章で学んだ知識をもとに過去問を解いていけば、合格がみえてきます。

出題の傾向と対策

過去5回の出題傾向と対策

保育実習理論の過去５回の出題を見てみると、次のような出題傾向があります。

① **保育所における保育と実習／保育者論：**保育の基本原理や保育内容上の留意事項から、保護者支援、保育士の自己評価に至るまで幅広く出題されています。また保育実習記録の記入についても出題がありました。

② **児童福祉施設における保育と実習：**児童養護施設や障害児入所施設、児童発達支援センターなどでの実習に関する問題の出題が中心です。実習生として守るべき倫理的事項、守秘義務、実習の目標や実習記録などに加えて、子どもの言動について実習生としてどのように理解し対応したらよいかを問うなど実践的な問題が出題されています。今後もこの傾向が続くと思われます。

③ **音楽に関する技術：**楽譜の反復記号やコードネーム、音程、移調、速度記号や曲の性格·感情を表す標語、楽曲（ワルツ、ポルカ、マーチなど）や歌（わらべうた、童謡など）の種類が出題されます。

- **童謡**⇒曲の歌いだし部分をリズム譜で問われたり、伴奏部分の並べ替えが出題されます。
- **楽譜の読み方**⇒反復記号・速度記号や曲の性格・感情を表す標語が問われます。
- **移調**⇒楽譜と鍵盤図が毎年出題され、曲を長○度上、短○度上（または下）に移調した時の音の位置や何調に移調したのかが問われます。
- **コードネーム**⇒「コードネームにあてはまる鍵盤の位置」が毎年出題されています。
- **楽曲や教育**⇒世界の教育法、雅楽や能など日本の音楽、階名と音名、楽器の分類、作曲家や作品について幅広く問われます。

④ **造形に関する技術：** 描画表現の発達段階に関する問題は何らかの形で毎年出題されています。各段階の名称とその時期の特徴を理解し覚えましょう。また、発達の順序に合わせて並べ替えをする問題もよく出題されています。

絵画遊びの技法、版画の技法、画材や用具の種類や特性に関する問題も多く出題されます。名称とその特徴を覚えておきましょう。また、世界の有名な絵画の技法や、代表的な絵本に使われている技法についての組み合わせ問題も出題されています。

色に関する問題も多く出題されます。12 色相環やその補色関係にある色、また混色によってできる色の明度や彩度に関する問題も出題されています。

⑤ **言語に関する技術：** 保育所保育指針の中の言葉に関する項目や、乳幼児の言葉の発達過程、絵本やパネルシアターなど表現遊びの教材の種類や内容から出題されています。

パネルシアターやペープサートなどの表現遊びの教材は、作り方の順序や必要な材料などを聞く問題、絵本は作者名を聞く問題、昔話や民話は国名などを聞く問題が出題されています。近年では、言葉の発達に関する子どもへの対応や、日常の子どもの様子と関連した内容の絵本を選ばせる問題などが出ています。

原典を確認しておきたい法律・資料

「保育原理」や「社会的養護」と関連が深い問題が出題されますので、それらの科目も確認してください。

※「リズム譜で出題されやすい曲一覧」は本書の特典データとしてご覧いただけます。詳細については362ページの案内を参照してください。

「保育実習理論」の過去５回の出題キーワード

問題	R6年（前期） 2024年	R5年（後期） 2023年	R5年（前期） 2023年	R4年（後期） 2022年	R4年（前期） 2022年
1	曲の理解	曲の理解	曲の理解	曲の理解	曲の理解
2	曲想記号	曲想記号	曲想記号	曲想記号	曲想記号
3	長三和音の理解	短三和音の理解	コードネーム	コードネーム	コードネーム
4	移調とコードネーム	移調	移調とコードネーム	移調	移調とコードネーム
5	リズム譜の理解	リズム譜の理解	リズム譜の理解	リズム譜の理解	リズム譜の理解
6	音楽に関する人物名、楽器の種類、調	唱歌の作曲者、時代、楽譜の理解	童謡の作詞者、曲の拍子、音程、調	唱歌の作詞者、曲の拍子、音程、調	童謡の作詞者、曲の拍子、音程、調
7	「保育所保育指針」第２章「保育の内容」	「保育所保育指針」第２章「保育の内容」	「保育所保育指針」第2章「保育の内容」	「保育所保育指針」第2章「保育の内容」	幼児教育を行う施設として共有すべき事項
8	描画表現の発達について	造形に関する発達理論	積み木遊びの発達過程	描画の発達過程	光と絵の具の三原色と混合
9	色の混色について	色彩について	素材について(合成繊維製テープ紐)	牛乳パックを材料とした手すき紙の作り方	はじき絵（バチック）の仕方
10	でんぷん糊について	はさみの説明や使い方について	色彩について	色彩についてと12色相環	粘土の種類と特徴
11	表現遊びの教材（児童文化財）について	フィンガーペインティングについて	制作における留意点（お面づくり）	「保育所保育指針」と表現活動	素材としての紙の使用方法とペープサートの作り方
12	切り紙遊びの切り込みの入れ方	室内飾りの切り込みの入れ方	七夕飾りの展開図	サイコロの展開図	郷土玩具張り子の作り方
13	職員の資質の向上	保育所保育指針「幼児教育を行う施設で共有すべき事項」（幼児期の終わりまでに育ってほしい姿）	保育の内容（3歳以上児、言葉）	保育の内容（乳児保育、内容の取扱い、身近なものとかかわり完成が育つ）	保育の計画及び評価
14	保育士の対応（5歳児）	職員の資質の向上（保育者）	職員の資質の向上（保護者対応）	保育の内容（3歳以上児、言葉）	保育の計画及び評価
15	保育の内容（言葉、絵本の読み聞かせ）	職員の資質の向上（記録）（環境）	保育実習（指導計画の立案）	保育実習（指導計画の立案）	保育実習(保育所)
16	健康及び安全(災害)	事例（絵本の読み聞かせの指導計画）	指導計画の展開	職員の資質の向上（保護者対応）	保育所保育指針の用語
17	保育実習	小学校との連携	保育の内容（3歳以上児、基本的事項）	絵本の読み聞かせの留意点	職員の資質の向上
18	紙芝居を演じる際の留意点	保育所保育指針、保育の基本	保育実習（観察・記録）	保育の内容（3歳以上児、基本的事項）	保育の内容（3歳以上児、言葉（回文））
19	児童養護施設の実習における対応（事例）	乳児院での実習における対応（事例）	児童養護施設での実習における対応（事例）	実習担当保育士の実習生への対応（事例）	実習担当保育士の実習生への対応（事例）
20	児童養護施設の実習における対応・自立支援（事例）	児童養護施設運営ハンドブック(実習生の受け入れ)	児童養護施設での自立支援	児童養護施設における新任職員への対応（事例）	里親支援専門相談員の対応(事例)

保育所における保育と実習／保育者論

頻出度

「保育所保育指針」に示されている発達に応じた保育の配慮事項と、養護及び教育のねらい・内容がよく出題されますので覚えましょう。また、自己評価や保育士の職業倫理についても理解しましょう。

全国保育士会倫理綱領

1. 子どもの最善の利益の尊重
2. 子どもの発達保障
3. 保護者との協力
4. プライバシーの保護
5. チームワークと自己評価
6. 利用者の代弁
7. 地域の子育て支援
8. 専門職としての責務

保育所における保育

「保育所における保育」については、科目「保育原理」第３節の「保育所保育指針における保育の基本」の項目を参照してください。

保育者論

1 保育者の役割と倫理

保育士とは「児童の保育及び児童の保護者に対する保育に関する指導を行うことを業とする者」です。保育所における保育では「保育に関する専門性を有する職員が、家庭との緊密な連携の下に、子どもの状況や発達過程を踏まえ、保育所における環境を通して、養護及び教育を一体的に行うことを特性」としています。

また保育士はその専門性に基づいた保育を行うにあたっては、「子どもの最善の利益を尊重することをはじめとした児童福祉の理念に基づく倫理」に裏付けられた知識や技術、判断が求められます。

*1 **保育士の制度的位置づけ**
過去に「保育士等」に含まれる職員を選択させる出題がありました。

2 保育士の制度的位置づけ*1

■ 児童福祉法における保育士の定義、資格及び要件

児童福祉法では、第18条の４で保育士を以下のように定義しています。

> この法律で、保育士とは、第18条の18第1項の登録を受け、保育士の名称を用いて、専門的知識及び技術をもつて、児童の保育及び児童の保護者に対する保育に関する指導を行うことを業とする者をいう。

保育士になるためには、指定保育士養成施設を卒業するか、保育士試験に合格することが必要となります。

保育所保育指針解説では、「保育士等」として保育所で働く施設長、保育士、調理員、栄養士、看護師等をすべて含むものと考えています。ただし、「保育士」は名称独占資格であり、保育士資格を有しないものが、「保育士」またはこれと紛らわしい名称を使用することはできません。また保育士の倫理については「全国保育士会倫理綱領」において、子ども観、保育士の使命と役割、子どもの最善の利益の尊重、プライバシーの保護、子どもの立場に立って言葉にできない思いやニーズを的確に代弁することなどについて示されています。

■ 欠格事由、信用失墜行為及び秘密保持義務等

児童福祉法第18条の５には、保育士の欠格事由（資格を取ることができない事由）が示されています。

第18条の5　次の各号のいずれかに該当する者は、保育士となることができない。*2

1　心身の故障により保育士の業務を適正に行うことができない者として内閣府令で定めるもの
2　禁錮以上の刑に処せられた者
3　この法律の規定その他児童の福祉に関する法律の規定であつて政令で定めるものにより、罰金の刑に処せられ、その執行を終わり、又は執行を受けることがなくなつた日から起算して三年を経過しない者

*2 **保育士の欠格事由**
こちらに挙げた事由の他に「教育職員等による児童生徒性暴力等の防止等に関する法律」で定められる児童生徒性暴力等を行ったと認められる場合にも保育士になることができない。

また保育士の信用を損なうような行為の禁止（信用失墜行為の禁止）や、秘密の漏洩の禁止（秘密保持義務）など、保育士に課せられた責任も小さくありません。

第18条の21
保育士は、保育士の信用を傷つけるような行為をしてはならない。
第18条の22
保育士は、正当な理由がなく、その業務に関して知り得た人の秘密を漏らしてはならない。保育士でなくなつた後においても、同様とする。

そのほか、虐待への対応として児童相談所への通告義務もあります（児童福祉法第25条）。

3 保育者との連携・協働

保護者への子育て支援を適切に行うために、保育所は保育所だけではなく、他の専門機関等と連携し、さまざまな社会資源を活用することが求められています。保育所保育指針解説には、特に連携・協働を必要とする地域の関係機関・関係者として、以下の施設等があげられています。

市町村（保健センター等の母子保健部門・子育て支援部門等）、要保護児童対策地域協議会、児童相談所、福祉事務所（家庭児童相談室）、児童発達支援センター、児童発達支援事業所、民生委員、児童委員（主任児童委員）、教育委員会、小学校、中学校、高等学校、地域子育て支援拠点、地域型保育（家庭的保育、小規模保育、居宅訪問型保育、事業所内保育）、市区町村子ども家庭総合支援拠点、子育て世代包括支援センター、ファミリ・サポート・センター事業（子育て援助活動支援事業）、関連 NPO 法人等

*3 **保育者の資質向上**
R4年(前)
保育士自身が行うべきことと施設長が行うべきことの両方が問われています。

4 保育者の資質の向上とキャリア形成*3

保育所では、さまざまな職員がその専門性をもって保育に当たっていますが、その質の向上については、保育所全体で課題を共有し、協働して対応を行う必要があります。そのためには施設長のリーダーシップのもと、評価等を適切に活用し、組織的かつ計画的に保育の質の向上に取り組まなければなりません。

また他の保育士等への助言や指導を行い、組織や保育所全体をリードしていく職員が求められます。このようなミドルリーダーとなる職員を育成するために、研修機会の充実を図ることも求められます。保育士もまた、自らのキャリアを考え、職位や職務に合った能力を身に付けるための研修を受けることが求められます。

*4 **カンファレンス**
R5年(後)　R6年(前)
医療や福祉などの分野で行われている話し合いの方法です。特定のケースに関連している専門家が、お互いの立場を尊重しながら、資料に基づいて解決への方向性をみんなで探っていく専門的な話し合いを意味しています。

■ カンファレンス*4 を通しての省察

気になる子どもなどの子どもの理解を深めたい、保育に行き詰まる、さらには保護者との連携のあり方など、保育では課題に直面することがしばしば生じます。そのときに、問題や課題に関係する職員が専門的に話し合う保育カンファレンスが必要になります。保育カンファレンスにより、自分では考えつかなかった視点や方向性を示唆してもらうことができます。また、保育を振り返り、組織的に解決の方向性を探っていく方法としても有効です。

保育カンファレンスでは、立場にこだわらず、若手でもベテランでも同じように発言し、意見が尊重されるような雰囲気や環境を作ることが大事です。また他の専門職から意見を聞ける場（例えば保育士と栄養士、看護師など）にもなりますので、自分と異なった視点からの意見を取り入れることも重要でしょう。いずれも対象としている子どもや場面は同じであり、それぞれの専門性から出る見解は、自らの業務にも参考になるはずです。

もちろんこの場で話し合われた内容は守秘すべきです

が、施設内で共有しておかないと対応が難しいことも生じます。同じ施設で働く職員は集団の守秘義務を負うことになりますので、施設内で共有しても、施設外には漏らさないようにしましょう。

保育の計画と評価の基本

1 全体的な計画の作成の手順

全体的な計画を編成するには次のようなことを考慮する必要があります。

① 児童福祉法等関係法令の内容の理解
② 子どもや家庭・地域の実態及び保護者の意向の把握
③ 保育理念、保育目標、保育方針等の明確化と共通理解
④ 発達過程を見通した、ねらいと内容の構成
⑤ 保育時間や在所期間の長短、子どもの発達や心身の状態、家庭の状況への配慮
⑥ 全体的な計画に基づく保育の経過や結果の省察、評価

2 長期的指導計画と短期的指導計画

「指導計画」は、全体的な計画に基づいて、保育目標や保育方針を具体化する実践計画です。指導計画は具体的なねらいと内容、環境構成、予想される活動、保育士等の援助、家庭との連携等で構成されます。

■ 長期的な指導計画（年・期・月）

1年間の生活を見通し、子どもの発達や生活の節目に配慮しながら、1年間をいくつかの期に区分します。それぞれの時期にふさわしい保育の内容を計画します。

■ 短期的な指導計画（週・日）

長期的な指導計画の具体化を図り、その時期の子どもの実態や生活に即して、柔軟に保育が展開されるように、また、長期の指導計画との関連性や生活の連続性が尊重されるよ

うにします。

*5 指導計画の作成の基本
R4年（後） R5年（後）

*6 乳児保育
R3年（前）

*7 3歳以上児の保育（表現）
R4年（後） R5年（前）

3 指導計画の作成の基本*5

■ 実態把握・育ちの理解

子どもの実態を把握し、理解することから指導計画の作成はスタートします。一人ひとりの違いを大切にしながらも、クラスやグループに共通する育ちに着目することで、集団としてのねらい、内容が見えてきます。

■ 具体的なねらい・内容の設定

実態把握を基に、子どもの発達過程を見通し、養護と教育の視点からねらいと内容を具体的に設定します。家庭生活との連続性や季節の変化、行事との関連性などを考慮して設定することが大切です。

■ 環境の構成

具体的に設定したねらいや内容を、子どもが経験できるように、物、人、自然事象、時間、空間等を総合的にとらえて、環境を構成します。

4 発達過程に応じた保育と指導計画

保育実習理論でも出題される内容ですが、詳細な解説については科目「保育原理」第３節「保育所保育指針における保育の基本」を参照してください。次ページでは、保育所保育指針の中で特に覚えておくべき箇所を紹介します。

■ 3歳未満児の保育

巻末の保育所保育指針をよく読んでおいてください。

- 乳児保育の配慮事項（２章１(3)）*6
- １歳以上３歳未満児保育の配慮事項（２章２(3)）

※（　）内は保育所保育指針の参照箇所

■ 3歳以上児の保育*7

巻末の保育所保育指針をよく読んでおいてください。

- ３歳以上児保育の配慮事項（２章３(3)）

※（　）内は保育所保育指針の参照箇所

5 記録と自己評価

『保育所保育指針解説』第１章３（３）指導計画の展開【記録と保育の内容の見直し、改善】をよく読んでおきましょう。

保育内容の理解と方法

子どもの心身の発達や子どもを取り巻く環境等と、保育所保育指針に示される保育内容を踏まえて、以下の知識を身につけ、遊びにおける経験を意識した保育を行いましょう。

○ 身につけるべき知識

1. 子どもの生活と遊びにおける他者（保育士等やほかの子ども）との関係や集団の中での育ちの理解と援助に関わる知識
2. 子どもの生活や遊びにおいてイメージを豊かにし、感性を養うための環境の構成と保育の展開に必要となる知識
3. 子どもの生活と遊びにおける様々な遊具や用具、素材や教材等の特性の理解と、それらの活用や作成に必要となる知識

○ 子どもの生活と遊びにおける体験の例

①見立てやごっこ遊び、劇遊び、運動遊び等における体験
②身近な自然や物の音や音色、人の声や音楽等に親しむ体験
③身近な自然や物の色や形、感触やイメージ等に親しむ体験
④子ども自らが児童文化財（絵本、紙芝居、人形劇、ストーリーテリング等）に親しむ体験

■ 実習生としての在り方*8

保育実習（保育所・児童福祉施設等）においては、実習生も保育者と同様に、子どもの人権や子どもの最善の利益に配慮した保育を行うことが求められます。もちろんプライバシーの保護に留意して守秘義務を守らなければなりません。子どもの生き生きした姿などに感動しても、園や子どもの様子を安易にSNSで発信したり、個人名や個人が特定されるようなエピソードを他の保護者や関係のない人に話したりしてはいけません。

一方で実習生のできることは限られています。実習中には担当の保育者が目を離したところでトラブルが発生する

*8 **実習生としての在り方**
R4年(前)
子ども同士のトラブルが起きたときに、どのように対応すべきか、事例問題で問われました。

*9 **実習日誌**
R6年（前）
守秘義務を踏まえた日誌の取り扱いについて問われました。本節の解説を理解していれば解ける問題でした。

こともありますが、怪我や事故の発生時などには、すぐに担当の保育者（いなければ近くにいる保育者）に報告して指示を仰ぐことが必要です。また子どもに関する情報は、必ず保育者とは共有しましょう。

また実習の基本として、実習の段階にふさわしい目標を設定して、適切に記録*9 をとって保育について学ぶとともに、実習指導者の指導や指示には素直に従い、自らの保育実践力の向上に努めることを意識し、実習生としてふさわしい態度で実習に臨むことが求められます。

理解度チェック　一問一答

全問クリア　月　日

Q

□ ❶ 保育所保育指針では「幼児期にふさわしい生活を通して、創造的な思考や主体的な生活態度などの基礎を培うようにすること」と記載されている。 H29年（前期）改

□ ❷ 保育所保育指針では、「幼児期の終わりまでに育ってほしい姿」のケ「言葉による伝え合い」において、「保育士等や友だちと心を通わせる中で、絵本などに親しみながら正しい言葉や表現を身に付け（後略）」とある。 H31年（前期）改

□ ❸ 全体的な計画は、地域の実態、行事などを考慮し、子どもの育ちに関する長期的見通しをもって適切に作成されなければならない。 H31年（前期）改

□ ❹ 保育実習中に、担当の保育者がいないところで子どもの噛みつきが発生したので、自らの判断でそれぞれの保護者に連絡をした。 R3年(前期)改

□ ❺ 保育所における安全対策の取り組みとして、休日保育は、通常保育とは勤務する保育士の人数が異なるため、休日保育を想定した避難訓練を計画する必要はない。 R6年(前期)

□ ❻ 指導計画の展開においては、保育課程に基づき、子どもの生活や発達を見通した短期的な指導計画と、それに関連しながら、より具体的な子どもの日々の生活に即した長期的な指導計画を作成して保育が適切に展開されるようにすること。 R5年(前期)

□ ❼ 保育所で保育実習を行っている実習生Jさんの行動や態度として、保育者同士の連携が必要なので、帰り道にカフェなどを利用して、同じ期間に実習しているKさんと実習日誌を見せ合い、担当している子どもや家族についての情報交換を行うことは正しい。 R6年(前期)

□ ❽ 保育所における保育カンファレンス当日のP保育士の行動や態度として、他の保育士の意見より、施設長や主任などの意見を尊重することは正しい。 R5年(後期)

A

❶ ○ 設問文の通りである。（保育所保育指針第2章4(2)）

❷ × 「正しい言葉」、ではなく「豊かな言葉」である。

❸ × 「行事」ではなく「保育時間」である。

❹ × 実習中の事故などについては、必ず担当保育者に報告して指示を仰ぐことが必要である。

❺ × 条件が変われば、避難の方法なども変更を余儀なくされる。計画を立て、訓練をすることが適切である。

❻ × まず現在の保育所保育指針では「保育課程」という文言は用いられていない。正しくはここに「全体的な計画」が入る。また「短期的な指導計画」と「長期的な指導計画」の位置が逆である。

❼ × 保育者同士の連携は必要であるが、実習生同士で子どもや家庭の個人情報に相当する内容を交換することは適切とは言えない。またその場所も公共の場であり、漏洩の恐れがある。

❽ × 園内の研修では、肩書に左右されず、よい意見や提案を積極的に受け入れるべきである。

児童福祉施設における保育と実習

頻出度 ✤✤✤

「児童福祉施設の設備及び運営に関する基準」から配置される職員の資格や職名などがよく出題されています。また、近年は特に、実習のために必要な事前学習の内容、実習生の記録、実習生としてとるべき子どもへの対応についての出題が増えています。社会的養護の基本理念や原理[*1] をおさえた上で、各施設で生活する子どもの理解を深めるとともに児童養護施設運営指針は必ず、また、その他の施設の運営指針も目を通しておきましょう。

①生活支援計画

②家庭支援計画

③地域支援計画

児童福祉施設の役割と機能

児童福祉施設の役割は、社会的養護の基本理念であげられている、「子どもの最善の利益」「すべての子どもを社会全体で育む[*2]」を実践することです。また、機能は、それを実践していく上で施設が整えなければならない働きの内容です。

この理念及び社会的養護の機能[*3]、社会的養護の原理[*4] に基づいて施設養護は行われます。

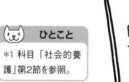

ひとこと

*1 科目「社会的養護」第2節を参照。

ひとこと

*2 詳細は、科目「社会的養護」第1節「社会的養護の意義と歴史」を参照。

知っトク

*3 **社会的養護の機能**
「社会的養護の課題と将来像」には、社会的養護の機能として3つがあげられています。「養育機能」「心理的ケア等の機能」「地域支援等の機能」の3つです。

2016（平成28）年の児童福祉法改正、2017（平成29）年の「新しい社会的養育ビジョンの策定」を踏まえ、施設の高機能化（大きな困難を抱えている子どもへの対応ができる機能）、多機能化（施設で育てるだけでなく家庭支援、里親支援等の機能）が現在の重要な課題になっています。

ひとこと

*4 社会的養護の原理については、「社会的養護」第2節、「社会的養護の基本」を参照。

安全・安心の養育
・明るく衛生的な住環境と心身の発達に適切な食事、季節に応じた適切な衣類を保障します。 ・児童の心情を理解し、寄り添い、困った時には安心して相談できるようにかかわります。 ・他児による危害や虐待を行う親等による危害から児童を守ります。
個の尊重と個別化・一貫性のある養育
・集団の一律対応を行わず、一人ひとりを尊重して、児童それぞれに応じた援助を個別に行います（個別化）。 ・可能な限り同一の保育者による援助を継続し、また、職員のかかわりを統一して一貫性のある養育を行います。
親子関係の尊重と家庭関係調整の推進
・親子の状況に応じて、適切な関係を援助し、親子再統合*5 を推進します。
地域の児童及び子育て家庭の支援の推進
・2003（平成15）年の児童福祉法改正で、児童福祉施設の地域における役割が明記されました。児童虐待等の増加で、地域における要保護児童及び援助を必要とする家庭への支援が重要となったからです。施設に入所する児童の保育・保護・生活に支障のない範囲で行うことになっています。
家庭と同様の養育環境、できる限り良好な家庭的環境での養育*6
・大規模な施設養護ではなく、家庭と同様の養育環境（里親養育）で継続的に、できる限り良好な家庭的環境（小規模グループケア・グループホームでの家庭的養護）での養育を保障していくことが重要な課題とされています。

用語解説

*5 **親子再統合**
「家庭復帰」が長年使われてきましたが、近年は、単に親元に戻って生活することに限らず、親子関係を適切な状態にすることを含んで親子再統合という言葉が使われています。

知っトク

*6 **家庭と同様の養育環境、できる限り良好な家庭的環境での養育**
2016（平成28）年の児童福祉法改正で第3条の2に、家庭で養育できない子どもの養育としてこの内容が規定されました。児童福祉法第1条～第3条の2の条文を理解しておきましょう。

児童の生活の実際

1 児童福祉施設共通の生活の実際

■ 安全で快適な生活環境

知っトク

*7 基本的欲求
マズロー（Maslow, A. H.）の欲求5段階説では、基本的欲求として、食事や排泄などの生理的欲求、身の安全や身分の安定などの安全要求があるとされています。

*8 生活の組み立て
施設では、1日の生活の目安として「日課」が定められ、子どもの年齢に応じて生活のルールなども決められています。

児童等の基本的欲求*7（食事・排泄・衛生・睡眠）を満たし、安全で快適な生活環境のもとで、年齢に応じた基本的な生活習慣が身に付くように生活が組み立てられます*8。そして、文化的な生活の保障に加え、困った時に助けてくれる人、理解してくれる人、守ってくれる人としての職員の存在のもとに、自分の良さが発揮され評価される生活が大事にされています。

■ 適切な体験を保障する生活

施設では、日々の生活体験とともに、四季折々の行事や集団生活の良さを活かした活動が展開されています。節分やひな祭り等の季節の行事や夏休みの海水浴等のプログラム、その他多くの行事やイベントもあります。これらは、安心できる大人に見守られた中で、不足している多くの体験を通して成長を保障するとともに、子どもたちが日々の生活で行う行事等での役割において「目標」を持ち、前向きな生活を送る上でも重要なものとして用意されます。

■ 児童の居室と職員

例えば児童養護施設では、児童の居室1室の定員は、2011（平成23）年の基準の改正で、乳幼児のみの居室は6人以下、その他は4人以下となりました。施設は、部屋の規模に応じて1人担当、複数担当等の担当職員を配置し、子どもたちとともに生活を組み立てます。なお、個別対応職員、心理療法担当職員、その他の職員*9と連携して、養育を行います。

ひとこと

*9 施設の職員の詳細については、科目「社会的養護」第3節「社会的養護の制度と実施体系」を参照。

2 乳児院の養育と生活*10

■ 健康管理と個々の発達段階に応じた生活のリズム

乳児は特に、病気等の感染が心配されます。毎日の検温等や医師による定期的な検診を行います。また、乳児の発達段階*11について理解し、個々の成長のリズムに合わせて毎日の食事・睡眠・排泄・入浴・遊びなどを安定して提供しています。

■ 愛着関係*12の形成

親と分離された乳児は、親を支援して親との愛着形成を大事にするとともに、担当保育士が十分に乳児のニーズを把握し、かわいがり、気持ちの交流を丁寧にすることで愛着障害*13とならないようかかわります。乳児の生きる力を強めるためにも愛着関係の構築は最も重要です。

3 児童養護施設の養育と生活*14

■ 適切な人間関係を形成できる生活

集団生活や学校生活などで、日常生活で起こる様々な問題を解決できる力が身につくよう子どもの気持ちや想いを受け止め、話し合いを大事にして、他者との関係を適切に理解できるように進められます。

■ 生活技術の習得や自立への準備

年齢に応じた生活の自立、学力の向上、将来の生活に必要な生活技術や職業への意識向上のために、ボランティアを活用した学習指導、職場体験、パソコン等の教習、自立生活の体験などが計画的に行われています。

4 障害児入所施設等の養育と生活

■ 生活の自立への援助

障害のある児童にとっては、日々の生活体験を積み重ねることで生活技術を身につけることが重要です。身体の機能障害や知的な障害により、生活技術を身に付けるには時

*10 乳児院での実習
R5年（後）

ひとこと

*11 乳児の発達段階については、保育所保育指針などで確認しましょう。

*12 愛着については、科目「保育の心理学」及び「社会的養護」を参照。

用語解説

*13 愛着障害
愛着障害は、特定の養育者との密接な愛着関係が損なわれた子どもにみられる問題で、人との距離の関係をはかれず、誰にでも愛着を示す「脱抑制型対人交流障害」、誰にも愛着を示さない「反応性愛着障害」が知られています。

ココが出た！

*14 児童養護施設での実習
R4年（後） R5年（前）
R5年（後） R6年（前）
「児童養護施設運営ハンドブック」に示された時修正の受け入れについての記載も確認しておきましょう。

間がかかります。スモール・ステップ*15 を組み立てて、できる喜びを大事にして援助を行います。

■ 医療型障害児入所施設*16

病院としての設備と職員により、治療及び身体の機能維持･回復を図ることも重要な内容となっています。しかし、病院ではなく生活の場であるため、温かみのある環境設定になるように配慮したり、子どもらしい生活を送れることを大切にして支援が行われています。

用語解説

*15 **スモール・ステップ**
目標の中で、それを少しずつ達成していくための小さなステップをわかるように組み立て、1ステップの達成ごとにシールを貼るなどして達成感を得る仕組みです。

ひとこと

*16 科目「社会的養護」第3節の項目「3 施設養護の実施体系」→「医療型障害児入所施設」を参照。

5 児童心理治療施設の養育と生活

適切な環境のもとで、適切な日常生活や人間関係を体験することが重要です。生活体験を通して治療する「総合環境療法*17」が取り入れられ、怒りや攻撃などの気持ちや自傷などの行為を自ら調整する力を養い、情緒の安定を図る生活が大事にされています。

用語解説

*17 **総合環境療法**
適切な環境のもとで生活体験を行い、セラピスト及び職員とともに自らの目標設定のもと、生活の中で治療を行っていく方法で、多くの児童心理治療施設で実践されています。

6 児童自立支援施設の養育と生活

日々の暮らしを学ぶ生活（暮らしの教育）として、リズムのある規則正しい生活､知識･学力を身に付ける生活（学びの教育）をします。入所している児童には学習の機会に恵まれず学力不足で、将来目標が持ちにくい傾向があるため、学習指導が計画的に進められ、働く体験や人の役に立つ体験のできる生活（働く教育）により、自らの達成感を体感し、自己肯定感を高める学びが行われます。農作物の栽培や木工等の製作などが生活の中に組み込まれています。

暮らし、学び、働く教育体験を中心に、集団生活の中で人間関係を学び、職員との関係を通して大人や社会への信頼を回復し、問題行動等の改善と社会生活への適応及び自立を支援します。

7 母子生活支援施設の援助と生活

「配偶者からの暴力（DV）*18」から保護される母子の入所が増えており、安全な生活を保障できるように進められています。また、児童には、保育士等の適切なかかわりにより母親のかかわりの不足分を補い、生活と発達が保障できるように援助が行われます。

母親の児童養育の力を高めるために、入所する児童の母親による養育を援助し、母親の相談に乗り子育てを支援します。母子の生活が自立して行えるように、母親としての日常生活の習得や就労についての支援、住居についての支援を行っています。

ひとこと

*18 2023（令和5）年調査では、入所世帯の50.3％がDVを理由として入所しています。

8 施設で生活する子どもの理解

親とともに生活できない状況にある子どもへの理解は重要です。子どもの理解があってこそ適切な対応ができます。

■ 子ども理解の基本

親元を離れて生活する寂しさや不安が根底にあります。適切な生活経験が不足しており、被虐待体験などマイナス体験をしている子どもが多く、そのため、年齢相応に育っていなかったり、間違った認知·認識をしていたりします。障害を持つ子の場合も、障害により理解力や認知が不適切になっています。そのことにより失敗も多く、人間関係でも誤解したり誤解されたりすることが多くてトラブルになりやすいといえます。そのような中で必死に頑張って生きている現実を理解することが基本です。試し行動や問題行動は愛されたいと必死で生きる中で生まれる言動といえます。

■ 適切に子どもを理解するために

子どもは、一人ひとり違います。次の点に注意しながら、アセスメントにより理解を深めます。

① 子どもの言動には必ず子どもなりの理由がある。子どもの声に耳を傾け、寄り添い、ともに考えること。
② 子どもの施設入所に至った経緯を正確に把握すること。
③ 子どもにとって最も大きな関心ごとである親・家族の状況を把握すること。
④ 子どもの得意を見つけること、子どもの良い面を見つけて評価すること。
⑤ 職員及び関係機関、関係者で情報を共有し、子どもへの理解を深めること。

支援計画の作成と実践

ひとこと

*19 科目「社会的養護」第4節の項目「3 施設養護の支援内容」→「アセスメントと自立支援計画書」を参照。

施設は、自立支援計画書*19 を策定して援助を行うことが定められています。

■ 自立支援計画書の作成

児童相談所の援助指針において、児童相談所が児童と保護者のニーズを探って示したものを参考に、実際の施設での生活状況を観察した上で、児童と保護者の意見を尊重して自立支援計画書が施設において作成されます。この計画書は、生活支援計画、家庭支援計画、地域支援計画の３つの内容から構成され、職員会議等で十分に議論・検討して作成しなければなりません。

■ 自立支援計画の実践

自立支援計画は、半期に１回は実践状況を総括して見直しを行い、適切に計画を整えて実践することが求められます。施設では、児童一人ひとりについて計画の達成度を確認（児童や保護者の意見を取り入れて）し、児童の成長等の評価を行うとともに、職員の役割を確認し、職種間の連携や関係機関との連携を図り実践していきます。

記録と守秘義務・自己評価

記録には、施設としての機能を果たすための文書（会議の記録、計画文書、実施記録、総括文書、業務日誌など）と、児童の日々の生活を記録し成長発達を支援・保障するための育成記録があります。記録は、交代制で勤務する職員が共通理解と共通認識を持って一貫した養育を実践する上で不可欠です。また、児童の成長を記録する重要なものです。

施設にかかわる関係者には守秘義務があります。児童を守るために情報を漏えいしてはいけません。記録は個人情報が含まれているため、関係機関や実習生にも記録や日誌の作成において同様に守秘義務があります*20。

自己評価は、記録を活用して「職員のかかわり」について振り返ることをいい、児童の権利擁護と養育の向上に不可欠です。施設は自己評価を行い公表することになっています。

*20 **実習での守秘義務や態度**
R6年(前)
保育実習を行っている実習生の行動や態度に関して、実習日誌における個人情報の扱いなどについて出題されています。

保育士の役割と職業倫理

児童養護施設等での不適切な対応が大きな問題となり、2008（平成20）年には、児童福祉法に「被措置児童等虐待の防止」が条文化されました。その後、各施設種別団体が「倫理綱領*21」を作成し、児童の権利擁護*22 を重要な課題として取り組みを進めています。

*21 **倫理綱領**
全国社会福祉協議会に所属する乳児院、児童養護施設、知的障害児（者）施設等の業界ごとの協議会が「倫理綱領」を相次いで発表しています。

1 最も信頼できる大人としての役割

保育士は、児童にとって最も身近な大人として、日常生活をともに行う中で、児童との愛着関係、信頼関係を築き最も信頼できる存在となることが求められます。

ひとこと

*22 **権利擁護**
科目「社会的養護」第5節の項目「子どもの人権擁護と社会的養護」を参照。

2 意見の尊重*23

児童に影響する事柄については、児童の年齢や能力に応じて児童の意見を尊重し、意見が取り入れられない場合にはわかりやすく説明します。生活については児童間で適切に話し合いを行うよう援助する役割があります。

*23 **意見の尊重**
R6年(前)
児童養護施設での子どもの支援における児童の意見尊重と自立支援について問われました。

3 不適切なかかわりの禁止等の権利擁護

丁寧な言葉で接し、体罰等児童の心身に苦痛を与える言動や対応を行ってはなりません。児童の良い面、積極面を評価し、不十分な面や問題行動等については、その改善を温かく見守ります。

4 利用児（者）本位の援助

保育士等援助者は、常に利用児本位（児童の最善の利益）に基づき、児童の権利擁護に立った援助を行わなくてはなりません。

理解度チェック　一問一答

全問クリア　　月　　日

Q

□ ❶ 児童発達支援センターでの実習でUさんは、軽度の知的障害のある子どもたちと音楽にあわせて体を動かす活動をしていたら、5歳の女児Yちゃんが突然5歳男児のIくんの頭を強くたたき始めたので、Iくんの被害を食い止めるために、「私を代わりにたたいて」と伝え、気がすむまでたたかせた。 H31年(前期)

□ ❷ 乳児院からの措置変更で児童養護施設に入所したJ君（8歳、男児）は、施設の他の子どもたちとテレビを見ている場面で担当保育士に「なんで俺の親は施設に預けたの?」と質問した。担当保育士は、他の子どもたちがいない場所に移動し、担当保育士の知っている情報について包み隠さず話した。 R3年(前期)

A

❶ × このような場合の対応は、Yちゃんのたたく行為を制止し、興奮を静めるよう努め、興奮が収まった後にYちゃんと一緒に振り返りをすることが大切である。

❷ × J君の出自（出生や生い立ち）の伝え方や内容について、職員会議等で確認してから、後日伝える場を設ける。

□ ❸ 児童養護施設の保育士Iさんは、担当児童F君の態度ついて主任保育士Tに助言を求めたところ、F君の態度の背景についての情報を収集して分析するよう指示された。この指示内容は専門用語でアセスメントという。 H30年(前期)

□ ❹ 児童自立支援施設における生活指導及び職業指導は、すべて児童がその適性及び能力に応じて自立した社会人として健全な社会生活を営んでいくことができるよう支援することを目的として行わなければならない。 予想

□ ❺ 児童心理治療施設においては、児童が入所した日から、医師又は嘱託医が適当と認めた期間、児童を観察室に入室させ、その心身の状況を観察しなければならない。 R2年(後期)

□ ❻ 児童養護施設で実習を行ったSさんは、「子どもたちの言動の背景について検討する」ために、子どもたち全員に入所理由や家族の所在などの個人情報について直接質問した。 H29年(後期)

❸ ○ アセスメントは、児童の言動の背景を理解するために情報収集とその分析を行い、児童にとって最も適した支援を見つけ出すための相談援助のことであり、施設ではアセスメントにより支援計画を立てて支援を行う。

❹ ○ 児童福祉施設の設備及び運営に関する基準第84条の文章である。

❺ × この記述は児童心理治療施設ではなく乳児院に関しての記述である。

❻ × 子どもたちにとって、入所理由や家族のことは非常に重い事柄であり、実習生の立場での行為は子どもの心をさらに傷つけることになる。実習生自らの関心ごとを優先させるのでなく児童の最善の利益を考えて実習を行わなくてはならない。

3 音楽に関する技術

頻出度

音楽は歌のテーマや曲の並べ替え、移調やコードネーム、記号や標語を中心に出題されます。楽譜や鍵盤の読み方とあわせて、世界の音楽や教育法、日本のわらべうたや唱歌などの理解も深めましょう。

楽譜の仕組み

楽譜*1 には、さまざまな記号が書かれていますが、ここでは楽譜に書かれている記号の意味や音価（音符や休符の長さ）、音名・階名の違いを解説します。

ココが出た！
*1 楽譜
ほぼ毎年、曲の伴奏部分の並べ替えが出題されています。

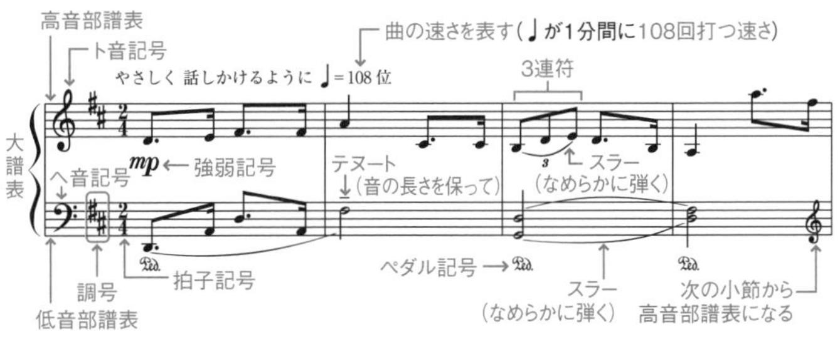

1 五線

楽譜は５本の平行線に音を配置して音の高さを表すもので、これを五線譜といいます。線と線の間を「間（かん）」と呼びます。五線に入りきらない音を書く時は、五線の上下に線を加えます（加線）。

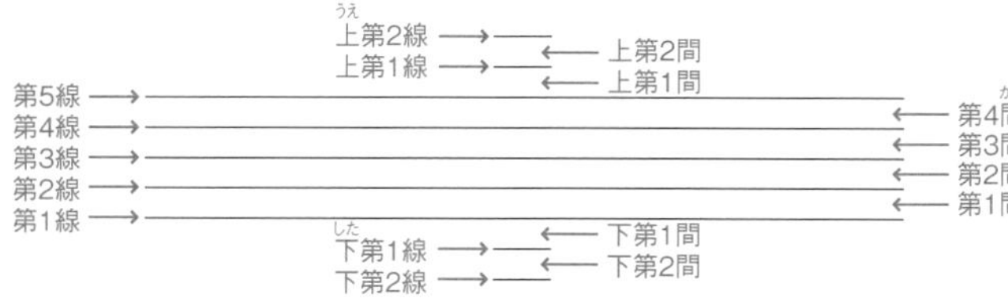

2 音部記号

五線の一番左に書いてある記号を音部記号といいます。ト音記号とへ音記号*2 があります。音部記号には、音の高さを決める働きがあります。

用語解説

*2 **ト音記号とへ音記号**
その昔、ト音記号は「G」の文字、へ音記号は「F」の文字で表されていました。現在の形はGとFが変化して作られたものです。記号の書き出しの線がト音、へ音になっています。

3 大譜表*3

低音部譜表（へ音記号がついた譜表）や高音部譜表（ト音記号がついた譜表）を組み合わせたものです。ピアノなど鍵盤楽器を演奏する場合は原則として低音部譜表を左手で、高音部譜表を右手で弾くこととなっています。

知っトク

*3 **総譜（スコア）**
合奏や合唱をする場合にそれぞれの楽器やパートの譜表をひとまとめにしたものを総譜といいます。

用語解説

*4 ハ（上に点）
ハ（上に点）の読み方は「一点ハ」。高さの違う音名は、音名の上に・(点)をつけたりひらがなを使用したりして表記します。

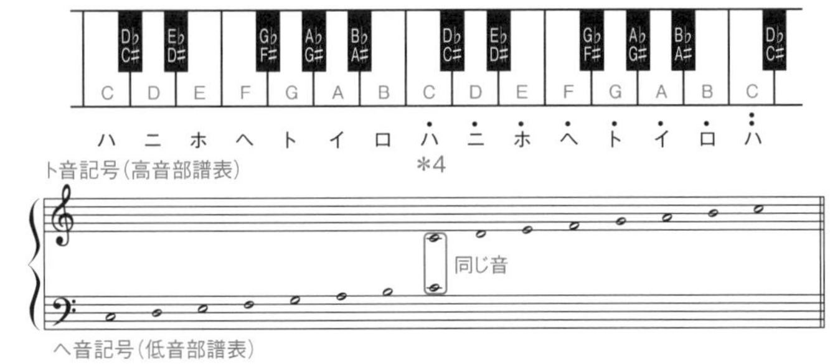

音符を一時的にオクターブ（完全８度）を上げたり下げたりしたい時はオクターブ記号を使います。

オクターブを上げるとき：
五線の上に8vaと書いて点線で範囲を示します。

オクターブを下げるとき：
五線の下に8vaと書いて点線で範囲を示します。

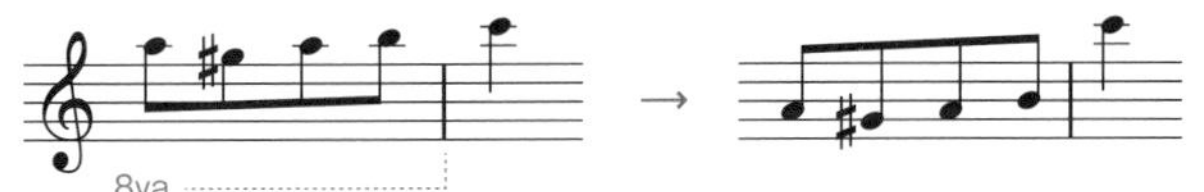

用語解説

*5 ドレミ
ドレミは11世紀にイタリアの僧侶グイードが聖歌の音の高さを示すために考案しました。現在のド～ラはグイードがつけたものです。シについては後世の人がつけたとされています。

4 音名（音の名前）

音の名前というと、「ドレミ*5」が思い浮かびますが、「ドレミ……」という読み方はイタリア語の音名です。音名は各音につけられた調に関係のない名前で、国によって表し方が異なります。

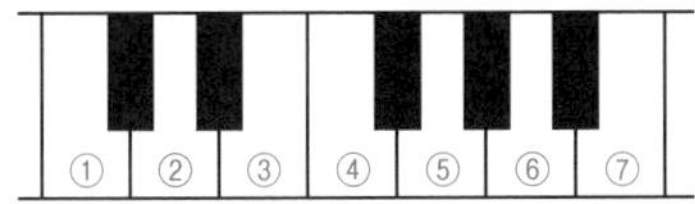

	①	②	③	④	⑤	⑥	⑦
イタリア語	Do (ド)	Re (レ)	Mi (ミ)	Fa (ファ)	Sol (ソ(ソル))	La (ラ)	Si (シ)
日本語	ハ	ニ	ホ	ヘ	ト	イ	ロ
英語	C	D	E	F	G	A	B
ドイツ語	C (ツェー)	D (デー)	E (エー)	F (エフ)	G (ゲー)	A (アー)	H (ハー)

■ 階名（音の役割の名前）*6

階名は音の役割の名前で、音名と異なり調によって読み方が変わります。また、階名ではイタリア語の音名の読み方が使われます。長音階の一番始めの音を「ド」と読む、階名を使って歌う歌い方を「移動ド唱法（階名唱法）」といいます。

次の「かえるのうた」の楽譜で確認してみましょう。

＊6 階名
階名とそれに該当する音名を問う問題が出題されたことがあります。階名と音名の違いをしっかり押さえておきましょう。

5 半音と全音

鍵盤の隣同士の音を半音といい、半音２つ分を全音といいます。

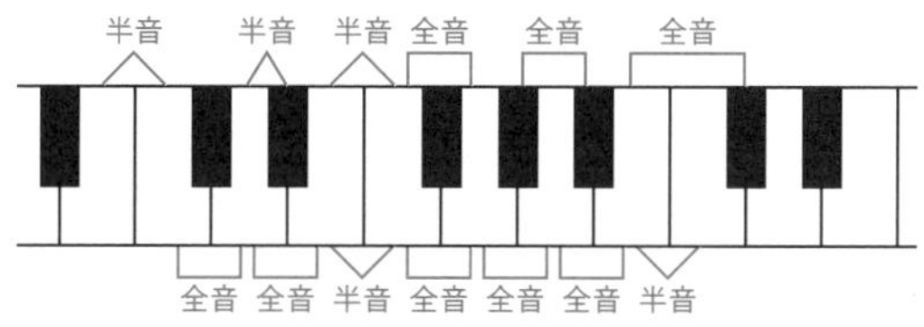

6 変化記号

音の高さの変化を表す記号で、音の左側につける記号です*7。

変化記号（♯と♭）がつかない音を幹音（かんおん）といい、ついた音を派生音（はせいおん）といいます。また、レの♯とミの♭のように、表記は異なりますが鍵盤上での同じ音を異名同音（いめいどうおん）*8 といいます。

*7 **変化記号と鍵盤の位置**
♯や♭がついた音が黒鍵になるとは限りません。
例えば右図のように「変ハ」は「ロ」と同じで白鍵です。

*8 **異名同音**
右の鍵盤で、「嬰ハ」と「変ニ」のように同じ鍵盤に2通りの音名があることがわかります。このように同じ音でも音名の違うものを異名同音といいます。

変化記号	読み方	日本音名	記号の意味
♯	シャープ	嬰（えい）	半音上げる（ピアノでは1つ右の鍵盤に移動）
♭	フラット	変（へん）	半音下げる（ピアノでは1つ左の鍵盤に移動）

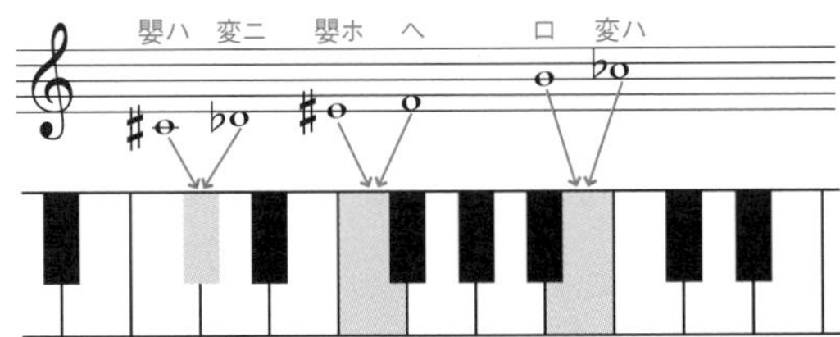

♯や♭をつけて変化させた音を、もとに（幹音の状態に）戻すには、♮（ナチュラル）記号を使います。

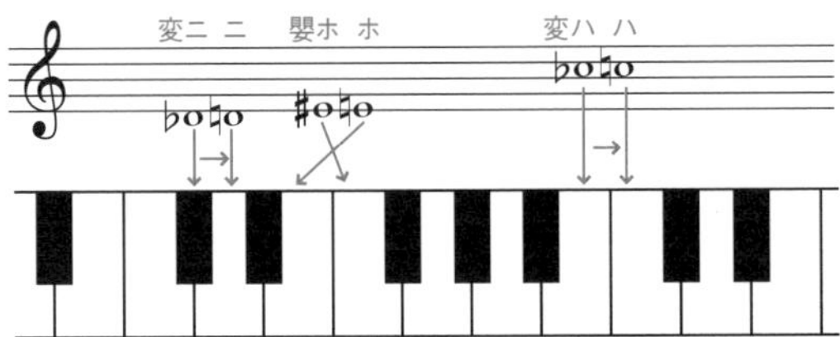

♯や♭は臨時的に使う場合と音部記号の後ろにつける「調号」の場合があります。音部記号の後ろについている♯や♭を「調号」といいます。曲の途中で使われる（音符の横についている）場合は臨時記号といい、効果はその1小節のみとなります。

7 音符

音符は音を表す記号であり、その種類によって音の長さを表すことができます。

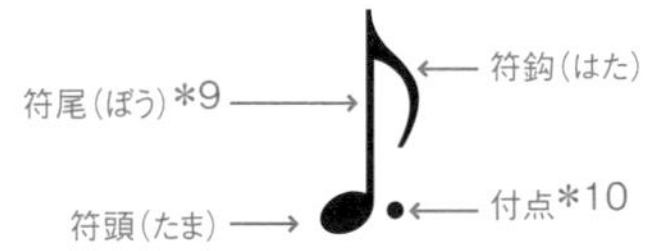

■ 音符の長さ*11

音符の名前には「２分音符」や「４分音符」など「分」という文字が使われています。これはもとになる音符（全音符）を長さの基準として分割して作ったという意味です。「２分音符」や「４分音符」はそれぞれ全音符の２分の１、４分の１の長さであるととらえます。

■ 休符

休符は休みを表し、その長さ分は音を出さずに休む時に用います。付点休符の名前と長さは音符の場合と同じです。

知っトク

*9 **符尾**

符尾（ぼう）の向きは、楽譜上に音符を書く時の原則として、第三線から上に符頭（たま）がある場合は符尾（ぼう）を下向きに書きます。符尾（ぼう）が上向きか下向きかによって、符鉤（ふこう）（はた）の向きも変わります。

用語解説

*10 **付点**

付点は音符の右側につきます。付点はその音符の2分の1の長さにあたります。

例 ♩.（付点4分音符）の長さは♩＋♪（1.5倍）となります。

※ ♩..（複付点４分音符）の長さは♩＋♪＋𝅘𝅥𝅯（1.75倍）となります。

知っトク

*11 **音符の長さ**

「はた」のついた音符は、「はた」をつないで1拍になるようにまとめるとわかりやすいです。４分音符を1拍とした場合は8分音符は2つに、16分音符は4つにつなぎます。

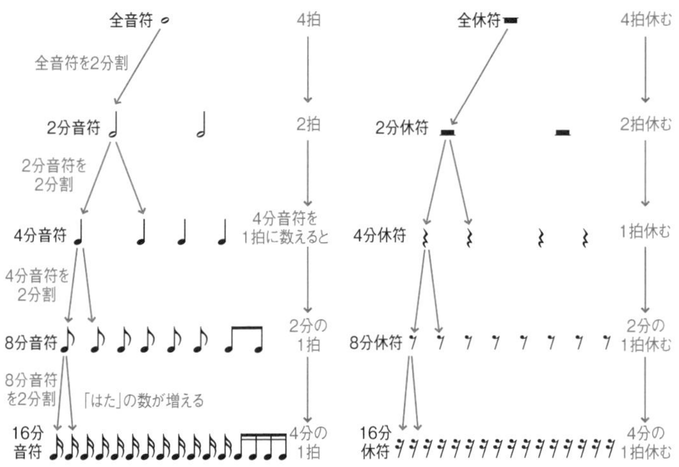

音程

*12 **音程**
楽譜と鍵盤が試験用紙に描かれ、曲を移調した後の音の位置や、コードネームがほぼ毎年問われます。

音程*12は、カラオケのキーチェンジの時のように音を移動する「幅」を伝え、音階やコード（和音）を理解するにあたって大切な項目です。

音程とは、音と音の距離のことです。音程の単位は「○度」で数えます。

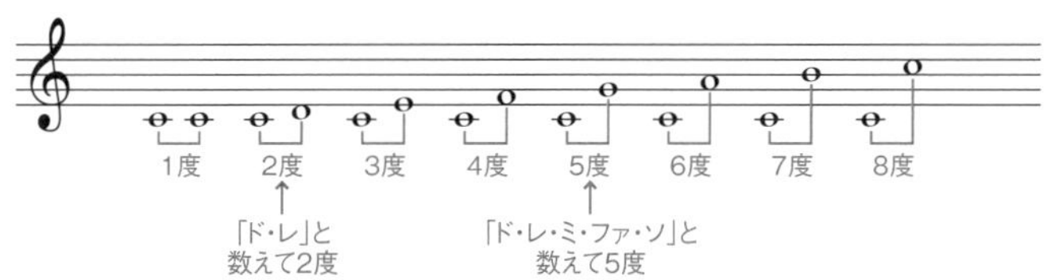

※同じ音同士は0度ではなく、1度と数える。

度数の数字は、音に変化記号（♯や♭）がついても変わりません。

長 2度

度数を表す（1度、2度、3度など）

種類を表す（完全・長・短・増・減など）

1 半音と全音

※半音と全音については、鍵盤を見ながら考えよう。

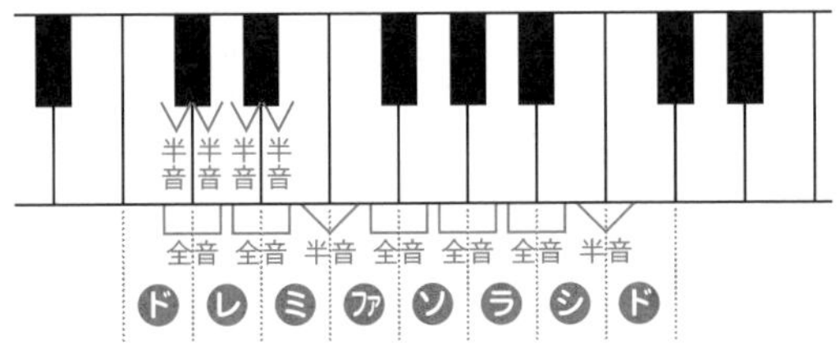

■ 半音

「ド」とすぐ右隣の黒鍵「♭レ」や、「ミ」と「ファ」、「シ」と「ド」のように隣り合っているものをいいます。一番近い音との関係です（短2度）。

■ 全音

「ド」と「レ」や、「ソ」と「ラ」のように、黒鍵一つをはさんで隣り合うものなどをいいます。全音は半音＋半音（長2度）の音程になります。

2 長2度と短2度の違い

同じ2度でもドとレ、ミとファでは距離が異なります。

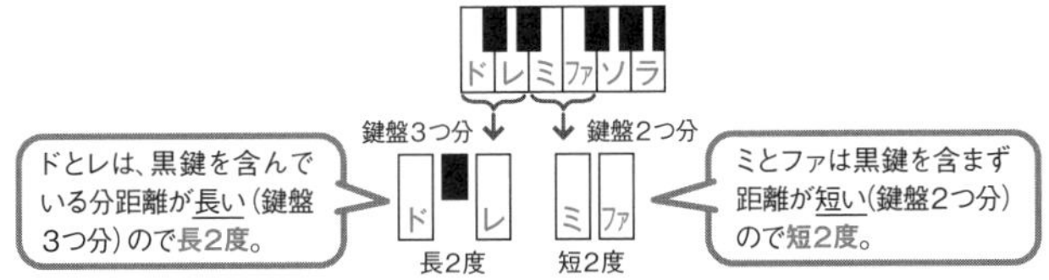

また、音程には完全系と長短系の種類があります（次ページの図参照）。

*13 **完全系の覚え方**
完全系では「増4度」「減5度」以外はすべて「完全○度となります」

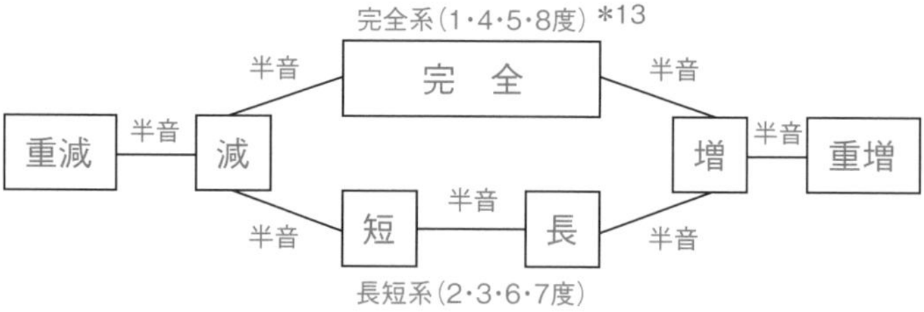

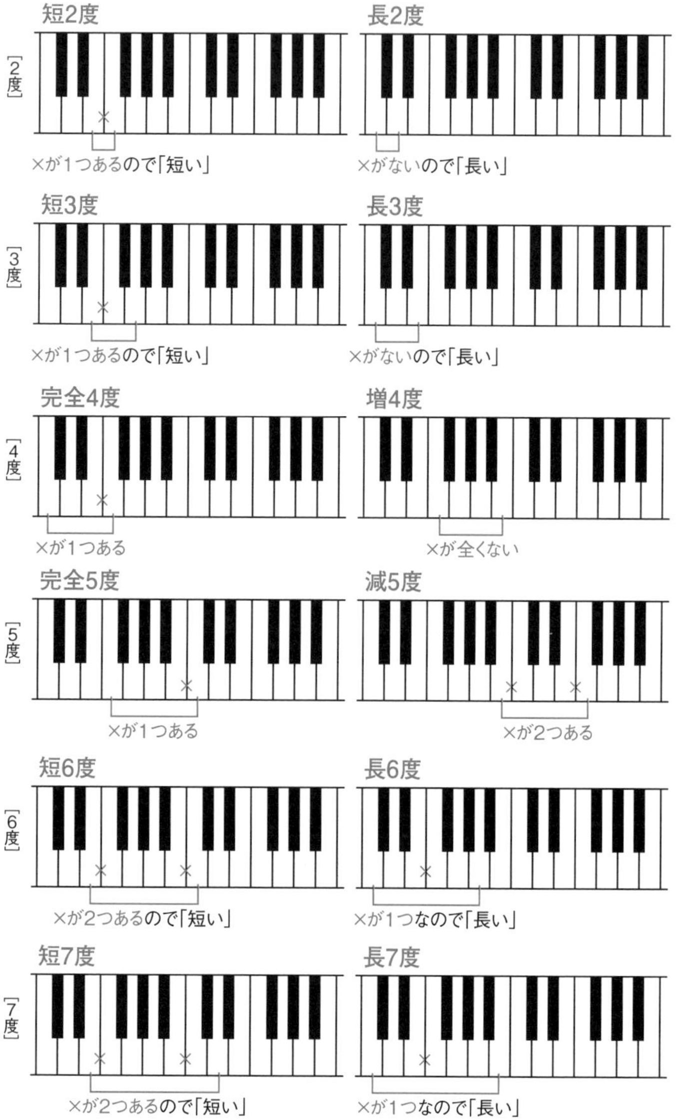

完全系（1・4・5・8度）*13

重減	半音	減	半音	完全	半音	増	半音	重増

重減 —半音— 減 —半音— 完全 —半音— 増 —半音— 重増

減 —半音— 短 —半音— 長 —半音— 増

長短系（2・3・6・7度）

〔2度〕

短2度
×が1つあるので「短い」

長2度
×がないので「長い」

〔3度〕

短3度
×が1つあるので「短い」

長3度
×がないので「長い」

〔4度〕

完全4度
×が1つある

増4度
×が全くない

〔5度〕

完全5度
×が1つある

減5度
×が2つある

〔6度〕

短6度
×が2つあるので「短い」

長6度
×が1つなので「長い」

〔7度〕

短7度
×が2つあるので「短い」

長7度
×が1つなので「長い」

短	の音程のものに♯や♭がついて音の幅が広くなったら	短	は	長	になります。
長	の音程のものに♯や♭がついて音の幅が広くなったら	長	は	増	になります。
長	の音程のものに♯や♭がついて音の幅が狭くなったら	長	は	短	になります。
短	の音程のものに♯や♭がついて音の幅が狭くなったら	短	は	減	になります。

※完全系に♯や♭がついたら「増」や「減」になる。

完全	の音程のものに♯や♭がついて音の幅が広くなったら	完全	は	増	になります。
完全	の音程のものに♯や♭がついて音の幅が狭くなったら	完全	は	減	になります。

コードネーム

コードネーム[*14] に関する問題は構成されている音が鍵盤ではどの位置にあてはまるのか理解しないと解けない問題です。実際に何度も弾いて覚えましょう。

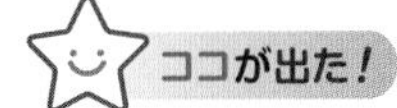

*14 **コードネーム**
コードネームに関して毎年出題されています。楽譜に書かれている3和音からコードネームを読み取れるようにしましょう。

1 コードネームとは

コード（Chord）とは、２つ以上の音が同時に鳴った時に生じる響き＝「和音」のことです。

コードネームとは音の積み重ね方の種類を表す名前で英語の音名を使って表します。コードネームを理解するために、まず英語音名の復習から始めましょう。

ド	レ	ミ	ファ	ソ	ラ	シ
C（シー）	D（ディー）	E（イー）	F（エフ）	G（ジー）	A（エー）	B（ビー）

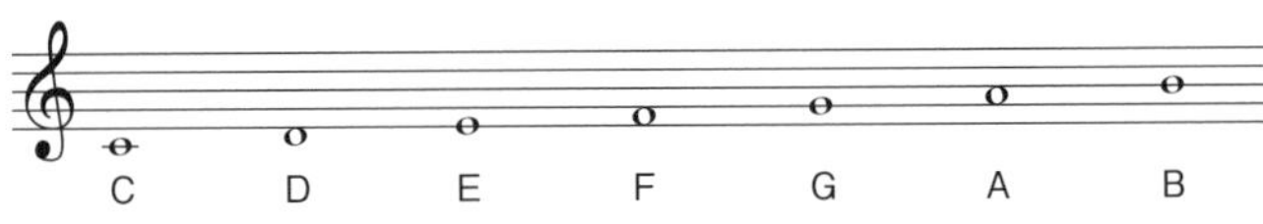

一つ飛ばしで音を重ねていくと、こんなコードになります ↓

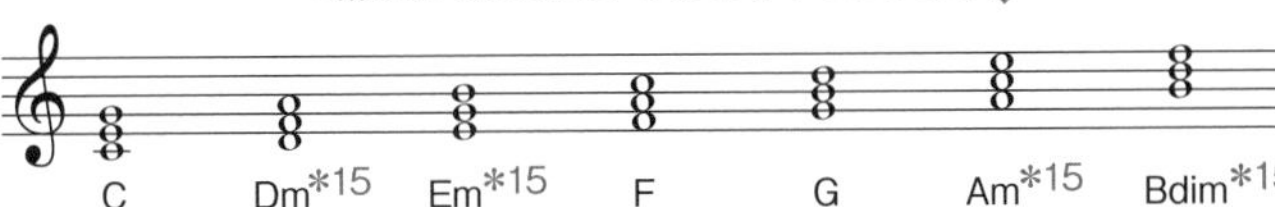

用語解説

*15 **mとdim**
mはマイナー（短３和音）、dimはディミニッシュ（減3和音）と読みます。他にaug（オーグメント：増3和音）やsus（サスペンディッド）などがあります。
なお、Fの音が半音高くなった音は「F♯」と書いてエフシャープと読みます。同じようにEの音が半音低くなった場合は「E♭」と書いてイーフラットと読みます。

2 コードネームの表記

コードの根音(こんおん)(ベース音)を表す⟶ Cm ⟵ m aug dimなど和音の特徴を示す

※注意：メジャーコード（長３和音）の場合はＣのみでほかに何も書かない

コードの種類をCで比較してみましょう。メジャーコード（長３和音）とマイナーコード（短３和音）の違いは第３音にあります。

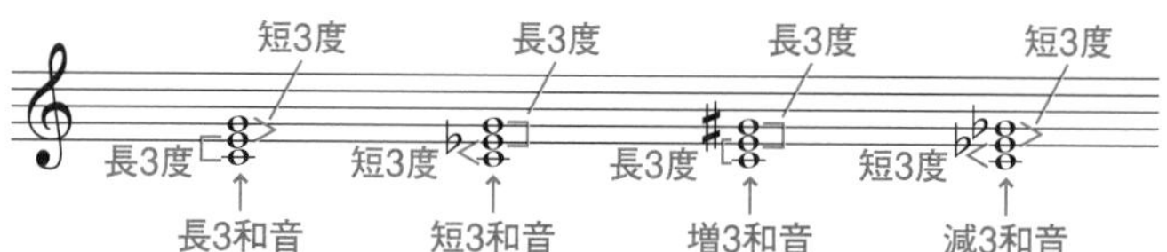

短3度
長3度
長3度
短3度
長3度
短3度
長3度
短3度
長3和音
短3和音
増3和音
減3和音

長3和音	短3和音	増3和音	減3和音
C	Cm	Caug	Cdim
明るく安定した響き	暗い響き	広がろうとする響き	ミステリアスな響き

3 コードネームのつくり方

コードの基本形は、根音＋第３音＋第５音の３つの音で構成されています。

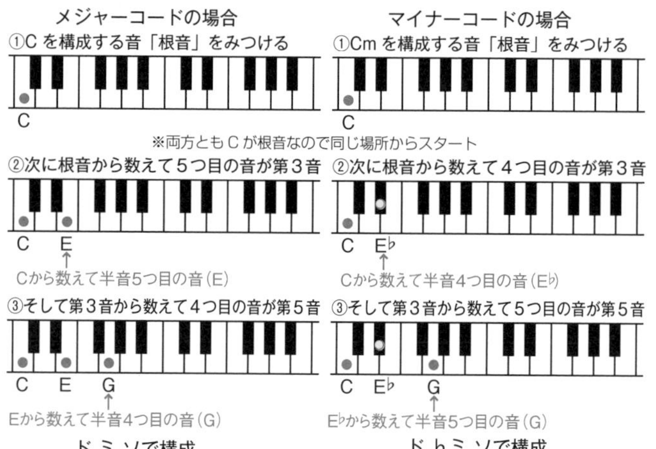

メジャーコードの場合
①C を構成する音「根音」をみつける
C
マイナーコードの場合
①Cm を構成する音「根音」をみつける
C
※両方ともＣが根音なので同じ場所からスタート
②次に根音から数えて５つ目の音が第３音
C E
Cから数えて半音5つ目の音(E)
②次に根音から数えて４つ目の音が第３音
C E♭
Cから数えて半音4つ目の音(E♭)
③そして第３音から数えて4つ目の音が第５音
C E G
Eから数えて半音4つ目の音(G)
③そして第３音から数えて５つ目の音が第５音
C E♭ G
E♭から数えて半音5つ目の音(G)
ド ミ ソで構成
ド ♭ミ ソで構成

※第３音の違いがコードの特性を表す。※ひとつ飛ばしで構成されるので、隣の音は使わない。

メジャーやマイナーの３和音にさらに「第７音」がついたコードをセブンスコードといいます（例：G7、Gm7)。セブンスコードをつくってみましょう。

■ セブンスコードのつくり方

① まず、C（ドミソ）のコードを考えます。

② 次に、第５音から４つ上の鍵盤の音（根音から短７度・ここでは♭シ）を加えるとC7コードが完成します。

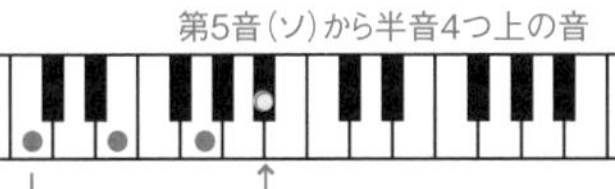

※セブンスコードを実際に弾く時に４つの音を弾くのは大変なので、通常下から３番目の音（第５音）を省いて弾きます。

■ 主なコード表一覧

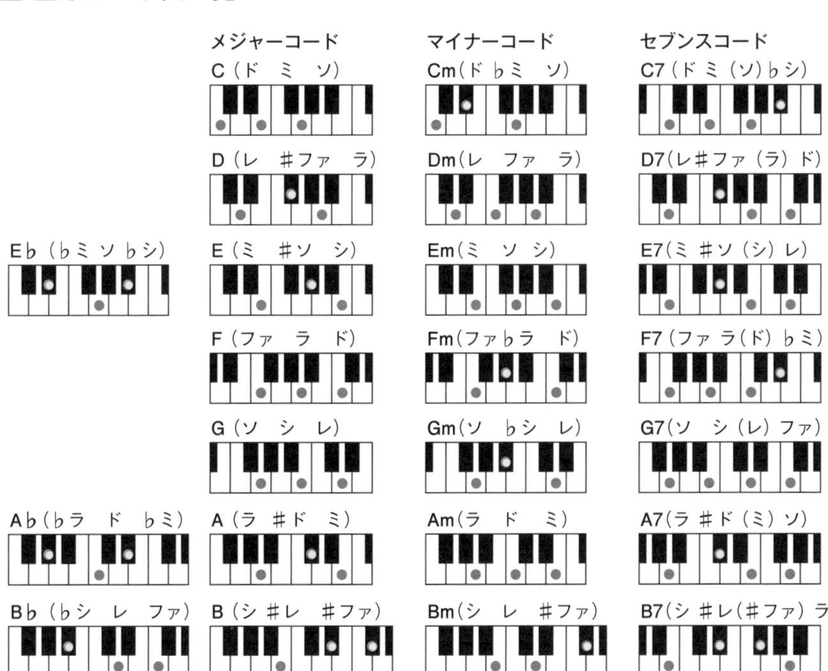

𝄞♪ 音階と調・移調

曲を移調する問題*16も毎年必ず出題されています。「移調」は音程と調についてしっかり理解しないと解けない問題です。ここでは音階と調について理解を深めていきます。

ココが出た！

*16 **曲を移調する問題**
毎年出題されています。楽譜と鍵盤が出題され、曲を移調した後の音の位置（コードの位置）、「何調」に移調したかなどが問われています。

1 音階とは

音楽を構成する音を高さの順番に並べたものを音階といい、音階には長音階と短音階があります。

■ 音階の働き

① 長音階

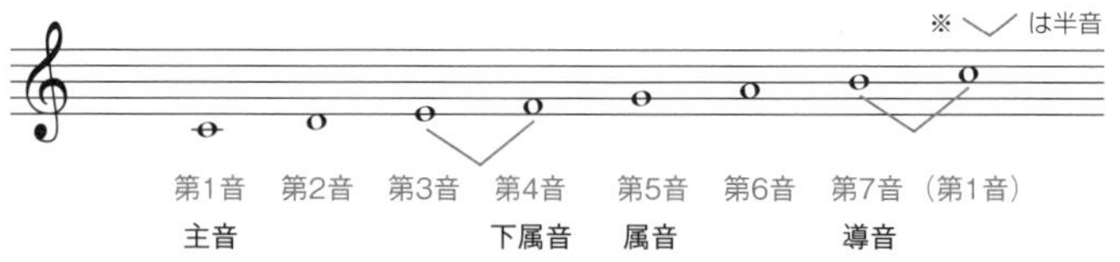

主音（しゅおん）	その調の第1音で最も重要な音。「○○調」は、この主音を音名で呼びます。 ※↑上の楽譜の調はハ長調
下属音（かぞくおん）	主音から完全5度下の音
属音（ぞくおん）	主音から完全5度上の音
導音（どうおん）	主音に導く音　※導音と主音の間は短2度

② 短音階

短音階には自然短音階・和声短音階・旋律短音階の３種類があります。

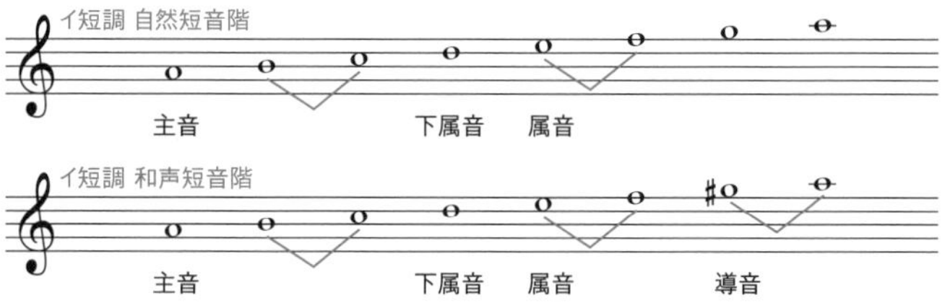

■ **長音階と短音階の仕組み まとめ**（○長2度　△短2度　◎増2度）

	主音	第Ⅱ音	第Ⅲ音	下属音	属音	第Ⅵ音	導音	主音
長調	ド○	レ○	ミ△	ファ○	ソ○	ラ○	シ△	ド
自然短音階	ラ○	シ△	ド○	レ○	ミ△	ファ○	ソ○	ラ
和声短音階	ラ○	シ△	ド○	レ○	ミ△	ファ◎	♯ソ△	ラ
旋律短音階	ラ○	シ△	ド○	レ○	ミ○	♯ファ○	♯ソ△	ラ

※旋律短音階は上行形は上記の形、下行形は自然短音階に変化する

2 調

音階の主音は、どの音にもおくことができます。主音が変われば楽曲の性質も変わってきます。調とは、その変化した音階の性質のことです。長音階による調を長調（明るい感じの音の響きがする）、短音階による調を短調（暗い感じの音の響きがする）といいます。

3 調号（ちょうごう）

調号はそれぞれの調に必要な♯や♭で、曲全体に有効です。音部記号の次にまとめて書かれます。

ト音記号とへ音記号では調号のつく位置が異なるので注意しましょう。

♭の数　1　2　3　4　5　6　7
♭のつく順番→　シ　ミ　ラ　レ　ソ　ド　ファ
ヘ長調
主音→
ニ短調
変ロ長調
ト短調
変ホ長調
ハ短調
変イ長調
ヘ短調
変ニ長調
変ロ短調
変ト長調
変ホ短調
変ハ長調
変イ短調
※♭が「2つ」つくということは
「シ」と「ミ」に♭がついている
※♭が「5つ」つくということは
「シ」「ミ」「ラ」「レ」「ソ」の順に♭がついている
・調判定　♭の場合
① 最後についている♭を確認。(ここではラ)
② この♭の4度下の音(変ホ)が主音になります。
♯の数　1　2　3　4　5　6　7
♯のつく順番→　ファ　ド　ソ　レ　ラ　ミ　シ
ト長調
主音→
ホ短調
ニ長調
ロ短調
イ長調
嬰ヘ短調
ホ長調
嬰ハ短調
ロ長調
嬰ト短調
嬰ヘ長調
嬰ニ短調
嬰ハ長調
嬰イ短調
※♯が「4つ」つくということは
「ファ」「ド」「ソ」「レ」の順に♯がついている
・調判定　♯の場合
① 最後についている♯を確認。(ここではラ)
② この♯の2度上の音(シ)が主音になります。
※同じ調号を持つ長調と短調の関係を平行調といいます。
平行調(長調と短調それぞれの主音)の音程は短3度です。
ド ハ長調
ラ イ短調
短3度
平行調の他に属調(ぞくちょう)(完全5度上の調)、下属調(かぞくちょう)(完全5度下の調)もあります。これらをまとめて関係調といいます。
※長調の平行調は短調、短調の平行調は長調です。
下属調
属調
ヘ長調
ハ長調
ト長調
平行調
イ短調

4 移調

移調とは、一つの曲全体をそっくり別の調に移すことです*17 。過去の試験問題を解きながら理解してみましょう。

*17 **移調と転調**
R6年(前)
「曲の途中で調が変化すること(転調)」について出題されています。「転調」と「移調」の違いをしっかり覚えましょう。

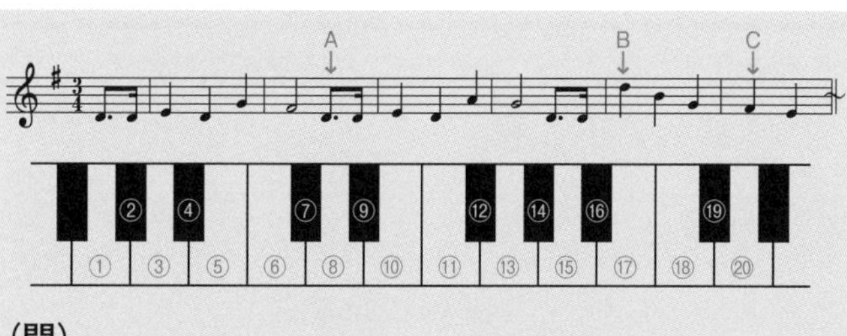

(問)

この曲を長２度下の調に移調することにした。その場合A、B、Cの音は鍵盤の①から⑳のどこを弾くか正しい組み合わせを一つ選びなさい。

まず、書かれている音符をすべて長２度下げて書きます。
（レ⇒ドになる。下の楽譜のⒶ）

次に原曲の調を調べます。

♯が１つの調（ファに♯）＝「ト長調」から長２度下の調は鍵盤３つ分下の音なのでヘ長調（シに♭）になります(上の楽譜のⒷ)。

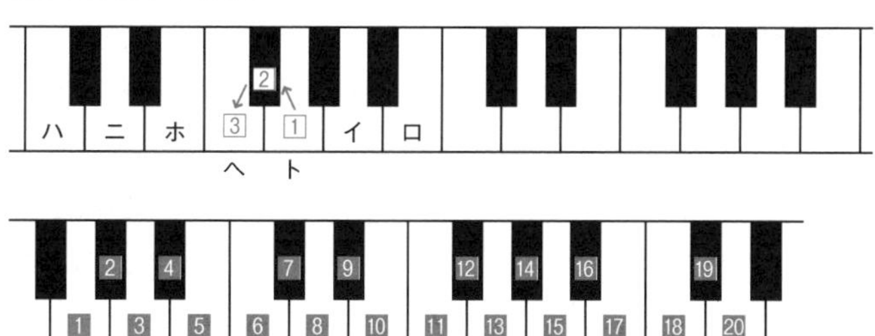

したがってAの音はレ⑧⇒ド6に、Bは高いレ⑳⇒ド18に、Cはファ♯⑫⇒ミ10になります。

三和音

三和音*18とは、ある音の上に３度音程のへだたりで３つの音を重ねたものです。

1 三和音

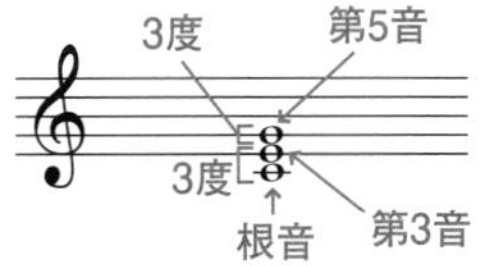

音階各音を根音とした三和音は次の通りです。

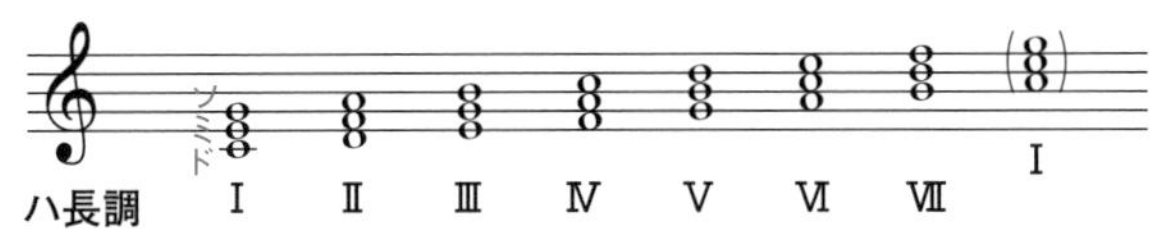

短調では、通常、和声短音階の音を用いて和音を構成します。

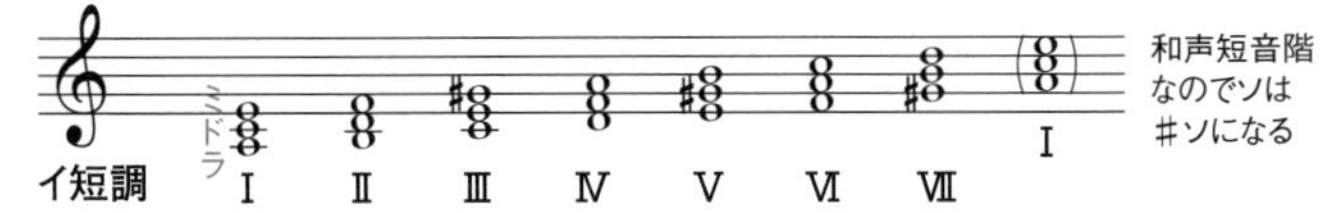

2 主要三和音と副三和音

長調短調の三和音のうち、音階の第Ⅰ音を根音とする和音を「主和音」、第Ⅳ音上の和音を「下属和音」、第Ⅴ音上の和音を「属和音」といいます。この３つは、曲の調を構成する時に重要なので「主要三和音」と呼ばれます。主要三和音以外の三和音は副三和音です。

＊18 和音の機能

文章における「主語」「述語」のように、和音にも[トニック]（T）、[ドミナント]（D）、[サブドミナント]（S）の3種類の働きがあります。この和音の働きを和音の「機能」といいます。

和音の機能	該当する和音
T（トニック）	Ⅰ、Ⅲ、Ⅵ
D（ドミナント）	Ⅴ、Ⅶ
S（サブドミナント）	Ⅱ、Ⅳ

【カデンツ】

T、D、Sの和音機能によって組み立てられる和音の進行をカデンツといいます。

カデンツには

①T（Ⅰ）⇒ D（ⅤやⅤ7）⇒ T（Ⅰ）

※お辞儀の時の「起立」「礼」の進行

②T（Ⅰ）⇒ S（Ⅳ）⇒ D（ⅤやⅤ7）⇒ T（Ⅰ）

③T（Ⅰ）⇒ S（Ⅳ）⇒ T（Ⅰ）

の3種類があります。

【T・S・Dの性格】

T（トニック）：曲の始まりや終わりに使われ、落ち着いた響きをしています。

D（ドミナント）：緊張感もあり落ち着かず、T（トニック）に進みます。

S（サブドミナント）：トニックとドミナントのどちらにでも進めます。

※T⇒D⇒S⇒Tという進行はありません。

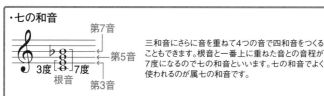

・七の和音

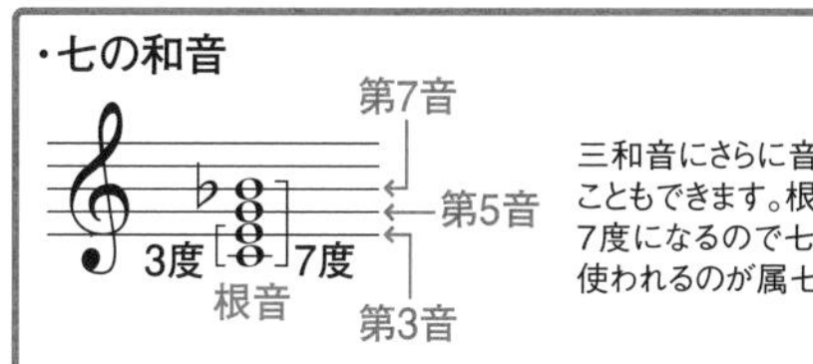

三和音にさらに音を重ねて4つの音で四和音をつくることもできます。根音と一番上に重ねた音との音程が7度になるので七の和音といいます。七の和音でよく使われるのが属七の和音です。

・属七の和音（V_7の和音） 属和音の上にさらに音を重ねてできた和音。伴奏などで属和音とともによく使われます。

歌のテーマを読み取ろう

例年、子どもの歌の歌いだしがメロディーやリズムのみで出題されています*19。知っている曲でも楽譜のみで出題されると曲のタイトルが思い出せないものです。よく使われる曲をテーマ別にあげますので楽譜を確認しておきましょう。

***19 リズム譜の問題**

思い出のアルバムは8分の6拍子です。童謡に$\frac{6}{8}$が使用されているのはめずらしいので、出題頻度が高いです。他に「きよしこの夜」も8分の6拍子です。また、3拍子の曲は少ないので出題頻度が高い傾向にあります。

ココが出た！

*20 **とんぼのめがね**
R4年(前)
移調の題材として出題されました。

*21 **七つの子**
R4年(前)
作詞者、音程や調について出題されました。

*22 **ぞうさん**
R4年(前)
リズム譜の題材として出題されました。

*23 **あめふりくまのこ**
R6年(前)
移調とコードの題材として出題されました。

*24 **おすもうくまちゃん**
R5年(後)
移調の題材として出題されました。

*25 **やきいもぐーちーぱー**
R5年(後)
伴奏部分について出題されました。

*26 **春がきた**
R5年(前)
リズム譜の題材として出題されました。

*27 **まっかな秋**
R5年(後)
リズム譜の題材として出題されました。

虫　：おつかいありさん　かたつむり
とんぼのめがね*20　ちょうちょう
ぶんぶんぶん
ありさんのおはなし　むしのこえ

植物　：どんぐりころころ　お花がわらった
ちゅうりっぷ　大きな栗の木の下で

鳥　：ことりの歌　七つの子*21　きのいいあひる

動物　：おんまはみんな　ぞうさん*22
あめふりくまのこ*23　げんこつ山のたぬきさん
こぶたぬきつねこ　おすもうくまちゃん*24
犬のおまわりさん　アイアイ　こぎつね
森のくまさん

食べ物：やきいもぐーちーぱー*25　おべんとう　トマト
アイスクリームのうた　ドロップスのうた

魚　：めだかの学校

春　：春の小川　春がきた*26

夏　：夏は来ぬ　たなばたさま　ちゃつみ　うみ

秋　：たきび　もみじ　まっかな秋*27

冬　：雪　お正月*28

行事など：思い出のアルバム*29　うれしいひなまつり
おかあさん　おはなしゆびさん　まめまき
こいのぼり　おもちゃのチャチャチャ
夕やけこやけ

𝄞♪反復記号（リピート記号）

楽曲は同じメロディーが何度も出てくることがあります。しかし、繰り返されたメロディーをすべて楽譜に書くと大変長くなってしまいます。このような時、反復記号を使って同じ部分を省略します。ただし、童謡など短い曲は、反復記号を使わずにすべて楽譜にする場合が多くあります。

● *D.C.*（Da Capo） ダ・カーポ*30

曲の始めに戻って *Fine*（フィーネ）または 𝄐（フェルマータ）のところで終わる記号のことをいいます。

演奏順 アイウエアイ

● *D.S.*（Dal Segno）ダル・セーニョ*31

曲の途中にある𝄋の記号に戻ってから *Fine* または 𝄐 のところで終わる記号のことをいいます。

演奏順 アイウエオイウ

● 𝄌（coda）コーダ*31

途中に記されていたら*D.C.*や*D.S.*をするまでは𝄌は無視して演奏し、その後、くり返しの演奏時に次の𝄌または *coda* まで飛ばして進むことを表します。

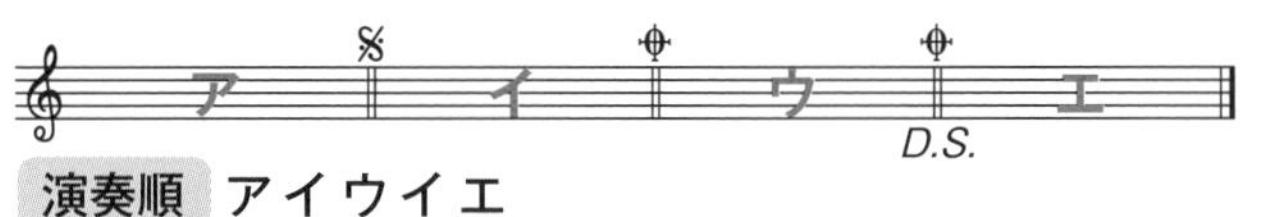

演奏順 アイウイエ

反復記号のある楽曲で*D.C.*のあるような時は２度目の繰り返しの時に反復記号がないつもりで数えます。

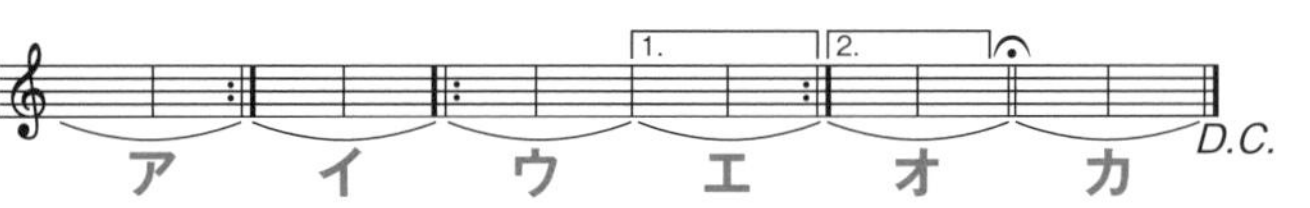

演奏順 アアイウエウオカアイウオ

始めに戻って　繰り返さない　２つ目のかっこへ！

（2度目は「ア ア」と繰り返さない）

ココが出た！

*28 お正月
R5年(後)
作曲者、作曲された時代、曲の構成など出題されています。

*29 思い出のアルバム
R4年(前)
伴奏部分について出題されました。

*30 ダ・カーポとダル・セーニョ
R6年(前)
D.C.（ダ・カーポ）と*D.S.*（ダル・セーニョ）は曲の中で戻る場所が大きく異なります。*D.C.*（ダ・カーポ）は曲の始まりまで戻ります。*D.S.*（ダルセーニョ）は𝄋（セーニョマーク）まで戻ります。ダ・カーポとダル・セーニョの違いを問われることがあります。明確にしておきましょう。

*31 コーダ
コーダマークは𝄌と記号で表記する場合、***coda***と文字表記する場合、𝄌***coda***と両方書く場合がありますが、どれも意味は同じです。

アア（繰り返している）・イ・ウエ（エは1かっこ）・ウオ（オは2かっこ）・カ（ダ・カーポで曲の始めに戻る）。

𝄞♪ 強弱記号・速度記号

強弱記号・速度記号に関する問題は頻繁に出題されます。また、強弱記号とともに使う付加語も理解しておきましょう。

用語解説

*32 **強弱記号**
pやfの数が多くなればなるほど弱さや強さの程度が大きくなります。

*33 **強弱記号**
R4年(前)(ff)
R5年(後)(mp)
p(ピアノ)はpianoと表記することもあります。mezzo forte(メゾフォルテ)、mezzo piano(メゾピアノ)についても覚えておきましょう。

*34 **速度記号**
R4年(前)(allegro)
R5年(後)(cresc.)
R6年(前)(dim.)

1 強弱記号*32 *33

楽曲全体や一部分を強くしたり弱くしたりする際は強弱記号を用います。

ppp	ピアニッシシモ	できるだけ弱く
pp	ピアニッシモ	とても弱く
p	ピアノ	弱く
mp	メゾピアノ	やや弱く
mf	メゾフォルテ	やや強く
f	フォルテ	強く
ff	フォルティッシモ	とても強く
fff	フォルティッシシモ	できるだけ強く

■ **強さを次第に変化させる記号**

crescendo（＜、cresc. とも書く）	クレッシェンド	だんだん強く
decrescendo（＞、decresc.とも書く）	デクレッシェンド	だんだん弱く
diminuendo（dim.とも書く）	ディミヌエンド	だんだん弱く

2 速度記号*34

楽曲全体の速度を示す時には速度記号（速度用語）を用います。

最も遅いもの	grave	グラーヴェ	重々しくゆっくりと
遅いもの	largo	ラルゴ	幅広くゆるやかに
	lento	レント	ゆるやかに
	adagio	アダージョ	ゆるやかに

遅いもの	andante	アンダンテ	ゆっくり歩くような速さで
	andantino	アンダンティーノ	アンダンテよりやや速く
中くらい～速いもの	moderato	モデラート	中くらいの速さで
	allegro moderato	アレグロモデラート	やや快速に
	allegretto	アレグレット	やや快速に
	allegro	アレグロ	快速に
	vivace	ヴィヴァーチェ	活発に速く
最も速いもの	presto	プレスト	急速に

■ 部分的な速度の変化があるもの

accelerando（略してaccel.）*35	アッチェレランド	だんだん速くする
ritardando（略してrit.）	リタルダンド	だんだんゆっくりにする
rallentando（略してrall.）	ラレンタンド	だんだんゆっくりにする
allargando	アラルガンド	強くしながらだんだん遅くする
piu*36 mosso	ピウ・モッソ	今までより速く
meno*37 mosso	メノ・モッソ	今までより遅く
subito*38	スビト	急に、すぐに

■ メトロノーム*39 記号

1分間に基準となる音符がいくつ打たれるかを表し、速さを示す記号です。

♩=60　1分間に4分音符を60個打つ速さ。1秒が4分音符1個分となり、速度の目安にしやすい。

♩=120　1分間に4分音符を120個打つ速さ。

■ まぎらわしい記号

a tempo（ア テンポ）

曲中で一度速さが変化したものを元の速さにする記号です。

tempo primo（Tempo Ⅰ）（テンポ プリモ）

曲の途中で速さがいろいろ変化した後で一番最初の速さに戻す記号です。

*35 **accelerando**
R4年（前）

*36 **piu**
「もっと」の意味です。

*37 **meno**
「より少なく」の意味です。他にassai（十分に）、molto（きわめて）、poco（少し）、poco a poco（少しずつ）、sempre（常に）、などの付加語があります。

*38 **subito**
R4年（前）
sub.f（スビトフォルテ）：「急に強く」などのように使われます。

*39 **メトロノーム**
音楽のテンポを設定する器具です。オランダ人のウィンケルが発明し、メルツェル（Mälzel, J.N.）が現在用いられている形にアレンジしました。楽譜にM・M ♩=80 などと表記されることもあります（M・Mはそのままエムエムと読みます）。

𝄞♪ 曲想を表す標語・奏法に関する記号

曲想を表す標語や奏法記号は、楽譜から音楽を奏でる上で大変重要な情報を示しています。この記号は、作曲家が曲のイメージを伝えてくれるメッセージともいえます。バイエルなどのピアノ曲や少し高度な童謡の伴奏でよく使われます。通常イタリア語で表記されるので、基本の読み方はローマ字読みです。

1 曲想を表す標語

楽曲の性格や表情を表すためにいろいろな言葉（通常イタリア語）が用いられます。非常に種類が多いですが、よく用いられるものをあげておきます。

a capella	アカペッラ	教会風に、無伴奏で
agitato	アジタート	せきこんで、激しく
alla marcia	アッラ　マルチャ	行進曲風に
amabile	アマービレ	愛らしく
animato	アニマート	元気に
appassionato	アパッショナート	情熱的に
brillante	ブリランテ	華やかに
cantabile	カンタービレ*40	歌うように
comodo	コモド	気楽に
con brio	コンブリオ	生き生きと
con moto	コンモート	動きをつけて
dolce	ドルチェ	甘く柔らかに
espressivo	エスプレッシーヴォ	表情豊かに
grazioso	グラツィオーソ	優雅に
legato	レガート	なめらかに
leggiero	レッジェーロ	軽く
maestoso	マエストーソ	荘厳に
marcato	マルカート	はっきりと
risoluto	リゾルート	決然と

*40 **カンタービレ**
R5年（後）

scherzando	スケルツァンド	おどけて
tranquillo	トランクイッロ	静かに

2 奏法に関する記号

奏法に関する記号を表にあげておきます。

staccato (stacc.)	スタッカート	その音を短く切る
tenuto (ten.)	テヌート	その音の長さを十分に保って
> Λ	アクセント	その音を特に強く
	フェルマータ（fermata）	その音符や休符を程よくのばす
	タイ（tie）	同じ高さの2つの音符をつなぐ
	スラー（slur）	違う高さの2つ以上の音符をなめらかに
V	ブレス	息つぎのしるし
	前打音 アッポジャトゥーラ	音の前について軽くひっかけるように演奏する
tr	トリル	と演奏する （その音とその2度上の音を速く反復）
Ped. ✽	ペダル	*Ped.*で右のペダルを踏む ✽で足を離す
gliss. *(glissando)*	グリッサンド	2音間を滑るように弾く

（つづく）

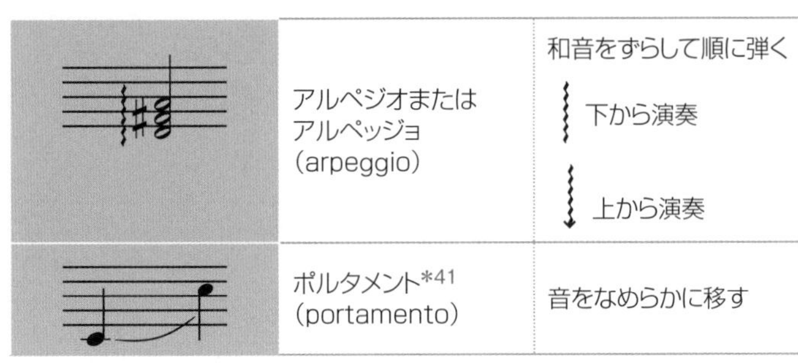

	アルペジオまたは アルペッジョ （arpeggio）	和音をずらして順に弾く 下から演奏 上から演奏
	ポルタメント*41 （portamento）	音をなめらかに移す

知っトク

*41 **ポルタメント**
ポルタメントは記譜されていなくても演奏者の判断で「ポルタメントをかける」ことがあります。弦楽器や声楽で多く使われます。

𝄞♪楽曲・楽器・歌・教育法の種類

楽曲・歌・教育法はさまざまな種類があり、混同しがちです。特に童謡・わらべうたの違い、ヨーロッパの教育法は区別して覚えましょう。

*42 **楽曲**
マーチやメヌエットが何拍子の曲か、サンバはどこの地域の音楽かなど楽曲に関する問題が頻繁に出題されています。

1 楽曲の種類

楽曲*42とは、音楽が続けて演奏されるまとまりのことです。舞曲、組曲、ソナタなどさまざまな種類があります。なかでも舞曲は踊りのリズムを取り入れたもので地域によって特徴が出ています。

例えば、フラメンコはスペインのアンダルシア地方の音楽で、歌と踊りとギターの三者が一体化しているのが特徴です。

2拍子の曲	マーチ（行進曲）	行進の伴奏 ※マーチは4拍子の場合もある
	ポルカ	ボヘミア発祥の軽快な舞曲
	チャチャチャ	中南米の踊りのリズムを持った現代舞曲
3拍子の曲	ワルツ	ドイツ発祥の優美な舞曲。曲の速さもゆるやかなものと軽快なものがある
	ボレロ	スペイン発祥。生き生きとしたリズムを持つ舞曲
	メヌエット	フランス発祥の上品で優雅な舞曲
4拍子の曲	タンゴ	アルゼンチン発祥の舞踏音楽

知っトク

*43 **金管楽器と木管楽器**
材質が金属か木材かによる分類ではなく、音を出す際にリードを使用するもの（エアリードを含む）が木管楽器、使用しないものが金管楽器となります。そのため、外観が金属であるフルートやサックスなども木管楽器に分類されるので注意しましょう。

2 楽器の種類

鍵盤楽器のピアノなどの他、金管楽器・木管楽器*43・弦楽器・打楽器の種類についても覚えておきましょう。

楽器	種類
金管楽器	トランペット、コルネット、ホルン、トロンボーン、ユーフォニウム（ユーフォニアム）、チューバ
木管楽器	ピッコロ、フルート、オーボエ、クラリネット、ファゴット、サックス
弦楽器	ヴァイオリン、ビオラ、チェロ、コントラバス、ハープ、ギター
打楽器	ドラム*44、ティンパニー、シロフォン、グロッケン、マリンバ、ハンドベル、カウベル、ウィンドチャイム、カホン、ギロ、クラベス、拍子木、シンバル、スルド、トライアングル、マラカス、スレイベル等

3 歌曲の種類・教育法・人名に関する用語

■ 唱歌（しょうか）*45

学校の音楽の時間に教わる歌です。教科名であるとともに楽曲の総称でもあります。明治維新以降、主に小中学校の音楽教育のためにつくられた歌で、明治以降につくられた日本の唱歌には外国曲に詞をつけたものが多数あります。

■ 小学唱歌集*46

明治16～19年に伊澤修二が中心となって編集した、日本最初の音楽教科書です。「蛍の光」「むすんでひらいて」*47「ちょうちょう」などの歌が登場しました。

■ わらべうた*48

子どもが遊びながら歌う、古くから歌い継がれてきた歌です。伝承童謡ともいいます。5音音階（4番目7番目の音を抜いたヨナ抜き音階）でできているものが多くあります。わらべうた（伝承童謡）は歌い継がれてきた歌のため作曲者は不詳です。

■ マザー・グース*49

イギリスの伝承童謡集です。フランスの童話集「がちょ

*44 **ドラム**
R6年（前）
大太鼓や小太鼓（膜鳴楽器（まくめいがっき））が出題されています。打楽器には様々な形状・奏法があるので確認しましょう。

*45 **唱歌**
日本の作曲家・滝廉太郎の作品について過去に頻出しています。滝廉太郎は、代表作「荒城の月」「花」の他に「お正月」「はとぽっぽ」「こいのぼり」「雪やこんこ」など幼稚園唱歌も作曲しています。

*46 **小学唱歌集**
小学唱歌集の他に、保育唱歌集、幼稚園唱歌集があります。保育唱歌は、雅楽を基本にした旋律で構成されています。また、幼稚園唱歌集は西洋音楽を基本においているのが特徴です。

ココが出た！

*47 **むすんでひらいて**
R6年（前）
「むすんでひらいて」の原曲は、フランスの思想家ルソーが作曲したものです。

うおばさんのお話」が18世紀にイギリスで紹介されて有名になり、伝承童謡のことをマザー・グースというようになりました。

■ **赤い鳥童謡運動***50

鈴木三重吉（すずきみえきち）が唱歌を批判し、子どもの感性を育むための話や歌を世に広める一大運動を宣言し、1918（大正7）年に子ども向け雑誌『赤い鳥』を創刊しました。この運動が赤い鳥童謡運動と呼ばれるようになりました。

■ **コダーイシステム**

ハンガリーの作曲家コダーイ・ゾルタンが創案した音楽教育システムです。自国のあそびうたを基本においたソルフェージュやハンドサインが特徴です。

■ **リトミック**

スイスの音楽教育家エミール・ジャック・ダルクローズが創案した音楽教育です。音楽を感じたままに表現することで幼児の心的・身体的活動を高める人間教育のことをいいます。

■ **モンテッソーリ教育法**

イタリアの教育家マリア・モンテッソーリが創案した教育法です。感覚教育と同様に、子どもの中の自発性を尊重しているのが特徴です。

■ **オイリュトミー**

オーストリアの思想家ルドルフ・シュタイナーによって新しく創造された運動を主体とする芸術です。オイリュトミーとリトミックは名称が似ていますが関連はありません。

■ **オルフシステム**

ドイツの作曲家カール・オルフが創案した音楽教育システムです。子どものあそびうたを基本に合奏へと発展させていく教育法が特徴です。

■ **フレーベル**

幼稚園の創始者の名前です。保育のためにあそびうた曲集としてまとめたものが、「母とおさなごの歌」という曲集です。

*48 **わらべうた**
わらべうたは、全音2つの音（ラ&ソなどの長2度）を中心に構成されていることが多いです。その場合、上の音で終わることが日本の歌の原則です。

*49 **マザー・グース**
R6年（前）

*50 **赤い鳥童謡運動**
R6年（前）
『赤い鳥』は鈴木三重吉が北原白秋らとともに創刊した子ども向けの雑誌です。掲載された詩に曲をつけてほしいという読者の要求に応え、作曲家の成田為三がメロディーをつけた「かなりや」は童謡の第1号です。

𝄞♪ 覚えておきたい童謡*51の作詞者・作曲者

童謡は1918（大正７）年、小説家・鈴木三重吉によって童話と童謡の児童雑誌『赤い鳥』が刊行されたことがきっかけで誕生しました。子どもの感性を育む話や歌を創り、世に広める一大運動赤い鳥運動では当初は童謡詩に旋律をつけることを考えていなかったものの、読者の要望で「かなりや」の楽譜を掲載したところ大評判となり、次々と作品を掲載していきました。芥川龍之介、有島武郎、北原白秋、西條八十らたくさんの作家が寄稿しました。

○ 主な童謡の作詞者・作曲者

童謡の曲名	作詞	作曲
かなりや	西條八十（さいじょうやそ）	成田為三（なりたためぞう）
赤い鳥小鳥	北原白秋（きたはらはくしゅう）	成田為三
里ごころ	北原白秋	中山晋平（なかやましんぺい）
青い眼の人形	野口雨情（のぐちうじょう）*52	本居長世（もとおりながよ）
十五夜お月さん	野口雨情	本居長世
七つの子	野口雨情	本居長世
赤い靴	野口雨情	本居長世
シャボン玉	野口雨情	中山晋平
てるてる坊主	浅原鏡村	中山晋平
肩たたき	西條八十	中山晋平
赤とんぼ	三木露風	山田耕筰
くつがなる	清水かつら	弘田龍太郎
うれしいひなまつり	山野三郎（サトウハチロー）	河村光陽
ちいさい秋みつけた	サトウハチロー	中田喜直
夏の思い出	江間章子	中田喜直
かわいいかくれんぼ	サトウハチロー	中田喜直
どんぐりころころ	青木存義（あおきながよし）	梁田　貞（やなだただし（てい））
ゆりかごの歌	北原白秋	草川信
夕焼け小焼け	中村雨紅（うこう）	草川信
さっちゃん	阪田寛夫	大中恩
いぬのおまわりさん	さとうよしみ	大中恩
おつかいありさん	関根榮一	團伊玖磨（だんいくま）
ぞうさん*53	まどみちお	團伊玖磨
おはなしゆびさん	香山美子	湯山昭
あめふりくまのこ	鶴見正夫	湯山昭

*51 **童謡**
近年では「童謡」の概念は大きく広げられ「童謡＝子どもの歌」としてとらえる傾向にあります。唱歌、わらべ歌、抒情歌、アニメの曲などすべての子ども向けの歌を「童謡」とくくってしまいがちですが、唱歌は旧制学校の教科のひとつであり、その教科を指導するために選定された歌曲を文部省唱歌といいます。わらべうたは子どもが遊びながら歌い継がれてきた歌で伝承童謡とも呼ばれていて、「ちゃつぼ」「お寺の和尚さん」などの手遊びや、「かごめかごめ」「とおりゃんせ」などの集団で遊ぶ歌があります。

*52 **野口雨情**
R4年（前）

*53 **ぞうさん**
R4年（前）
リズムの問題の題材として出題されました。

理解度チェック　一問一答

全問クリア　　月　　日

Q

□ ❶ 次の楽譜から長3和音（メジャーコード）を抽出した正しい組み合わせを一つ選びなさい。

R5年（前期）

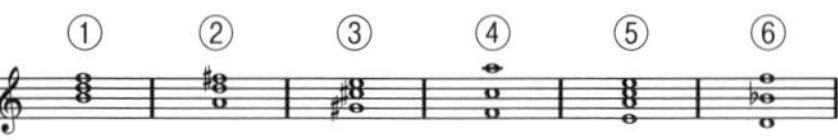

（組み合わせ）

1　①　③　④
2　①　⑤　⑥
3　②　③　⑤
4　②　④　⑥
5　③　④　⑥

□ ❷ 次の曲を4歳児クラスで歌ってみたところ、高い音が歌いにくそうであった。そこで長2度下の調に移調することにした。その場合、A、B、Cの音は、鍵盤の①から⑳のどこを弾くか、正しい組み合わせを一つ選びなさい。

H30年（前期）

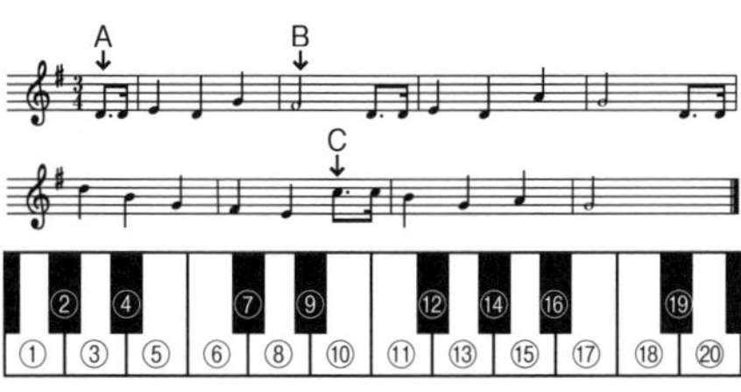

（組み合わせ）

	A	B	C
1	⑥	⑨	⑰
2	⑥	⑩	⑯
3	⑥	⑩	⑰
4	⑦	⑩	⑰
5	⑦	⑪	⑯

□ ❸ 次のリズムは、ある曲の歌いはじめの部分である。それは次のうちのどれか、一つ選びなさい。

R3年（後期）

A

❶ 4　長3和音は一番下の「根音」と真ん中の「第3音」が「長3度」、「第3音」と「第5音」が「短3度」の和音。よって、②D（レ・♯ファ・ラ）④F（ファ・ラ・ド）⑥B♭（♭シ・レ・ファ）が答えとなる。

❷ 2　この曲は「ハッピーバースデートゥーユー」、シャープが1つのト長調。音A（レ）⑧の長2度下は（ド）⑥、音B（♯ファ）⑫の長2度下は（ミ）⑩、音C（ド）⑱の長2度下は（♭シ）⑯となる。

❸ 2　「おもちゃのチャチャチャ」のみ4分の4拍子である。

1　こぎつね（作詞：勝承夫　ドイツ民謡）
2　おもちゃのチャチャチャ（作詞：野坂昭如　補作：吉岡治　作曲：越部信義）
3　たき火（作詞：巽聖歌　作曲：渡辺茂）
4　クラリネットをこわしちゃった（訳詞：石井好子　フランス民謡）
5　とんぼのめがね（作詞：額賀誠志　作曲：平井康三郎）

□ ❹ 次の曲をヘ長調に移調すると、下記のコードはどのように変えたらよいか。正しい組み合わせを一つ選びなさい。 予想

（組み合わせ）

	G	C	D
1	F	B	C
2	F	B♭	C
3	A	D	E
4	A♭	D	E
5	F♯	B	C♯

□ ❺ 次のリズムは、ある曲の歌い始めの部分である。それは次のうちどれか1つ選びなさい。 R5年（後期）

1　赤とんぼ
（作詞：三木露風　作曲：山田耕筰）
2　たきび
（作詞：巽聖歌　作曲：渡辺茂）
3　しゃぼん玉
（作詞：野口雨情　作曲：中山晋平）
4　浜辺の歌
（作詞：林古渓　作曲：成田為三）
5　まっかな秋
（作詞：薩摩忠　作曲：小林秀雄）

□ ❻ fermataとは「だんだんゆっくり」の意味である。 H25年

❹ 2　この曲は「線路はつづくよどこまでも（アメリカ民謡）」で、ト長調である。ト長調からヘ長調に移すとソ→ファと長2度下げることとなる。使われているコード（和音）もすべて長2度下げて考えると、
G（ソ・シ・レ）→F（ファ・ラ・ド）
C（ド・ミ・ソ）→♭B（♭シ・レ・ファ）
D（レ・♯ファ・ラ）→C（ド・ミ・ソ）
となる。よって正答は2。

❺ 5　1　赤とんぼは、4分の3拍子で
で始まる。
2　たきびは、4分の2拍子で
で始まる。
3　しゃぼん玉は、4分の2拍で
で始まる。
4　浜辺の歌は、8分の6拍子で
で始まる。
5　まっかな秋は、4分の4拍子。このリズム譜の通りである。

❻ ×　fermataは「その音符や休符を程よくのばす」を意味する。「だんだんゆっくり」を意味するのはritardantoやrallentandoである。

□ ❼ ♩=132は秒針より遅い。 予想

□ ❽ 「オクターブ上で」を意味するのは「8va┈┈┈┐」である。 H29年（前期）改

□ ❾ 次の楽譜からマイナーコード（短三和音）を抽出した正しい組み合わせを一つ選びなさい。 R5年（後期）

ア　イ　ウ　エ　オ　カ

（組み合わせ）
1　ア　イ　エ
2　ア　ウ　エ
3　ア　エ　オ
4　イ　ウ　オ
5　イ　エ　カ

□ ❿ moltoは「中くらいの速さ」の意味である。 R5年（前期）改

□ ⓫ 「最初の速さで」を意味するのはA tempoである。 H29年（後期）改

❼ × ♩=132は1分間に♩を132打つ速さ。秒針は1分間に60打つ速さなので、♩=60と覚えると曲の速さがイメージできる。数字が大きいほど、テンポが速くなると覚えよう。

❽ ○ オクターブ上げる時には五線の上に8vaと書き、点線で範囲を示す。範囲の終わりは縦に点線を書く。

❾ 3 短三和音は根音から第三音が短三度（鍵盤4つ分）、第三音から第五音が長三度（鍵盤5つ分）を重ねた和音。転回形で出題された和音もあるので注意したい。

アは短三度＋長三度の短三和音

イは短三度＋短三度の減三和音

ウは長三度＋長三度の増三和音

エは短三度＋長三度の短三和音

オは短三度＋長三度の短三和音

カは長三度＋短三度の長三和音

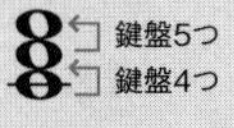

鍵盤5つ
鍵盤4つ

よって、ア・エ・オの3が正答である。

❿ × molto（モルト）は「非常に」の意味。

molto espressivo 非常に表情豊かに、など曲想を表す標語と共に使われる。

⓫ × a tempoは「もとの速さで」の意味。「最初の速さで」はtempo primo。

□ ⑫ piu mossoは「今までより遅く」の意味である。 H22年

□ ⑬ トリルは、2音間をすべるように弾く。 予想

□ ⑭ 次のコードネームにあてはまる鍵盤の位置として正しい組み合わせを一つ選びなさい。 H29年(後期)

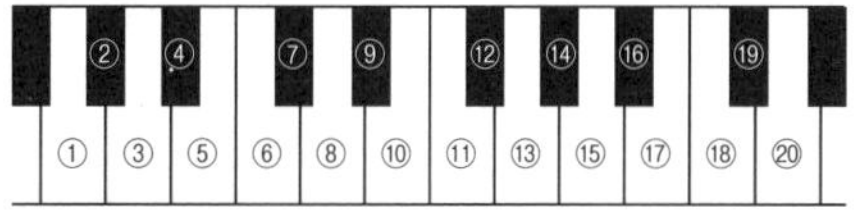

	ア	イ	ウ
G maj 7：	①⑤⑪	⑪⑬⑯	⑫⑬⑰

□ ⑮ 次のコードネームにあてはまる鍵盤の位置として正しい組み合わせを一つ選びなさい。 H29年(後期)

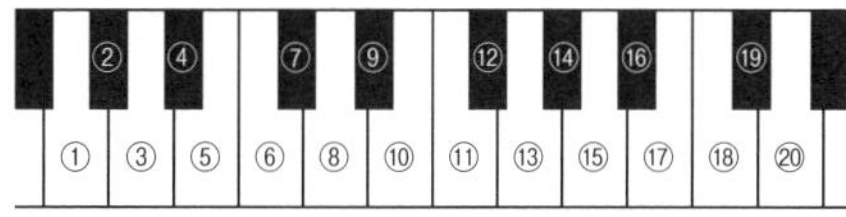

	ア	イ	ウ
D aug ：	⑧⑪⑯	⑧⑫⑯	⑫⑮⑳

□ ⑯ 次のA～Dの音楽用語の意味を【語群】から選んだ場合の正しい組み合わせを一つ選びなさい。 R5年(後期)

A mp　　B D.C.
C cresc.　　D cantabile

【語群】

ア とても弱く	イ おわり
ウ だんだん遅く	エ やわらかく
オ 歌うように	カ もとの速さで
キ 少し弱く	ク だんだん弱く
ケ はじめに戻る	コ 音の間を切れ目なくつなぐ

(組み合わせ)

	A	B	C	D
1	ア	イ	カ	コ
2	ア	ウ	ク	エ
3	エ	ケ	カ	オ
4	キ	イ	ウ	コ
5	キ	ケ	ク	オ

⑫ × piu mossoは「今までより速く」を意味する。「今までより遅く」はmeno mossoである。

⑬ × トリルはトリルのついている音符と、その2度上の音（ドにトリルがついていたら、ドとレ）をできるだけ速く反復して演奏する記号。2音間をすべるように弾くのはグリッサンドである。

⑭ ウ G maj 7（ジーメジャーセブン）の構成音は ソ・シ・(レ)・♯ファであり、選択肢ウが正しい。

⑮ イ D aug（ディーオーギュメント）の構成音はレ・♯ファ・♯ラであり、選択肢イが正しい。

⑯ 5 A mp（メゾピアノ）はキ「とても弱く」
B D.C.（ダ・カーポ）はケ「はじめに戻る」
C cresc.（クレッシェンド）はク「だんだん強く」
D cantabile(カンタービレ）はオ「歌うように」

※ア「とても弱く」はpp（ピアニッシモ）
イ「おわり」はFine（フィーネ）
ウ「だんだん遅く」はrit.（リタルダンド）
エ「やわらかく」はdolce（ドルチェ）
カ「もとの速さで」はa tempo（アテンポ）
コ「音の間を切れ目なくつなぐ」は legato（レガート）

□ ⑰ 日本のわらべうたはすべて2音でできている。 R3年(後期)

□ ⑱ subitoとは「急に」という意味である。 R4年(前期)

□ ⑲ LargoとLarghettoは、Larghettoが速い。 予想

□ ⑳ 大太鼓や小太鼓は膜鳴楽器である。 R6年(前期)

□ ㉑ 次のリズムは、ある曲の歌い始めの部分である。それは次のうちのどれか、一つ選びなさい。

4/4 ♩ ♫ ♩ ♩ | ♩ ♫ ♩ ♩ | ♩ ♩ ♩. ♪ | 𝅗𝅥. 𝄽

1 春の小川(文部省唱歌、作詞:高野辰之 作曲:岡野貞一)
2 かたつむり(文部省唱歌)
3 春がきた(文部省唱歌、作詞:高野辰之 作曲:岡野貞一)
4 虫のこえ(文部省唱歌)
5 茶つみ(文部省唱歌)

⑰ × わらべうたは、2つの音を使ってできた曲が多いが、「かごめかごめ」「はないちもんめ」などのように4音で構成された曲も存在する。

⑱ ○

⑲ ○ Largo(ラルゴ)は「幅広くゆるやかに」を意味するーinoやーettoが語尾につくと「やや」と言葉の表現を弱める働きがある。よって「やや ゆるやかに」のLarghetto(ラルゲット)は、Largo(ラルゴ)より少し速い。

⑳ ○ 大太鼓や小太鼓は、膜を張り、その振動によって音をだす膜鳴楽器(まくめいがっき)。ドラム、ボンゴ、ティンパニ、タンバリン、でんでん太鼓、能楽用の大鼓(おおつづみ)・小鼓、歌舞伎用の大太鼓(おおだいこ)、宗教用の神楽太鼓も膜鳴楽器である。

㉑ 3 1「春の小川」、3「春がきた」、5「茶つみ」は4分の4拍子ではじまるが、1と5についてはリズムが異なる。2の「かたつむり」は、4分の2拍子で始まる。4の「虫のこえ」は、4分の2拍子で始まる。

□ ㉒ 次の曲の伴奏部分として、A～Cにあてはまるものの正しい組み合わせを一つ選びなさい。

H30年(前期)

(組み合わせ)

	A	B	C
1	ア	イ	エ
2	ア	ウ	イ
3	イ	ア	ウ
4	ウ	エ	ア
5	エ	イ	ウ

□ ㉓ 次の楽譜の演奏順序として正しいものを一つ選びなさい。 予想

1 A→B→C→A→B→C→D→E
2 A→B→C→D→E→B→C
3 A→B→C→D→E→A→B
4 A→B→C→A→B→C→D→E
5 A→B→C→D→E→D→E

㉒ 3 この曲は「こぎつね」ハ長調。スリーコード(主要3和音)はⅠの和音C(ド・ミ・ソ)、Ⅳの和音F(ファ・ラ・ド)、Ⅴの和音G(ソ・シ・レ)とG7(ソ・シ・レ・ファ)となる。伴奏ア～エの構成されている音をみていくと、アはドとミ・ソなのでⅠ、イはドとファ・ラでⅣ、ウはシとレ・ソでⅤ、エはレとファ・ラのⅡの和音が使われていることがわかる。A～Cのメロディーからどの伴奏部分があてはまるか考えていくと、Aのメロディーはラ・ファ・ド、Bのメロディーはソ、Cのメロディーはソ、ファが使われている。Aはファ・ラ・ドを含む和音があてはまり「イ」、Bはソを含む和音(ド・ミ・ソ)と(ソ・シ・レ)があてはまる。ここで曲の切れ目や雰囲気(メロディーが次につながっているか、落ち着いているかなど)を考えると、Ⅰの和音の「ア」があてはまる。Cはファを含む和音(レ・ファ・ラ)とⅤの和音G7(ソ・シ・レ・ファ)が考えられる。次の小節へのつながりを考えるとⅤの和音の「ウ」と考えられ、正答は3である。

㉓ 2 *D.S.*(ダル・セーニョ)は𝄋(セーニョマーク)に戻ってから、***Fine***または𝄐で終わる記号である。

□ ㉔ ケーナは南アジア発祥の民族楽器である。 R5年(前期)

□ ㉕ 能は、歌舞伎など日本の伝統芸能の源流をなすものである。 H30年(前期)

□ ㉖ 赤い鳥運動は戦後、外国曲に歌詞をつけた唱歌を批判したものである。 予想

□ ㉗ 雅楽は古くから日本の宮廷で演奏されてきた音楽である。 H28年(前期)

□ ㉘ ポルカは3拍子の踊りの曲である。 予想

□ ㉙ ハーモニカは、リード楽器である。 H30年(前期)

□ ㉚ R. H. や、m. d. は「右手で(演奏する)」という意味である。 予想

㉔ × ケーナは南米ペルーやボリビアの楽器として知られている。リードがない、単純な構造の縦笛で、フルートや尺八と同じエアリード式の木管楽器に分類される。

㉕ ○ 能は室町時代から受け継がれてきた舞台芸術で、雅楽・文楽・歌舞伎とともに世界無形文化遺産として認定されている。

㉖ × 赤い鳥運動を宣言した鈴木三重吉が、唱歌を批判したのは大正時代である。子どもの感性を育むために1918(大正7)年に「赤い鳥」が創刊された。

㉗ ○ 奈良時代に中国大陸、朝鮮から伝わったとされる器楽合奏曲と舞を指す。宮廷音楽として平安時代に栄えた。

㉘ × ポルカは速い2/4拍子のボヘミア舞曲。1830年頃からヨーロッパで流行した。

㉙ ○ リード楽器とはリードと呼ばれる薄片によって音を発生させる楽器。ハーモニカの他にクラリネット、オーボエ、パイプオルガンなどがある。

㉚ ○ R. H. はright hand(イギリスやアメリカ)の略。
m. d. はmano destra(イタリア) mano droite(フランス)の略。
「左手で」も国によって異なり、イギリスやアメリカはL. H. (left hand)
イタリアはm.s. (mano sinistra) フランスはm.g. (main gauche) になる。

4 造形に関する技術

幼児期の描画表現と発達順序は、出題頻度が高いだけでなく実際に保育を行う上でも理解しておくことが重要です。色や構成美、表現方法、造形に使う材料や用具についてもおさえておきましょう。特に描画の技法（デカルコマニー、フロッタージュ等）や、12色相環もよく出題される内容です。

頻出度

なぐりがき期　象徴期　カタログ期　図式期

幼児期の描画表現

1 幼児期の描画表現の発達過程

幼児期の描画表現はある共通の道筋で発達するといわれています。もちろん個人差があるため一概にあてはまるものではありません[*1]が、幼児期特有の描画表現とその道筋を理解しておきましょう。

知っトク

*1 **描画表現の発達段階**
大まかな発達の年齢区分はあるが、個人差があり、また、子どもが自然と成長していく過程であるため、その年齢段階に達していないからといって無理に技術指導をするものではないことを把握しておきましょう。

ココが出た！

*2 **描画表現の発達過程**

毎年出題されていますので必ず覚えておきましょう。美術教育研究家のローエンフェルド、ケロッグ、チゼックなどの名前が出ることがあります。あわせて見ておくとよいでしょう。

*3 **なぐりがき期**

R4年(後)

手の運動発達と描線の変化について、また、なぐりがきとスクリブルという言葉について出題されました。

*4 **頭足人**

R6年(前)

頭に直接手足をつけた人の表現(体を描かない)。前図式期特有の絵です。

*5 **図式期の描画の特徴**

R6年(前)

・アニミズム表現
・レントゲン表現
・展開表現
・基底線

用語解説

*6 **基底線**

画面の位置関係を表す線のことです。画面の下方部に1本の横線を描き地面を表す場合が多くみられます(画用紙の下端が基底線になる場合もあります)。

◯ 幼児期の描画表現の発達過程 *2

発達段階	別名	時期	描き方の特徴
なぐりがき期*3	錯画期・乱画期	1～2歳半	無意識の表現。むやみにこすりつけるようにして描く。手の運動の発達により、点、縦線、横線、波線、渦巻き円形など次第に描線が変わる。この描線のことを、なぐりがき（スクリブル）という
象徴期	命名期・記号期・意味づけ期	2～3歳半	渦巻きのように描いていた円から、1つの円を描けるようになる。描いたものに意味（名前）をつける
前図式期	カタログ期	3～5歳	そのものらしい形が現れる。人物でも木でも一定の図式で表現され、頭に浮かぶままに羅列的断片的な空間概念で描く。からだを描かず頭から直接手足が出る頭足人*4 がみられる
図式期	知的リアリズム期	4～9歳	見えるものを描くのではなく、知っていることを描く（知的リアリズム）。次第にある目的を持って、あるいは実在のものとの関係において記憶を再生させ、覚え書きのような図式で表現する

2 図式期の描画の特徴*5

４歳～９歳の図式期の頃には、ある程度描きたい物を描けるようになりますが、まだ、見えるままに描く（視覚的リアリズム）よりは、知っていることを描く（知的リアリズム）傾向が強いため、この時期特有の表現方法が現れます。その特徴を理解しておきましょう。

◯ 図式期の描画の特徴

並列表現	アニミズム表現（擬人化表現）	レントゲン表現（透視表現）
花や人物を基底線*6 の上に並べたように描く	動物や太陽、花などを擬人化し目や口を描く	車の中や家の中など見えないものを透けたように描く

拡大表現	展開表現（転倒式描法）	
	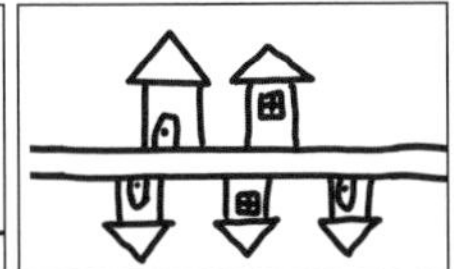	
自分の興味・関心のあるものを拡大して描く	道をはさんだ両側の家が倒れたように描くなど、ものを展開図のように描く	

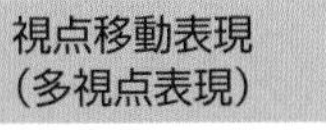

積み上げ式表現	視点移動表現（多視点表現）	異時同存表現

遠近の表現がうまくできないので、ものを上に積み上げたように描いて遠くを表す	横から見たところと上から見たところなど、多視点から見たものを一緒に描く	時間の経過に合わせて異なる時間の場面を一緒に描く

色の基本

色に関する問題も数多く出題されています。12色相環の名称や補色に関する問題だけでなく、明度や彩度に関する問題も出ていますので理解しておきましょう。

1 色

すべての色は有彩色[*7]と無彩色に分かれます。

■ **有彩色**：色みのある（無彩色以外の）色のことです。有彩色には、色の３要素（後述）である色相・明度・彩度のすべてがあります。

■ **無彩色**：白・黒・灰色など色みを持たない色のことです。無彩色は色の３要素のうち明度だけがあります。

*7 **有彩色**
R4年(後)　R5年(後)

2 色の3要素

色には、色相・明度・彩度の３つの要素があります。

■ **色相**（しきそう）[*8]：色み（色あい）のことです。

*8 **色相**
R4年(後)

*9 **明度**
過去に明度差が大きい配色の方が目立って見えるという問題が出題されました。

*10 **彩度**
R5年(後)
同じ色相、明度でも彩度が高ければ鮮やかに見えるという問題が出題されました。

*11 **色の3原色**
R4年(前)
光と絵の具の3原色と混合について出題されました。

*12 **色の3原色と光の3原色**
R5年(前)

■ **明度**[*9]：明るさの度合いのことです。白が多いほど明度が高く、黒が多いほど明度が低いです。

■ **彩度**[*10]：鮮やかさの度合いのことです。無彩色を混ぜると彩度は下がります。

3 色の対比

単独で色を見る時と、周りに他の色がある時では、明度、色相、彩度などが、本来の色とは違って見えることを色の対比といいます。

■ **明度対比**：同じ明度の色でも、明るい色の中では暗く、暗い色の中では明るく見える現象です。

■ **色相対比**：同じ色相の色でも、周りの色の色相の違いにより、色みが違って見える現象です。

■ **彩度対比**：同じ彩度の色でも、彩度の低い色の中では鮮やかに見え、彩度の高い色の中ではくすんで見える現象です。

■ **補色対比**：補色同士が並ぶと、お互いを引き立て、本来の色より鮮やかに見える現象です。

4 色の3原色[*11]

色の３原色とは赤紫（マゼンタ）、黄（イエロー）、青緑（シアン）の３色のことです。色の３原色を合わせると黒に近い色になります。このことを減算混合（混ぜれば混ぜるほど暗い色になる）といいます。

5 光の3原色[*12]

光の３原色は、赤・青・緑の３色です。光の３原色を合わせると白になります。このことを加算混合（混ぜれば混ぜるほど明るい色になる）といいます。

6 色の見え方

色の見え方として並置混合（２色以上の色を細かい点にして並べたとき色が混ざって見えること）、回転混合（２

色に塗り分けた円を高速回転させたとき色が混ざって見えること）というのがあります。

7 12色相環

12色相環*13 とは、基本となる色相の純色を円形に並べたものです。12色相環の色の名前や補色関係にある色のことなどが出題されていますので、必ず図を見て理解し覚えましょう。

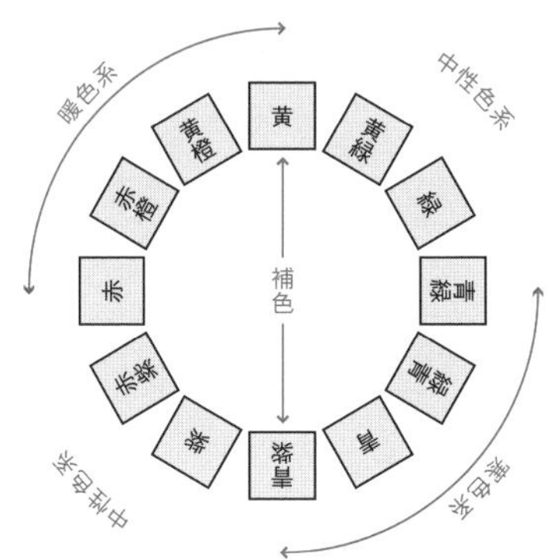

■ **補色***14：12色相環で向かい合っている反対側にある色同士を補色といいます。補色関係にある２色は、お互いの色を目立たせることができます。また、補色関係にある２色を混ぜると無彩色に近い色になります*15。

■ **類似色***16：12色相環の中で、一つの色とその両隣の色は類似した色であり、この色を類似色といいます。

■ **寒色**：寒い（冷たい）感じの色のことです。小さく見せる収縮色です。

■ **暖色**：あたたかい感じの色のことです。物を大きく見せる膨張色です。

■ **原色**：色を作るもととなる色のことです。他の色を混ぜても作れません。

■ **純色**：彩度の最も高い色のことで白や黒が混ざっていない色のことです。

■ **明清色**：純色に白のみを入れた色のことです。

■ **暗清色**：純色に黒のみを入れた色のことです。

ココが出た！

*13 **12色相環について**
R4年(後)
各色や色の組み合わせから、補色、寒色、明清色を答えさせる問題、暖色が膨張色であるという問題、色と色を混ぜると何色になるかという混色の問題や重色についての問題などが出題されています。

*14 **補色**
R4年(後)　R6年(前)

*15 **補色同士の混色**
R6年(前)
補色同士を混色すると無彩色に近い色になり、色が黒ずむという問題が出題されました。

*16 **類似色**
R6年(前)

ココが出た！

*17 **混色について**

R5年(前)　R6年(前)

色と色を混ぜると何色ができるかという問題が出題されました。

■ **混色**[*17]：色と色を混ぜて別の色を作ることです。

■ **重色**：色の上に色を重ねることです。

構成美の要素について理解しよう

美しいと感じるものには、美しさを形成する基本的な要素があります。それをまとめたものを構成美の要素といいます。

名称	別名	説明
ハーモニー	調和	よく似た性質を持った形や色を組み合わせて安定している構成
バランス	均衡	複数の類似形態によって釣り合いが取れている構成
シンメトリー	相称	1点や直線を境にして上下、左右が対称で統一感のある構成
コントラスト	対照	性質が違うものが組み合わされ、強い感じを出す構成
リズム	律動	同じ形や色の繰り返しと規則的流れによって、動きの感じを表す構成
グラデーション	階調	形や色が一定の割合でだんだん変化していく構成
リピテーション	繰り返し	同じ形や色を規則的に連続して繰り返す構成
ムーブメント	動勢	流れや動きの方向性を持ち躍動感が感じられる構成
アクセント	強調	一部に変化をつけ、全体をひきしめる構成
プロポーション	比率	大きさや形の割合（比率）のこと

造形表現技法を理解しよう

絵画や版画などのいろいろな造形の表現技法を理解しておきましょう。また、絵本に使用されている技法を答える問題も出ていますので、確認しておきましょう。

1 絵画遊びの技法

幼児の絵画遊びにはいろいろな技法を用います。

名称	別名	説明
デカルコマニー	合わせ絵	二つ折りした紙の片方の面においた色を折り合わせて写しとる技法
ドリッピング	たらし絵・吹き流し	紙の上に多めの水で溶いた水彩絵の具をたっぷり落とし、紙面を傾けてたらしたり、直接口やストローで吹いて流したりする技法
スパッタリング	飛び散らし	絵の具の付いたブラシで網をこすり、霧吹きのような効果を出す技法（ブラッシングともいう）や、絵の具の付いた筆自体を振って散らす技法
バチック*18	はじき絵	クレヨンで線や絵を描き、その上から多めの水で溶いた水彩絵の具で彩色して下のクレヨンの絵を浮き上がらせる技法
フロッタージュ	こすりだし	ものの表面の凹凸の上に紙を置いて鉛筆、コンテ、クレヨンなどでこすり、写しとる技法
スクラッチ	ひっかき絵	下地にクレヨンの明るい色を塗って、その上に暗い色（クレヨンの黒）を重ねて塗り、画面を釘などの先の尖ったものでひっかいて描いて下地の色を出す技法
コラージュ	貼り絵	紙や布などを使ってつくる貼り絵
フィンガーペインティング*19	指絵の具（ゆびえのぐ）	できた絵を重要視するのではなく自由に感触を楽しんだり、指で絵の具をなすりつける行為そのものを楽しむ造形遊び*20 のひとつ。子どもの心が開放される。絵の具の伸びをよくするために、絵の具に洗濯のりを混ぜる方法や、年齢の低い子には口に入れても安全なように小麦粉と水を加熱してとろみをつけ食紅で色をつける方法などがある
マーブリング	墨流し	水の表面に作った色模様を紙に写しとる技法
ステンシル		下絵を切りぬいた版を作り、その版の孔（穴）の形に絵の具やインクをタンポ*21 などを使って刷りこみ、紙に写しとる技法
スタンピング	型押し	ものに直接絵の具やインクをつけて、紙に押し当てて型を写し取る技法
折り染め		障子紙などコーティングされていない、色水を吸いやすい紙を折って色水につける技法。角を揃えて規則正しく山折り谷折りするときれいな模様になる。乾いた紙に色水をつけるとはっきりした模様になり、あらかじめ紙を湿らせておくとぼかしの効果が出る

2 版画（転写）の技法*22

版画の技法にはいろいろな種類があります。それぞれの版の形式と特徴を理解しましょう。

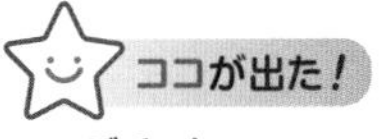

*18 **バチック**
R4年(前)
はじき絵(バチック)の技法がうまくいくクレヨンの濃さと絵の具の水の量について出題されました。

*19 **フィンガーペインティング**
R5年(後)

用語解説

*20 **造形遊び**
造形遊びとは行為そのものを楽しむ造形活動のことです。

*21 **タンポ**
ステンシルなどをする時に色をつける道具。布の中に綿などを入れて丸めてとめて、てるてる坊主のような形にしたり、それに棒をさして持ちやすくしたりした形のもの。絵の具を付けてポンポンと叩くようにして色を付けます。

*22 **版画の技法**
版の形式と種類を合わせる問題が過去に出題されました。各版ごとにどういった特徴があるか理解しましょう。特に版種の中の赤字は幼児の版画遊びでよく行うものです。どんなものかイメージし、版の形式と合わせて覚えましょう。

*23 **ばれん**
版画の際、版を紙に転写する時に使用する用具のこと。竹の皮でできている丸い形の物。中心から外へ円を描きながら動かして使います。

版の形式	特徴	版種
凸版	版の凸部分にインクをつけ、紙の上からばれん*23などでこすって刷る	木版画
		紙版画
		スチレン版画
		スタンピング
凹版	版の凹部分にインクをつめ、凹部分以外の不要なインクをふき取って、プレス機などで凹部分のインクを刷る	エッチング
		ドライポイント
孔版	版にインクの通る穴をあけ、下の紙にインクを刷り込む	ステンシル
		シルクスクリーン
平版	平らな面にインクがつく面とつかない面をつくり、刷る	マーブリング
		デカルコマニー
		リトグラフ
		オフセット

𝄞♪ 造形表現の用具と材料について理解しよう

造形表現の用具と材料について理解しておきましょう。

1 描く活動の材料と用具

■ 画材の種類と特性

造形表現の内容や幼児の年齢に合った画材を使用します。画材の種類と特性を理解しておきましょう。

名称	主成分	形状	特徴
クレヨン	ロウと顔料	先が尖っていて細い	主成分にロウが含まれているので硬く、線描きに適している。また、混色ができないのでスクラッチ等の技法に適している
パス（オイルパステル）	油脂と顔料	先が平らで太い	主成分に油脂が含まれているので柔らかく、ぬり絵など広い面を塗ることに適している。混色が可能
コンテ	顔料と水性樹脂など	直方体	鉛筆とソフトパステルの中間ぐらいの硬さ。こすってぼかすことができる。形をいかして角や面を使って描くことができる。完成後は定着液をかける
パステル（ソフトパステル）	顔料と水性樹脂など	直方体や円柱	さらさらと粉っぽく固着力が低いため完成後は定着液などで色を定着させる必要がある。ぼかすことができる。混色に限りがあるので色数が多い
鉛筆	黒鉛（炭素）と粘土	細く長い先端を削りとがらせる	細く硬い。鉛筆の種類はいろいろあるが、Hが多くなるほど芯が硬くて薄くなり、Bが多くなるほど芯が柔らかく濃くなる

■ 絵の具の種類と特性

絵の具の種類には、次のようなものがあります。

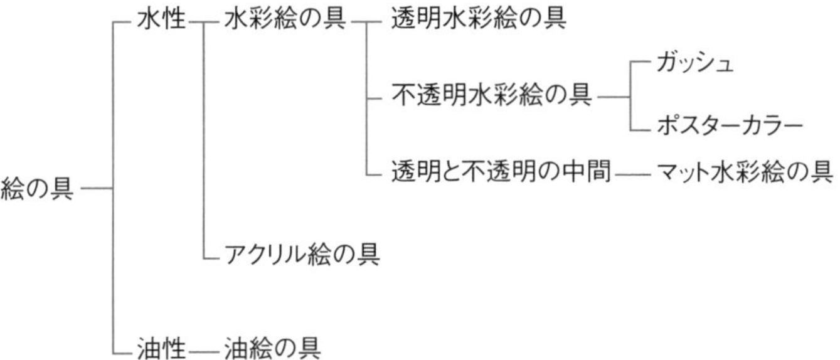

幼児が使用しやすいのは不透明水彩絵の具（ガッシュ）です。アクリル絵の具は、水性絵の具なので水に溶かして使いますが、乾くと耐水性になるので、木や石やプラスチックガラスなどにも描くことができます。マット水彩絵の具は、学童用に使われている水彩絵の具で透明水彩と不透明水彩の中間的な性能があります。透明水彩絵の具は専門家向けのもので子どもが使用するのは難しいです。

■ 筆

筆は丸筆、平筆などがあります。番号が大きくなるほど太くなります。平筆は面を塗りやすいです。

2 幼児期のつくる表現の発達過程

○ つくる表現の発達段階*24

もてあそび期	1歳～2歳半	いろいろな物に触れて材料を知る。その素材の感触を楽しむ。触れる→握る→たたきつけるなど行為そのものを楽しむ
意味づけ期	2歳～3歳半	できた形を何かに見立てて名前をつけて遊ぶ。意識的に並べる、積む等の遊びがみられる
つくりあそび期	3歳～9歳	「○○をつくりたい」と目的を持ってつくるようになり、それを達成するために工夫をするようになる

3 つくる活動の材料と用具

■ 粘土*25

粘土は可塑性（かそせい）*26に優れているので形をつくりやすく、

***24 つくる表現の発達段階**
R5年(前)
積み木遊び(つくる表現)の発達段階について出題されました。

***25 粘土の種類と特性**
R4年(前)
紙粘土の成分について出題されました。
また微小中空球樹脂粘土についても出題されており、新しい粘土もたくさん発売されているので、あわせて見ておくとよいでしょう。

用語解説

***26 可塑性**
可塑性とは物に力を加えると変形したまままもとに戻らない性質のことです。

幼児の立体表現に適している材料の一つです。年齢や用途によって、適した種類の粘土を選んで表現します。

粘土の種類	主な成分	特性
土粘土	土の粉	粘土本来の感触が楽しめる。形成も自由で幼児が扱いやすい。粉からだんだん水を足していくといろいろな感触が楽しめる。また、乾燥させて陶芸や素焼き（テラコッタ*27）にすることもできる
油粘土	油脂	他の粘土のように乾燥しても硬くならない。保管しやすい
紙粘土	パルプ	軽くて扱いやすい。乾くと固形化する。乾燥すると絵の具で着色できる
小麦粉粘土	小麦粉	柔らかく伸びがよい。着色を食紅などですれば口に入れても安心なので低年齢の幼児にも使用できる

その他、樹脂粘土、軽量粘土（微小中空球樹脂粘土）、木粉粘土、石粉粘土、陶土粘土（オーブン粘土）などがある。

○ 主な紙の種類*28

和紙	半紙		昔の手すき和紙の寸法を半分に切った大きさの和紙のこと。主に墨を使って描く際に使う
	障子紙		障子に使う紙であるが、安くて丈夫なので折染めや絵を描く際に使う
	花紙		半紙より薄手の色のついた紙で、飾りに使う花を作るときなどに使う
洋紙	新聞紙		可塑性に優れているので幼児が造形しやすい。縦の方向に破りやすい
	画用紙		描画や工作など造形活動全般に使う
	ケント紙		表面がなめらか。ポスターカラーなど厚塗りの場合や工作などにも使う
	模造紙		大判の薄めの洋紙。大きいものを描く際に使う
板紙	白板紙	白ボール紙	表面が白く加工され裏面は古紙（鼠色）のボール紙。工作に使いやすい。裏に方眼があるタイプを工作用紙と呼ぶ
		マニラボール紙	上質の白ボール紙
	黄色板紙（黄ボール紙）		昔のボール紙。わらなどが原料なので黄土色をしている。もろい
	色板紙（色ボール紙）		白ボール紙やマニラボール紙に色がついているもの。カラー工作用紙などともいう
	段ボール	片段ボール	片面が波状で片面が板状の段ボールのこと
		段ボール	両面が板状で中に波状の段ボールをはさんでいるタイプの段ボールのこと

■ その他のつくる材料・素材*29 *30

トイレットペーパーの芯やプリンのカップ、トレー、空き箱などの廃材や、土、石、落ち葉などの自然物、布、金

*27 **テラコッタ**
テラコッタとは、800℃程度で素焼きにした陶器やタイルなどのことです。

*28 **紙の種類**
R4年（前）
R4年（前）では広告紙の素材の性質を活かして丸めて棒を作るという問題が出題されました。

*29 **素材について**
R5年（前）
合成繊維製のテープ紐の性質や使用上の留意点について出題されました。

*30 **素材**
素材とは造形表現活動の際のもとになる材料のこと。幼児の造形表現では、素材の持っている特性を活かして表現活動を行うことが大切です。

属などいろいろな素材があります。

■ 接着剤[*31]

つくる活動の際、幼児が材料を接着するもので一般的なものとしては、でんぷんのり、液体のり、セロハンテープ、両面テープ、木工用ボンドなどがあります。用途や材料によって使い分けます。揮発性の高い有機溶剤などを含む接着剤は幼児の体内に有害なものが吸収される可能性があるので好ましくありません。

■ いろいろな用具

両刃のこぎり：**横挽き刃**（木目を断つようにして切る時に使用）と**縦挽き刃**（木目に沿って切る時に使用）の刃が付いているのこぎりです。

金づち：主にくぎ打ちに使う金づちには、げんのう（両面とも平らだが片方がやや曲面になっていて最後の打ち込みに使う）や、先切り金づち（片面が平らでもう片面は尖っていて穴あけなどに使う）や、くぎ抜き付き金づちなどがあります。

はさみ[*32]：幼児がよく使う用具です。刃の根元で切ると力が少なくてよく切れます。丸く切る時は紙を回しながら切るとよいでしょう。一般的なはさみは右利き用です。左利き用（総左型）のはさみは左手で自然に握る力で切ることができます。ただ右利き用に慣れている左利きの人には使いにくい場合があるので、その場合は足左型（右利き用はさみの刃のまま持ち手を左手用に変えただけ）というものもあります。

穴あけの用具：**千枚通し**（針が細長く、重ねた紙の穴あけなどに使う）や、**目打ち**（針が短く太く、厚みのある物や布などの穴あけや糸さばきに使う）や**キリ**（主に木に穴をあける時に使う）などがあります。

■ その他

保育現場[*33]の運動会や発表会、季節の行事で使うもの（くす玉やお面やおみこし、七夕の飾り[*34]、誕生日カード、

*31 **接着剤について**
R6年(前)
でんぷん糊の性質について出題されました。

*32 **はさみ**
R5年(後)
はさみの使い方について出題されました。

*33 **保育現場の制作物**
R4年(前)
ペープサートの作り方
張り子の作り方
R4年(後)
牛乳パックを材料とした手すき紙の作り方
R5年(前)
サイコロの展開図
R5年(後)　R6年(前)

*34 七夕飾りの展開図
R5年(前)
写真の七夕飾りを作るにはどのように紙を折って切り込みを入れるとよいかという問題が出題されました。

影絵など）の作り方を知っておきましょう。世界的に有名な画家の名前と作品名、その絵がどの美術館にあるか、また、有名な絵本がどのような技法でつくられているのかなど一般常識として覚えておきましょう。

理解度チェック　一問一答

全問クリア　月　日

Q

□ ❶ 青に白を混ぜれば混ぜるほど明度と彩度が上がる。予想

□ ❷ 12色相環の青緑と互いの色を引き立て合う補色関係の色は黄色である。予想

□ ❸ 青緑色の背景の舞台に飾った赤いチューリップが目立って見えた。このことを明度対比という。H26年

□ ❹ クレヨンとパス（オイルパステル）のうち、線描きに適しているのはクレヨンである。予想

□ ❺ 凸凹のあるものの表面に薄い紙をのせて鉛筆やクレヨンで上からこすり、材質の地肌を写しとる方法を「コラージュ」という。予想

A

❶ × 白は無彩色なので明度は上がるが彩度は下がるので誤り。

❷ × 補色同士の組み合わせはお互いの色を引き立て合い、お互いの色の彩度が高くなって見える色同士のことをいう。青緑の補色は黄色ではなく、赤であるので誤り。

❸ × 補色対比の説明である。

❹ ○ クレヨンは硬く、線描きに適していて、パス（オイルパステル）は柔らかいので混色、ぬり絵に適している。

❺ × コラージュではなく、「フロッタージュ」という。コラージュは、紙や布などを使ってつくる貼り絵のことである。

□ ❻ 一般的な版画や版の技法と、版の種類において、ステンシルは、凹版である。 予想

□ ❼ 象徴期には、顔から直接手や足が出ているような人物画を描く。 予想

□ ❽ 車の中など見えないものを透けたように表現するレントゲン表現は図式期に見られる表現である。 予想

□ ❾ 平面構成をする際の構成美の要素である「グラデーション」とは、左右対称で統一感のある構成のことである。 予想

□ ❿ 紙や布などを使ってつくる貼り絵のことを「バチック」という。 予想

□ ⓫ ガラスやプラスチックに色を塗る際は、アクリル絵の具を使うとよい。 予想

□ ⓬ レオ・レオニの絵本『スイミー』は、スタンピングの技法が使われている。 予想

❻ × 穴をあけた版型に色を刷りこませるステンシルは、凹版ではなく、「孔版」であるので誤り。その他、幼児の造形活動でよく使用される技法のマーブリング、デカルコマニーなどは平版、スタンピング、スチレン版画、紙版画、木版画などは凸版の部類に入る。凹版はエッチングやドライポイントなど版の溝以外のインクをふき取り、凹部分のインクだけを刷るものである。

❼ × 象徴期ではなく、「前図式期」に、顔から直接手や足が出ているような人物画（頭足人）を描く。

❽ ○

❾ × 左右対称の構成は「シンメトリー」。「グラデーション」は段階的に変化する構成のことである。

❿ × コラージュという。バチックは、はじき絵のこと。

⓫ ○ 乾くと耐水性になる。

⓬ ○

言語に関する技術

乳幼児期の言葉の発達過程を理解した上で、保育所保育指針に示されている「言葉」のねらいや内容などを確認しておきましょう。

頻出度

保育所保育指針

言語の発達に対して保育士が行うべき援助については、保育所保育指針*1 に記載されています。

ココが出た！
*1 保育所保育指針
R4年(後)　R5年(前)

○ 第１章総則１「保育所保育に関する基本原則」(2)「保育の目標」ア（オ）

生活の中で、言葉への興味や関心を育て、話したり、聞いたり、相手の話を理解しようとするなど、言葉の豊かさを養うこと。

○ 第１章総則４「幼児教育を行う施設として共有すべき事項」(2)「幼児期の終わりまでに育ってほしい姿」ケ「言葉による伝え合い」

保育士等や友達と心を通わせる中で、絵本や物語などに親しみながら、豊かな言葉や表現を身に付け、経験したことや考えたことなどを言葉で伝えたり、相手の話を注意して聞いたりし、言葉による伝え合いを楽しむようになる。

乳幼児期の言葉の発達過程

乳幼児の言葉は次のような段階を踏んで発達していきます。それぞれの段階での特徴を理解しておきましょう。

喃語期	3か月〜11か月	「クー」「クク」というような「クーイング」や「ア・エ・ウ」などの音や「ブー」などの喃語を自発的に発する。だんだん話しかけられている言葉がわかるようになる。9か月頃から簡単な言葉が理解でき、自分の意思や欲求を身振りなどで伝えようとする
片言期	1歳〜1歳半	発音しやすい音に意味が結合して、「マンマ」「ワンワン」などの一語文が増加する。情緒の表現がはっきりしてくる
命名期	1歳半〜2歳	物の名前を言う。「イヤ」などの拒否を表す言葉を盛んに使う。二語文が出現し、「マンマ、ホチイ」などの欲求表現が可能になる
羅列期	2歳〜2歳半	語彙の増加に伴い、知っている単語を並べて羅列したような表現が増える。「これ何？」という質問が増加する
模倣期	2歳半〜3歳	人の言葉を模倣する。自分のしたいこと、してほしいことを言葉で言う
成熟期	3歳〜4歳	話言葉の基礎ができ、他者との伝え合いができるようになる。「なぜ？」「どうして？」の質問や「これがいい」と選択することなどが増加する
多弁期	4歳〜5歳	生活空間や経験の広がりに伴い語彙も増え、文法力・理解力・表現力がつき、すらすら話せるようになる。たくさんおしゃべりする
適応期	5歳〜	自己中心的なおしゃべりから、話している相手との対話が可能となる。経験したことを思い出して話せる

いろいろな表現遊びの教材[*2]を知ろう

種類とつくり方、演じ方などを理解しておきましょう。いろいろな表現遊びの教材のことを児童文化財(子どもの健全な発達に役立つ文化的所産)ともいいます。

*2 **表現遊びの教材**
R6年(前)
パネルシアター、ペープサート、エプロンシアターパペットについて出題されました。

素話（すばなし）	絵本や紙芝居などを使わず語ってお話をする
紙芝居	紙の絵を見せながら演じ手が語ってお話をする
ペープサート	紙人形劇のこと。人や動物の絵を描いた紙に棒をつけたものを動かして演じる。表と裏で別の絵（顔の表情が変わるなど）が描いてある物を動かしながらお話を展開する

ペープサート

（つづく）

パネルシアター	パネル布(ネル地)を貼った板が舞台。絵が描いてあるPペーパー(不織布)を付けたりはがしたりしてお話を展開する。Pペーパーにはポスターカラーなどの絵の具で色を付ける 
エプロンシアター	エプロンが舞台。演じ手がエプロンをつけて人形を使ってお話を展開する。ポケットやマジックテープなどのしかけにより、人形がいくつも出てきたり、エプロンにくっついたりする
オペレッタ	小さいオペラという意味。「音楽劇」「歌芝居」といわれる、主に幼稚園や小学校の発表会などで上演される創作オペレッタのこと。簡単な歌や踊りを入れた劇のことで、幼児にも親しみやすく演じやすい
人形劇	マリオネット*3やパペット*4などの人形を使ってお話を展開する
影絵	影をスクリーンに投影するもの。紙や木で人や動物の形を作ったり、手で影を作ったりする。紙などで作った場合は穴をあけて色セロファンなどを通せばいろいろな色を付けることができる。割りピンなどで手足などの関節が動くように作ることもある

用語解説

*3 **マリオネット**
人形劇で使われる操り人形の一つ。糸で操るタイプのものです。

*4 **パペット**
人形劇などで使われる人形の一つ。人形に手や指を入れて操作するタイプのものです。

*5 **絵本**
過去にきょうだい関係を描いた絵本を選択させる問題が出題されました。

■ 絵本*5 や童話

子どもたちによく読まれている絵本や童話の題名と作者名、絵や内容などを実際に本を手にとって知っておきましょう。

○ 絵本の種類と著者名①

日本の絵本

作品名	著者名
「いないいないばあ」「いいおかお」「もうねんね」「きつねのよめいり」	松谷みよ子 作/瀬川康男 絵
「ぐりとぐら」「ぐりとぐらのおきゃくさま」「ぐりとぐらのえんそく」「ぐりとぐらのかいすいよく」	中川李枝子 作/山脇百合子 絵
「ねないこだれだ」「にんじん」「いやだ いやだ」「もじゃ もじゃ」	せなけいこ
「きんぎょがにげた」「まどから おくりもの」「みんなうんち」「たべたのだあれ」「いっぽんばしわたる」	五味太郎
「しろくまちゃんのほっとけーき」	若山憲
「からすのパンやさん」「だるまちゃんとてんぐちゃん」「はははのはなし」	加古里子(かこさとし)
「ぐるんぱのようちえん」	西内ミナミ 作/堀内誠一 絵
「はじめてのおつかい」	筒井頼子 作/林明子 絵

「こんとあき」「おつきさま こんばんは」	林明子
「おしいれのぼうけん」	古田足日 作/田畑精一 絵
「100万回生きたねこ」	佐野洋子
「しょうぼうじどうしゃじぷた」	渡辺茂男 作/山本忠敬 絵
「がたん ごとん がたん ごとん」	安西水丸
「くだもの」	平山和子
「わたしのワンピース」 「えのすきなねこさん」	西巻茅子
「11ぴきのねこ」	馬場のぼる
「ぞうくんのさんぽ」	中野弘隆
「14ひきのあさごはん」	いわむらかずお
「うずらちゃんのかくれんぼ」	きもとももこ
「モチモチの木」「花さき山」	斎藤隆介 作/滝平二郎 絵
「もこ もこ もこ」	谷川俊太郎 作/元永定正 絵
「ねずみくんのチョッキ」	なかえよしを 作／上野紀子 絵
「キャベツくん」「ごろごろにゃーん」 「ゴムあたまポンたろう」「ぼくのくれよん」	長新太

○ 絵本の種類と著者名②

海外の絵本

作品名	著者名
「はらぺこあおむし」	エリック・カール
「三びきのやぎのがらがらどん」	マーシャ・ブラウン
「しろいうさぎとくろいうさぎ」	ガース・ウィリアムズ
「うさこちゃんとどうぶつえん」 「ゆきのひのうさこちゃん」	ディック・ブルーナ
「どろんこハリー」	ジーン・ジオン 作/マーガレット・ブロイ・グレアム 絵
「ちいさいおうち」 「いたずらきかんしゃちゅうちゅう」	バージニア・リー・バートン
「ひとまねこざる」	ハンス・アウグスト・レイ 作/マーガレット・レイ 絵
「かいじゅうたちのいるところ」	モーリス・センダック

（つづく）

「ふたりはともだち」	アーノルド・ローベル
「もりのなか」	マリー・ホール・エッツ

民話をもとにした絵本

作品名	著者名
「てぶくろ」(ウクライナ民話)	エウゲーニー・M・ラチョフ 絵
「おおきなかぶ」(ロシア民話)	A・トルストイ 再話/佐藤忠良 絵
「スーホの白い馬」(モンゴル民話)	大塚勇三 再話/赤羽末吉 絵
「おおかみと七ひきのこやぎ」(グリム童話)	フェリクス・ホフマン 絵

*6 **お話をする際のポイント**
R4年(後) R5年(後) R6年(前)
絵本の読み聞かせをする際の留意事項について出題されました。

■ お話をする際のポイント*6

部屋の広さや子どもの人数、お話の内容、繰り返し起こる場面展開の面白さ、昔話特有の方言の面白さなどを考慮に入れて声の大小、強弱、高低、速度、間の取り方、表情などを工夫するとよいでしょう。

○ 絵本 部分の名称

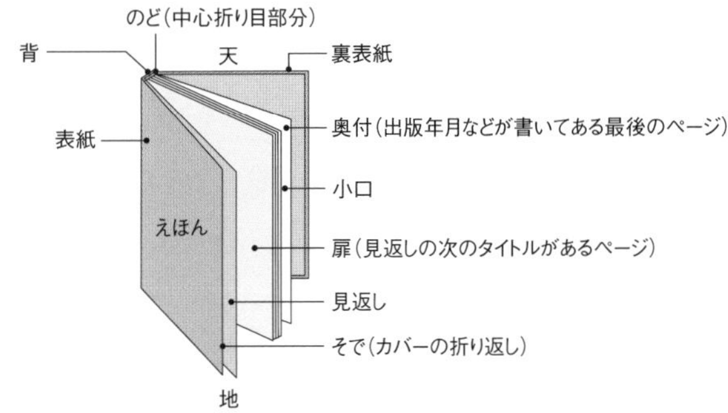

■ 読み聞かせのポイント

- 子どもが絵本の世界に入り想像を膨らませるのを邪魔しないように配慮する。
- 絵本のストーリーや展開を事前に理解しておく、また、表紙や裏表紙にも物語が含まれていることを理解しておく。
- 部屋の明るさや、読み手の背景はシンプルにするなど、絵本を読む場所の環境を整える。
- 目の前の子どもに合わせて柔軟に、物語に寄り添ってその絵本に合った読み方を探す。

・静かにさせることが目的で絵本を読むのではないので、臨機応変に子どもとのやりとりを楽しむ。

■ **その他**

物や道具等の数え方や、日本の有名な童謡や詩についてなど、子どもの周りにある身近な言葉についても知っておきましょう。

「しりとり」や、「回文*7」（上から読んでも下から読んでも意味の通じる言葉）、また「さよなら三角また来て四角」のような遊びうたなど、幼児が楽しめる言葉遊びやわらべうたなどについても知っておきましょう。

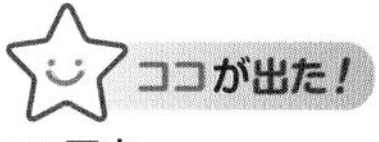

*7 **回文**
R4年（前）
言葉遊びの中から回文を選ぶ問題が出題されました。

理解度チェック　一問一答

全問クリア　月　日

Q

☐ ❶ H保育園でA子先生が毛羽立ちのよい布を貼り付けた板を舞台として、不織布に絵や人形を描いたものを付けたり取りはずしたりしながら、お話や歌を展開している。この演じられている活動を、（エプロンシアター）という。 予想

☐ ❷ パペットとは、台詞と歌と踊りによって物語が展開される音楽劇のことである。 予想

☐ ❸ 「保育所保育指針」第1章「総則」4（2）「幼児期の終わりまでに育ってほしい姿」の一部文章である。保育士等や友達と（A 心）を通わせる中で、絵本や物語などに親しみながら、（B 豊かな）言葉や表現を身に付け、（C 経験したこと）や考えたことなどを言葉で伝えたり、相手の話を注意して聞いたりし、言葉による伝え合いを楽しむようになる。 H31年（前期）

☐ ❹ ペープサートとは、絵を描いた紙に棒をつけたものを動かして演じるものである。 予想

A

❶ × これはエプロンシアターではなく、パネルシアターであるので誤り。

❷ × これはパペットではなく、オペレッタであるので誤り。オペレッタとは台詞と歌と踊りによって物語が展開される音楽劇のこと。パペットとは、人形劇に使う人形で、手指を入れて動かすタイプの人形のことをいう。

❸ ○

❹ ○

保育所保育指針（全文）

2017.3.31 厚生労働省告示　2018.4.1 施行

> ※下巻で解説した箇所や実際に出題されたキーワードなどをマーキングしています。
> 上巻も参照してください。

目次

第１章 総則

この指針は、児童福祉施設の設備及び運営に関する基準（昭和２３年厚生省令第６３号。以下「設備運営基準」という。）第３５条の規定に基づき、保育所における保育の内容に関する事項及びこれに関連する運営に関する事項を定めるものである。各保育所は、この指針において規定される保育の内容に 係る基本原則に関する事項等を踏まえ、各保育所の実情に応じて創意工夫を図り、保育所の機能及び質の向上に努めなければならない。

１ 保育所保育に関する基本原則

（１）保育所の役割

ア 保育所は、児童福祉法（昭和２２年法律第１６４号）第３９条の規定に基づき、保育を必要とする子どもの保育を行い、その健全な心身の発達を図ることを目的とする児童福祉施設であり、入所する子どもの最善の利益を考慮し、その福祉を積極的に増進することに最もふさわしい生活の場でなければならない。

イ 保育所は、その目的を達成するために、保育に関する専門性を有する職員が、家庭との緊密な連携の下に、子どもの状況や発達過程を踏まえ、保育所における環境を通して、養護及び教育を一体的に行うことを特性としている。

ウ 保育所は、入所する子どもを保育するとともに、家庭や地域の様々な社会資源との連携を図りながら、入所する子どもの保護者に対する支援及び地域の子育て家庭に対する支援等を行う役割を担うものである。

エ 保育所における保育士は、児童福祉法第１８条の４の規定を踏まえ、保育所の役割及び機能が適切に発揮されるように、倫理観に裏付けられた専門的知識、技術及び判断をもって、子どもを保育するとともに、子どもの保護者に対する保育に関する指導を行うものであり、その職責を遂行するための専門性の向上に絶えず努めなければならない。

（２）保育の目標

ア 保育所は、子どもが生涯にわたる人間形成にとって極めて重要な時期に、その生活時間の大半を過ごす場である。このため、保育所の保育は、子どもが現在を最も良く生き、望ましい未来をつくり出す力の基礎を培うために、次の目標を目指して行わなければならない。

（ア） 十分に養護の行き届いた環境の下に、くつろいだ雰囲気の中で子どもの様々な欲求を満たし、生命の保持及び情緒の安定を図ること。

（イ） 健康、安全など生活に必要な基本的な習慣や態度を養い、心身の健康の基礎を培うこと。

(ウ) 人との関わりの中で、人に対する愛情と信頼感、そして人権を大切にする心を育てるとともに、自主、自立及び協調の態度を養い、道徳性の芽生えを培うこと。

(エ) 生命、自然及び社会の事象についての興味や関心を育て、それらに対する豊かな心情や思考力の芽生えを培うこと。

(オ) 生活の中で、言葉への興味や関心を育て、話したり、聞いたり、相手の話を理解しようとするなど、言葉の豊かさを養うこと。

(カ) 様々な体験を通して、豊かな感性や表現力を育み、創造性の芽生えを培うこと。

イ 保育所は、入所する子どもの保護者に対し、その意向を受け止め、子どもと保護者の安定した関係に配慮し、保育所の特性や保育士等の専門性を生かして、その援助に当たらなければならない。

(3) 保育の方法

保育の目標を達成するために、保育士等は、次の事項に留意して保育しなければならない。

ア 一人一人の子どもの状況や家庭及び地域社会での生活の実態を把握するとともに、子どもが安心感と信頼感をもって活動できるよう、子どもの主体としての思いや願いを受け止めること。

イ 子どもの生活のリズムを大切にし、健康、安全で情緒の安定した生活ができる環境や、自己を十分に発揮できる環境を整えること。

ウ 子どもの発達について理解し、一人一人の発達過程に応じて保育すること。その際、子どもの個人差に十分配慮すること。

エ 子ども相互の関係づくりや互いに尊重する心を大切にし、集団における活動を効果あるものにするよう援助すること。

オ 子どもが自発的・意欲的に関われるような環境を構成し、子どもの主体的な活動や子ども相互の関わりを大切にすること。特に、乳幼児期にふさわしい体験が得られるように、生活や遊びを通して総合的に保育すること。

カ 一人一人の保護者の状況やその意向を理解、受容し、それぞれの親子関係や家庭生活等に配慮しながら、様々な機会をとらえ、適切に援助すること。

(4) 保育の環境

保育の環境には、保育士等や子どもなどの人的環境、施設や遊具などの物的環境、更には自然や社会の事象などがある。保育所は、こうした人、物、場などの環境が相互に関連し合い、子どもの生活が豊かなものとなるよう、次の事項に留意しつつ、計画的に環境を構成し、工夫して保育しなければならない。

ア 子ども自らが環境に関わり、自発的に活動し、様々な経験を積んでいくことができるよう配慮すること。

イ 子どもの活動が豊かに展開されるよう、保育所の設備や環境を整え、保育所の保健的環境や安全の確保などに努めること。

ウ 保育室は、温かな親しみとくつろぎの場となるとともに、生き生きと活動できる場となるように配慮すること。

エ 子どもが人と関わる力を育てていくため、子ども自らが周囲の子どもや大人と関わっていくことができる環境を整えること。

(5) 保育所の社会的責任

ア 保育所は、子どもの人権に十分配慮するとともに、子ども一人一人の人格を尊重して保育を行わなければならない。

イ 保育所は、地域社会との交流や連携を図り、保護者や地域社会に、当該保育所が行う保育の内容を適切に説明するよう努めなければならない。

ウ 保育所は、入所する子ども等の個人情報を適切に取り扱うとともに、保護者の苦情などに対し、その解決を図るよう努めなければならない。

2 養護に関する基本的事項

（1）養護の理念

保育における養護とは、子どもの生命の保持及び情緒の安定を図るために保育士等が行う援助や関わりであり、保育所における保育は、養護及び教育を一体的に行うことをその特性とするものである。保育所における保育全体を通じて、養護に関するねらい及び内容を踏まえた保育が展開されなければならない。

（2）養護に関わるねらい及び内容

ア 生命の保持

（ア）ねらい

① 一人一人の子どもが、快適に生活できるようにする。

② 一人一人の子どもが、健康で安全に過ごせるようにする。

③ 一人一人の子どもの生理的欲求が、十分に満たされるようにする。

④ 一人一人の子どもの健康増進が、積極的に図られるようにする。

（イ）内容

① 一人一人の子どもの平常の健康状態や発育及び発達状態を的確に把握し、異常を感じる場合は、速やかに適切に対応する。

② 家庭との連携を密にし、嘱託医等との連携を図りながら、子どもの疾病や事故防止に関する認識を深め、保健的で安全な保育環境の維持及び向上に努める。

③ 清潔で安全な環境を整え、適切な援助や応答的な関わりを通して子どもの生理的欲求を 満たしていく。また、家庭と協力しながら、子どもの発達過程等に応じた適切な生活のリズムがつくられていくようにする。

④ 子どもの発達過程等に応じて、適度な運動と休息を取ることができるようにする。また、食事、排泄（せつ）、衣類の着脱、身の回りを清潔にすることなどについて、子どもが意欲的に生活できるよう適切に援助する。

イ 情緒の安定

（ア）ねらい

① 一人一人の子どもが、安定感をもって過ごせるようにする。

② 一人一人の子どもが、自分の気持ちを安心して表すことができるようにする。

③ 一人一人の子どもが、周囲から主体として受け止められ、主体として育ち、自分を肯定する気持ちが育まれていくようにする。

④ 一人一人の子どもがくつろいで共に過ごし、心身の疲れが癒されるようにする。

（イ）内容

① 一人一人の子どもの置かれている状態や発達過程などを的確に把握し、子どもの欲求を適切に満たしながら、応答的な触れ合いや言葉がけを行う。

② 一人一人の子どもの気持ちを受容し、共感しながら、子どもとの継続的な信頼関係を築いていく。

③ 保育士等との信頼関係を基盤に、一人一人の子どもが主体的に活動し、自発性や探索意欲などを高めるとともに、自分への自信をもつことができるよう成長の過程を見守り、適切に働きかける。

④ 一人一人の子どもの生活のリズム、発達過程、保育時間などに応じて、活動内容のバランスや調和を図りながら、適切な食事や休息が取れるようにする。

3 保育の計画及び評価

（1）全体的な計画の作成

ア 保育所は、1の（2）に示した保育の目標を達成するために、各保育所の保育の方針や目標に基づき、子どもの発達過程を踏まえて、保育の内容が組織的・計画的に構成され、保育所の生活の全体を通して、総合的に展開されるよう、全体的な計画を作成しなければならない。

イ 全体的な計画は、子どもや家庭の状況、地域の実態、保育時間などを考慮し、子どもの育ちに関する長期的見通しをもって適切に作成されなければならない。

ウ 全体的な計画は、保育所保育の全体像を包括的に示すものとし、これに基づく指導計画、保健計画、食育計画等を通じて、各保育所が創意工夫して保育できるよう、作成されなければならない。

（2）指導計画の作成

ア 保育所は、全体的な計画に基づき、具体的な保育が適切に展開されるよう、子どもの生活や発達を見通した長期的な指導計画と、それに関連しながら、より具体的な子どもの日々の生活に即した短期的な指導計画を作成しなければならない。

イ 指導計画の作成に当たっては、第２章及びその他の関連する章に示された事項のほか、子ども一人一人の発達過程や状況を十分に踏まえるとともに、次の事項に留意しなければならない。

（ア） ３歳未満児については、一人一人の子どもの生育歴、心身の発達、活動の実態等に即して、個別的な計画を作成すること。

（イ） ３歳以上児については、個の成長と、子ども相互の関係や協同的な活動が促されるよう配慮すること。

（ウ） 異年齢で構成される組やグループでの保育においては、一人一人の子どもの生活や経験、発達過程などを把握し、適切な援助や環境構成ができるよう配慮すること。

ウ 指導計画においては、保育所の生活における子どもの発達過程を見通し、生活の連続性、季節の変化などを考慮し、子どもの実態に即した具体的なねらい及び内容を設定すること。また、具体的なねらいが達成されるよう、子どもの生活する姿や発想を大切にして適切な環境を構成し、子どもが主体的に活動できるようにすること。

エ 一日の生活のリズムや在園時間が異なる子どもが共に過ごすことを踏まえ、活動と休息、緊張感と解放感等の調和を図るよう配慮すること。

オ 午睡は生活のリズムを構成する重要な要素であり、安心して眠ることのできる安全な睡眠環境を確保するとともに、在園時間が異なることや、睡眠時間は子どもの発達の状況や個人によって差があることから、一律とならないよう配慮すること。

カ 長時間にわたる保育については、子どもの発達過程、生活のリズム及び心身の状態に十分配慮して、保育の内容や方法、職員の協力体制、家庭との連携などを指導計画に位置付けること。

キ 障害のある子どもの保育については、一人一人の子どもの発達過程や障害の状態を把握し、適切な環境の下で、障害のある子どもが他の子どもとの生活を通して共に成長できるよう、指導計画の中に位置付けること。また、子どもの状況に応じた保育を実施する観点から、家庭や関係機関と連携した支援のための計画を個別に作成するなど適切な対応を図ること。

（3）指導計画の展開

指導計画に基づく保育の実施に当たっては、次の事項に留意しなければならない。

ア 施設長、保育士など、全職員による適切な役割分担と協力体制を整えること。

イ 子どもが行う具体的な活動は、生活の中で様々に変化することに留意して、子どもが望ましい方向に向かって自ら活動を展開できるよう必要な援助を行うこと。

ウ 子どもの主体的な活動を促すためには、保育士等が多様な関わりをもつことが重要であることを踏まえ、子どもの情緒の安定や発達に必要な豊かな体験が得られるよう援助すること。

エ 保育士等は、子どもの実態や子どもを取り巻く状況の変化などに即して保育の過程を記録するとともに、これらを踏まえ、指導計画に基づく保育の内容の見直しを行い、改善を図ること。

（4）保育内容等の評価

ア 保育士等の自己評価

（ア） 保育士等は、保育の計画や保育の記録を通して、自らの保育実践を振り返り、自己評価することを通して、その専門性の向上や保育実践の改善に努めなければならない。

(イ) 保育士等による自己評価に当たっては、子どもの活動内容やその結果だけでなく、子どもの心の育ちや意欲、取り組む過程などにも十分配慮するよう留意すること。

(ウ) 保育士等は、自己評価における自らの保育実践の振り返りや職員相互の話し合い等を通じて、専門性の向上及び保育の質の向上のための課題を明確にするとともに、保育所全体の保育の内容に関する認識を深めること。

イ 保育所の自己評価

(ア) 保育所は、保育の質の向上を図るため、保育の計画の展開や保育士等の自己評価を踏まえ、当該保育所の保育の内容等について、自ら評価を行い、その結果を公表するよう努めなければならない。

(イ) 保育所が自己評価を行うに当たっては、地域の実情や保育所の実態に即して、適切に評価の観点や項目等を設定し、全職員による共通理解をもって取り組むよう留意すること。

(ウ) 設備運営基準第36条の趣旨を踏まえ、保育の内容等の評価に関し、保護者及び地域住民等の意見を聴くことが望ましいこと。

(5) 評価を踏まえた計画の改善

ア 保育所は、評価の結果を踏まえ、当該保育所の保育の内容等の改善を図ること。

イ 保育の計画に基づく保育、保育の内容の評価及びこれに基づく改善という一連の取組により、保育の質の向上が図られるよう、全職員が共通理解をもって取り組むことに留意すること。

4 幼児教育を行う施設として共有すべき事項

(1) 育みたい資質・能力

ア 保育所においては、生涯にわたる生きる力の基礎を培うため、1の(2)に示す保育の目標を踏まえ、次に掲げる資質・能力を一体的に育むよう努めるものとする。

(ア) 豊かな体験を通じて、感じたり、気付いたり、分かったり、できるようになったりする「知識及び技能の基礎」

(イ) 気付いたことや、できるようになったことなどを使い、考えたり、試したり、工夫したり、表現したりする「思考力、判断力、表現力等の基礎」

(ウ) 心情、意欲、態度が育つ中で、よりよい生活を営もうとする「学びに向かう力、人間性等」

イ アに示す資質・能力は、第2章に示すねらい及び内容に基づく保育活動全体によって育むものである。

(2) 幼児期の終わりまでに育ってほしい姿

次に示す「幼児期の終わりまでに育ってほしい姿」は、第2章に示すねらい及び内容に基づく保育活動全体を通して資質・能力が育まれている子どもの小学校就学時の具体的な姿であり、保育士等が指導を行う際に考慮するものである。

ア 健康な心と体

保育所の生活の中で、充実感をもって自分のやりたいことに向かって心と体を十分に働かせ、見通しをもって行動し、自ら健康で安全な生活をつくり出すようになる。

イ 自立心

身近な環境に主体的に関わり様々な活動を楽しむ中で、しなければならないことを自覚し、自分の力で行うために考えたり、工夫したりしながら、諦めずにやり遂げることで達成感を味わい、自信をもって行動するようになる。

ウ 協同性

友達と関わる中で、互いの思いや考えなどを共有し、共通の目的の実現に向けて、考えたり 、工夫したり、協力したりし、充実感をもってやり遂げるようになる。

エ 道徳性・規範意識の芽生え

友達と様々な体験を重ねる中で、してよ

いことや悪いことが分かり、自分の行動を振り返ったり、友達の気持ちに共感したりし、相手の立場に立って行動するようになる。また、きまりを守る必要性が分かり、自分の気持ちを調整し、友達と折り合いを付けながら、きまりをつくったり、守ったりするようになる。

オ 社会生活との関わり

家族を大切にしようとする気持ちをもつとともに、地域の身近な人と触れ合う中で、人との 様々な関わり方に気付き、相手の気持ちを考えて関わり、自分が役に立つ喜びを感じ、地域に親しみをもつようになる。また、保育所内外の様々な環境に関わる中で、遊びや生活に必要な情報を取り入れ、情報に基づき判断したり、情報を伝え合ったり、活用したりするなど、情報を役立てながら活動するようになるとともに、公共の施設を大切に利用するなどして、社会とのつながりなどを意識するようになる。

カ 思考力の芽生え

身近な事象に積極的に関わる中で、物の性質や仕組みなどを感じ取ったり、気付いたりし、考えたり、予想したり、工夫したりするなど、多様な関わりを楽しむようになる。また、友達の様々な考えに触れる中で、自分と異なる考えがあることに気付き、自ら判断したり、考え直したりするなど、新しい考えを生み出す喜びを味わいながら、自分の考えをよりよいものにするようになる。

キ 自然との関わり・生命尊重

自然に触れて感動する体験を通して、自然の変化などを感じ取り、好奇心や探究心をもって考え言葉などで表現しながら、身近な事象への関心が高まるとともに、自然への愛情や畏敬の念をもつようになる。また、身近な動植物に心を動かされる中で、生命の不思議さや尊さに気付き、身近な動植物への接し方を考え、命あるものとしていたわり、大切にする気持ちをもって関わるようになる。

ク 数量や図形、標識や文字などへの関心・感覚

遊びや生活の中で、数量や図形、標識や文字などに親しむ体験を重ねたり、標識や文字の役割に気付いたりし、自らの必要感に基づきこれらを活用し、興味や関心、感覚をもつようになる。

ケ 言葉による伝え合い

保育士等や友達と心を通わせる中で、絵本や物語などに親しみながら、豊かな言葉や表現を身に付け、経験したことや考えたことなどを言葉で伝えたり、相手の話を注意して聞いたりし、言葉による伝え合いを楽しむようになる。

コ 豊かな感性と表現

心を動かす出来事などに触れ感性を働かせる中で、様々な素材の特徴や表現の仕方などに気付き、感じたことや考えたことを自分で表現したり、友達同士で表現する過程を楽しんだりし、表現する喜びを味わい、意欲をもつようになる。

第2章 保育の内容

この章に示す「ねらい」は、第１章の１の（2）に示された保育の目標をより具体化したものであり、子どもが保育所において、安定した生活を送り、充実した活動ができるように、保育を通じて育みたい資質·能力を、子どもの生活する姿から捉えたものである。また、「内容」は、「ねらい」を達成 するために、子どもの生活やその状況に応じて保育士等が適切に行う事項と、保育士等が援助して子 どもが環境に関わって経験する事項を示したものである。

保育における「養護」とは、子どもの生命の保持及び情緒の安定を図るために保育士等が行う援助や関わりであり、「教育」とは、子どもが健やかに成長し、その活動がより豊かに展開されるための 発達の援助である。本章では、保育士等が、「ねらい」及び「内容」を具体的に把握するため、主に教育に関わる側面からの視点を示しているが、実際の保育においては、養護と教育が一体となって展開されることに留意する必要がある。

1 乳児保育に関わるねらい及び内容

（1）基本的事項

ア 乳児期の発達については、視覚、聴覚などの感覚や、座る、はう、歩くなどの運動機能が著しく発達し、特定の大人との応答的な関わりを通じて、情緒的な絆（きずな）が形成されるといった特徴がある。これらの発達の特徴を踏まえて、乳児保育は、愛情豊かに、応答的に行われることが特に必要である。

イ 本項においては、この時期の発達の特徴を踏まえ、乳児保育の「ねらい」及び「内容」については、身体的発達に関する視点「健やかに伸び伸びと育つ」、社会的発達に関する視点「身近な人と気持ちが通じ合う」及び精神的発達に関する視点「身近なものと関わり感性が育つ」としてまとめ、示している。

ウ 本項の各視点において示す保育の内容は、第１章の２に示された養護における「生命の保持」及び「情緒の安定」に関わる保育の内容と、一体となって展開されるものであることに留意が必要である。

（2）ねらい及び内容

ア 健やかに伸び伸びと育つ

健康な心と体を育て、自ら健康で安全な生活をつくり出す力の基盤を培う。

（ア）ねらい

① 身体感覚が育ち、快適な環境に心地よさを感じる。

② 伸び伸びと体を動かし、はう、歩くなどの運動をしようとする。

③ 食事、睡眠等の生活のリズムの感覚が芽生える。

（イ）内容

① 保育士等の愛情豊かな受容の下で、生理的・心理的欲求を満たし、心地よく生活をする。

② 一人一人の発育に応じて、はう、立つ、歩くなど、十分に体を動かす。

③ 個人差に応じて授乳を行い、離乳を進めていく中で、様々な食品に少しずつ慣れ、食べることを楽しむ。

④ 一人一人の生活のリズムに応じて、安全な環境の下で十分に午睡をする。

⑤ おむつ交換や衣服の着脱などを通じて、清潔になることの心地よさを感じる。

（ウ）内容の取扱い

上記の取扱いに当たっては、次の事項に留意する必要がある。

① 心と体の健康は、相互に密接な関連があるものであることを踏まえ、温かい触れ合いの中で、心と体の発達を促すこと。特に、寝返り、お座り、はいはい、つかまり立ち、伝い歩きなど、発育に応じて、遊びの中で体を動かす機会を十分に確保し、自ら体を動かそうとする意欲が育つようにすること。

② 健康な心と体を育てるためには望ましい食習慣の形成が重要であることを踏まえ、離乳食が完了期へと徐々に移行する中で、様々な食品に慣れるようにするとともに、和やかな雰囲気の中で食べる喜びや楽しさを味わい、進んで食べようとする気持ちが育つようにすること。なお、食物アレルギーのある子どもへの対応については、嘱託医等の指示や協力の下に適切に対応すること。

イ 身近な人と気持ちが通じ合う

受容的・応答的な関わりの下で、何かを伝えようとする意欲や身近な大人との信頼関係を育て、人と関わる力の基盤を培う。

（ア）ねらい

① 安心できる関係の下で、身近な人と共に過ごす喜びを感じる。

② 体の動きや表情、発声等により、保育士

等と気持ちを通わせようとする。
③ 身近な人と親しみ、関わりを深め、愛情や信頼感が芽生える。

（イ）内容

① 子どもからの働きかけを踏まえた、応答的な触れ合いや言葉がけによって、欲求が満たされ、安定感をもって過ごす。
② 体の動きや表情、発声、喃（なん）語等を優しく受け止めてもらい、保育士等とのやり取りを楽しむ。
③ 生活や遊びの中で、自分の身近な人の存在に気付き、親しみの気持ちを表す。
④ 保育士等による語りかけや歌いかけ、発声や喃（なん）語等への応答を通じて、言葉の理解や発語の意欲が育つ。
⑤ 温かく、受容的な関わりを通じて、自分を肯定する気持ちが芽生える。

（ウ）内容の取扱い

上記の取扱いに当たっては、次の事項に留意する必要がある。

① 保育士等との信頼関係に支えられて生活を確立していくことが人と関わる基盤となることを考慮して、子どもの多様な感情を受け止め、温かく受容的・応答的に関わり、一人一人に応じた適切な援助を行うようにすること。
② 身近な人に親しみをもって接し、自分の感情などを表し、それに相手が応答する言葉を聞くことを通して、次第に言葉が獲得されていくことを考慮して、楽しい雰囲気の中での 保育士等との関わり合いを大切にし、ゆっくりと優しく話しかけるなど、積極的に言葉のやり取りを楽しむことができるようにすること。

ウ 身近なものと関わり感性が育つ

身近な環境に興味や好奇心をもって関わり、感じたことや考えたことを表現する力の基盤を培う。

（ア）ねらい

① 身の回りのものに親しみ、様々なものに興味や関心をもつ。
② 見る、触れる、探索するなど、身近な環境に自分から関わろうとする。
③ 身体の諸感覚による認識が豊かになり、表情や手足、体の動き等で表現する。

（イ）内容

① 身近な生活用具、玩具や絵本などが用意された中で、身の回りのものに対する興味や好奇心をもつ。
② 生活や遊びの中で様々なものに触れ、音、形、色、手触りなどに気付き、感覚の働きを豊かにする。
③ 保育士等と一緒に様々な色彩や形のものや絵本などを見る。
④ 玩具や身の回りのものを、つまむ、つかむ、たたく、引っ張るなど、手や指を使って遊ぶ。
⑤ 保育士等のあやし遊びに機嫌よく応じたり、歌やリズムに合わせて手足や体を動かして楽しんだりする。

（ウ）内容の取扱い

上記の取扱いに当たっては、次の事項に留意する必要がある。

① 玩具などは、音質、形、色、大きさなど子どもの発達状態に応じて適切なものを選び、その時々の子どもの興味や関心を踏まえるなど、遊びを通して感覚の発達が促されるものとなるように工夫すること。なお、安全な環境の下で、子どもが探索意欲を満たして自由に遊べるよう、身の回りのものについては、常に十分な点検を行うこと。
② 乳児期においては、表情、発声、体の動きなどで、感情を表現することが多いことから、これらの表現しようとする意欲を積極的に受け止めて、子どもが様々な活動を楽しむことを通して表現が豊かになるようにすること。

（3）保育の実施に関わる配慮事項

ア 乳児は疾病への抵抗力が弱く、心身の機能の未熟さに伴う疾病の発生が多いことから、一人一人の発育及び発達状態や健康状態についての適切な判断に基づく保健的な対応を行うこと。

イ 一人一人の子どもの生育歴の違いに留意しつつ、欲求を適切に満たし、特定の保育士が応答的に関わるように努めること。

ウ 乳児保育に関わる職員間の連携や嘱託医との連携を図り、第３章に示す事項を踏まえ、適切に対応すること。栄養士及び看護師等が配置されている場合は、その専門性を生かした対応を図ること。

エ 保護者との信頼関係を築きながら保育を進めるとともに、保護者からの相談に応じ、保護者への支援に努めていくこと。

オ 担当の保育士が替わる場合には、子どものそれまでの生育歴や発達過程に留意し、職員間で協力して対応すること。

２ １歳以上３歳未満児の保育に関わるねらい及び内容

(1) 基本的事項

ア この時期においては、歩き始めから、歩く、走る、跳ぶなどへと、基本的な運動機能が次第に発達し、排泄(せつ)の自立のための身体的機能も整うようになる。つまむ、めくるなどの指先の機能も発達し、食事、衣類の着脱なども、保育士等の援助の下で自分で行うようになる。発声も明瞭になり、語彙も増加し、自分の意思や欲求を言葉で表出できるようになる。このように自分でできることが増えてくる時期であることから、保育士等は、子どもの生活の安定を図りながら、自分でしようとする気持ちを尊重し、温かく見守るとともに、愛情豊かに、応答的に関わることが必要である。

イ 本項においては、この時期の発達の特徴を踏まえ、保育の「ねらい」及び「内容」について、心身の健康に関する領域「健康」、人との関わりに関する領域「人間関係」、身近な環境との関わりに関する領域「環境」、言葉の獲得に関する領域「言葉」及び感性と表現に関する領域「表現」としてまとめ、示している。

ウ 本項の各領域において示す保育の内容は、第１章の２に示された養護における「生命の保持」及び「情緒の安定」に関わる保育の内容と、一体となって展開されるものであることに留意が必要である。

(2) ねらい及び内容

ア 健康

健康な心と体を育て、自ら健康で安全な生活をつくり出す力を養う。

(ア) ねらい

① 明るく伸び伸びと生活し、自分から体を動かすことを楽しむ。

② 自分の体を十分に動かし、様々な動きをしようとする。

③ 健康、安全な生活に必要な習慣に気付き、自分でしてみようとする気持ちが育つ。

(イ) 内容

① 保育士等の愛情豊かな受容の下で、安定感をもって生活をする。

② 食事や午睡、遊びと休息など、保育所における生活のリズムが形成される。

③ 走る、跳ぶ、登る、押す、引っ張るなど全身を使う遊びを楽しむ。

④ 様々な食品や調理形態に慣れ、ゆったりとした雰囲気の中で食事や間食を楽しむ。

⑤ 身の回りを清潔に保つ心地よさを感じ、その習慣が少しずつ身に付く。

⑥ 保育士等の助けを借りながら、衣類の着脱を自分でしようとする。

⑦ 便器での排泄(せつ)に慣れ、自分で排泄(せつ)ができるようになる。

(ウ) 内容の取扱い

上記の取扱いに当たっては、次の事項に留意する必要がある。

① 心と体の健康は、相互に密接な関連があるものであることを踏まえ、子どもの気持ちに配慮した温かい触れ合いの中で、心と体の発達を促すこと。特に、一人一人の発育に応じて、体を動かす機会を十

分に確保し、自ら体を動かそうとする意欲が育つようにすること。

② 健康な心と体を育てるためには望ましい食習慣の形成が重要であることを踏まえ、ゆったりとした雰囲気の中で食べる喜びや楽しさを味わい、進んで食べようとする気持ちが育つようにすること。なお、食物アレルギーのある子どもへの対応については、嘱託医等の指示や協力の下に適切に対応すること。

③ 排泄（せつ）の習慣については、一人一人の排尿間隔等を踏まえ、おむつが汚れていないときに便器に座らせるなどにより、少しずつ慣れさせるようにすること。

④ 食事、排泄（せつ）、睡眠、衣類の着脱、身の回りを清潔にすることなど、生活に必要な基本的な習慣については、一人一人の状態に応じ、落ち着いた雰囲気の中で行うようにし、子どもが自分でしようとする気持ちを尊重すること。また、基本的な生活習慣の形成に当たっては、家庭での生活経験に配慮し、家庭との適切な連携の下で行うようにすること。

イ 人間関係

他の人々と親しみ、支え合って生活するために、自立心を育て、人と関わる力を養う。

（ア）ねらい

① 保育所での生活を楽しみ、身近な人と関わる心地よさを感じる。

② 周囲の子ども等への興味や関心が高まり、関わりをもとうとする。

③ 保育所の生活の仕方に慣れ、きまりの大切さに気付く。

（イ）内容

① 保育士等や周囲の子ども等との安定した関係の中で、共に過ごす心地よさを感じる。

② 保育士等の受容的・応答的な関わりの中で、欲求を適切に満たし、安定感をもって過ごす。

③ 身の回りに様々な人がいることに気付き、徐々に他の子どもと関わりをもって遊ぶ。

④ 保育士等の仲立ちにより、他の子どもとの関わり方を少しずつ身につける。

⑤ 保育所の生活の仕方に慣れ、きまりがあることや、その大切さに気付く。

⑥ 生活や遊びの中で、年長児や保育士等の真似をしたり､ごっこ遊びを楽しんだりする。

（ウ）内容の取扱い

上記の取扱いに当たっては、次の事項に留意する必要がある。

① 保育士等との信頼関係に支えられて生活を確立するとともに、自分で何かをしようとする気持ちが旺盛になる時期であることに鑑み、そのような子どもの気持ちを尊重し、温かく見守るとともに、愛情豊かに、応答的に関わり、適切な援助を行うようにすること。

② 思い通りにいかない場合等の子どもの不安定な感情の表出については、保育士等が受容的に受け止めるとともに、そうした気持ちから立ち直る経験や感情をコントロールすることへの気付き等につなげていけるように援助すること。

③ この時期は自己と他者との違いの認識がまだ十分ではないことから、子どもの自我の育ちを見守るとともに、保育士等が仲立ちとなって、自分の気持ちを相手に伝えることや相手の気持ちに気付くことの大切さなど、友達の気持ちや友達との関わり方を丁寧に伝えていくこと。

ウ 環境

周囲の様々な環境に好奇心や探究心をもって関わり、それらを生活に取り入れていこうとする力を養う。

（ア）ねらい

① 身近な環境に親しみ､触れ合う中で､様々なものに興味や関心をもつ。

② 様々なものに関わる中で、発見を楽しんだり、考えたりしようとする。

③ 見る、聞く、触るなどの経験を通して、感覚の働きを豊かにする。

（イ）内容

① 安全で活動しやすい環境での探索活動等を通して、見る、聞く、触れる、嗅ぐ、味わうなどの感覚の働きを豊かにする。
② 玩具、絵本、遊具などに興味をもち、それらを使った遊びを楽しむ。
③ 身の回りの物に触れる中で、形、色、大きさ、量などの物の性質や仕組みに気付く。
④ 自分の物と人の物の区別や、場所的感覚など、環境を捉える感覚が育つ。
⑤ 身近な生き物に気付き、親しみをもつ。
⑥ 近隣の生活や季節の行事などに興味や関心をもつ。

(ウ) 内容の取扱い

上記の取扱いに当たっては、次の事項に留意する必要がある。

① 玩具などは、音質、形、色、大きさなど子どもの発達状態に応じて適切なものを選び、遊びを通して感覚の発達が促されるように工夫すること。
② 身近な生き物との関わりについては、子どもが命を感じ、生命の尊さに気付く経験へとつながるものであることから、そうした気付きを促すような関わりとなるようにすること。
③ 地域の生活や季節の行事などに触れる際には、社会とのつながりや地域社会の文化への気付きにつながるものとなることが望ましいこと。その際、保育所内外の行事や地域の人々との触れ合いなどを通して行うこと等も考慮すること。

エ 言葉

経験したことや考えたことなどを自分なりの言葉で表現し、相手の話す言葉を聞こうとする意欲や態度を育て、言葉に対する感覚や言葉で表現する力を養う。

(ア) ねらい

① 言葉遊びや言葉で表現する楽しさを感じる。
② 人の言葉や話などを聞き、自分でも思ったことを伝えようとする。
③ 絵本や物語等に親しむとともに、言葉のやり取りを通じて身近な人と気持ちを通わせる。

(イ) 内容

① 保育士等の応答的な関わりや話しかけにより、自ら言葉を使おうとする。
② 生活に必要な簡単な言葉に気付き、聞き分ける。
③ 親しみをもって日常の挨拶に応じる。
④ 絵本や紙芝居を楽しみ、簡単な言葉を繰り返したり、模倣をしたりして遊ぶ。
⑤ 保育士等とごっこ遊びをする中で、言葉のやり取りを楽しむ。
⑥ 保育士等を仲立ちとして、生活や遊びの中で友達との言葉のやり取りを楽しむ。
⑦ 保育士等や友達の言葉や話に興味や関心をもって、聞いたり、話したりする。

(ウ) 内容の取扱い

上記の取扱いに当たっては、次の事項に留意する必要がある。

① 身近な人に親しみをもって接し、自分の感情などを伝え、それに相手が応答し、その言葉を聞くことを通して、次第に言葉が獲得されていくものであることを考慮して、楽しい雰囲気の中で保育士等との言葉のやり取りができるようにすること。
② 子どもが自分の思いを言葉で伝えるとともに、他の子どもの話などを聞くことを通して、次第に話を理解し、言葉による伝え合いができるようになるよう、気持ちや経験等の言語化を行うことを援助するなど、子ども同士の関わりの仲立ちを行うようにすること。
③ この時期は、片言から、二語文、ごっこ遊びでのやり取りができる程度へと、大きく言葉の習得が進む時期であることから、それぞれの子どもの発達の状況に応じて、遊びや関わりの工夫など、保育の内容を適切に展開することが必要であること。

オ 表現

感じたことや考えたことを自分なりに表現することを通して、豊かな感性や表現する力を養い、創造性を豊かにする。

(ア) ねらい

① 身体の諸感覚の経験を豊かにし、様々な感覚を味わう。

② 感じたことや考えたことなどを自分なりに表現しようとする。

③ 生活や遊びの様々な体験を通して、イメージや感性が豊かになる。

(イ) 内容

① 水、砂、土、紙、粘土など様々な素材に触れて楽しむ。

② 音楽、リズムやそれに合わせた体の動きを楽しむ。

③ 生活の中で様々な音、形、色、手触り、動き、味、香りなどに気付いたり、感じたりして楽しむ。

④ 歌を歌ったり、簡単な手遊びや全身を使う遊びを楽しんだりする。

⑤ 保育士等からの話や、生活や遊びの中での出来事を通して、イメージを豊かにする。

⑥ 生活や遊びの中で、興味のあることや経験したことなどを自分なりに表現する。

(ウ) 内容の取扱い

上記の取扱いに当たっては、次の事項に留意する必要がある。

① 子どもの表現は、遊びや生活の様々な場面で表出されているものであることから、それらを積極的に受け止め、様々な表現の仕方や感性を豊かにする経験となるようにすること。

② 子どもが試行錯誤しながら様々な表現を楽しむことや、自分の力でやり遂げる充実感などに気付くよう、温かく見守るとともに、適切に援助を行うようにすること。

③ 様々な感情の表現等を通じて、子どもが自分の感情や気持ちに気付くようになる時期であることに鑑み、受容的な関わりの中で自信をもって表現をすることや、諦めずに続けた後の達成感等を感じられるような経験が蓄積されるようにすること。

④ 身近な自然や身の回りの事物に関わる中で、発見や心が動く経験が得られるよう、諸感覚を働かせることを楽しむ遊びや素材を用意するなど保育の環境を整えること。

(3) 保育の実施に関わる配慮事項

ア 特に感染症にかかりやすい時期であるので、体の状態、機嫌、食欲などの日常の状態の観察を十分に行うとともに、適切な判断に基づく保健的な対応を心がけること。

イ 探索活動が十分できるように、事故防止に努めながら活動しやすい環境を整え、全身を使う遊びなど様々な遊びを取り入れること。

ウ 自我が形成され、子どもが自分の感情や気持ちに気付くようになる重要な時期であることに鑑み、情緒の安定を図りながら、子どもの自発的な活動を尊重するとともに促していくこと。

エ 担当の保育士が替わる場合には、子どものそれまでの経験や発達過程に留意し、職員間で協力して対応すること。

3 3歳以上児の保育に関するねらい及び内容

(1) 基本的事項

ア この時期においては、運動機能の発達により、基本的な動作が一通りできるようになるとともに、基本的な生活習慣もほぼ自立できるようになる。理解する語彙数が急激に増加し、知的興味や関心も高まってくる。仲間と遊び、仲間の中の一人という自覚が生じ、集団的な遊びや協同的な活動も見られるようになる。これらの発達の特徴を踏まえて、この時期の保育においては、個の成長と集団としての活動の充実が図られるようにしなければならない。

イ 本項においては、この時期の発達の特徴を踏まえ、保育の「ねらい」及び「内容」について、心身の健康に関する領域「健康」、人との関わりに関する領域「人間関係」、身近な環境との関わりに関する領域「環境」、言葉の獲得に関する領域「言葉」及び感性と表現に関する領域「表現」

としてまとめ、示している。

ウ 本項の各領域において示す保育の内容は、第１章の２に示された養護における「生命の保持」及び「情緒の安定」に関わる保育の内容と、一体となって展開されるものであることに留意が必要である。

（2）ねらい及び内容

ア 健康

健康な心と体を育て、自ら健康で安全な生活をつくり出す力を養う。

（ア）ねらい

① 明るく伸び伸びと行動し、充実感を味わう。
② 自分の体を十分に動かし、進んで運動しようとする。
③ 健康、安全な生活に必要な習慣や態度を身に付け、見通しをもって行動する。

（イ）内容

① 保育士等や友達と触れ合い、安定感をもって行動する。
② いろいろな遊びの中で十分に体を動かす。
③ 進んで戸外で遊ぶ。
④ 様々な活動に親しみ、楽しんで取り組む。
⑤ 保育士等や友達と食べることを楽しみ、食べ物への興味や関心をもつ。
⑥ 健康な生活のリズムを身に付ける。
⑦ 身の回りを清潔にし、衣服の着脱、食事、排泄（せつ）などの生活に必要な活動を自分でする。
⑧ 保育所における生活の仕方を知り、自分たちで生活の場を整えながら見通しをもって行動する。
⑨ 自分の健康に関心をもち、病気の予防などに必要な活動を進んで行う。
⑩ 危険な場所、危険な遊び方、災害時などの行動の仕方が分かり、安全に気を付けて行動する。

（ウ）内容の取扱い

上記の取扱いに当たっては、次の事項に留意する必要がある。

① 心と体の健康は、相互に密接な関連があるものであることを踏まえ、子どもが保育士等や他の子どもとの温かい触れ合いの中で自己の存在感や充実感を味わうことなどを基盤として、しなやかな心と体の発達を促すこと。特に、十分に体を動かす気持ちよさを体験し、自ら体を動かそうとする意欲が育つようにすること。
② 様々な遊びの中で、子どもが興味や関心、能力に応じて全身を使って活動することにより、体を動かす楽しさを味わい、自分の体を大切にしようとする気持ちが育つようにすること。その際、多様な動きを経験する中で、体の動きを調整するようにすること。
③ 自然の中で伸び伸びと体を動かして遊ぶことにより、体の諸機能の発達が促されることに留意し、子どもの興味や関心が戸外にも向くようにすること。その際、子どもの動線に配慮した園庭や遊具の配置などを工夫すること。
④ 健康な心と体を育てるためには食育を通じた望ましい食習慣の形成が大切であることを踏まえ、子どもの食生活の実情に配慮し、和やかな雰囲気の中で保育士等や他の子どもと食べる喜びや楽しさを味わったり、様々な食べ物への興味や関心をもったりするなどし、食の大切さに気付き、進んで食べようとする気持ちが育つようにすること。
⑤ 基本的な生活習慣の形成に当たっては、家庭での生活経験に配慮し、子どもの自立心を育て、子どもが他の子どもと関わりながら主体的な活動を展開する中で、生活に必要な習慣を身に付け、次第に見通しをもって行動できるようにすること。
⑥ 安全に関する指導に当たっては、情緒の安定を図り、遊びを通して安全についての構えを身に付け、危険な場所や事物などが分かり、安全についての理解を深めるようにすること。また、交通安全の習慣を身に付けるようにするとともに、避難訓練などを通して、災害などの緊急時に適切な行動がとれるようにすること。

イ 人間関係

他の人々と親しみ、支え合って生活するために、自立心を育て、人と関わる力を養う。

(ア) ねらい

① 保育所の生活を楽しみ、自分の力で行動することの充実感を味わう。
② 身近な人と親しみ、関わりを深め、工夫したり、協力したりして一緒に活動する楽しさを味わい、愛情や信頼感をもつ。
③ 社会生活における望ましい習慣や態度を身に付ける。

(イ) 内容

① 保育士等や友達と共に過ごすことの喜びを味わう。
② 自分で考え、自分で行動する。
③ 自分でできることは自分でする。
④ いろいろな遊びを楽しみながら物事をやり遂げようとする気持ちをもつ。
⑤ 友達と積極的に関わりながら喜びや悲しみを共感し合う。
⑥ 自分の思ったことを相手に伝え、相手の思っていることに気付く。
⑦ 友達のよさに気付き、一緒に活動する楽しさを味わう。
⑧ 友達と楽しく活動する中で、共通の目的を見いだし、工夫したり、協力したりなどする。
⑨ よいことや悪いことがあることに気付き、考えながら行動する。
⑩ 友達との関わりを深め、思いやりをもつ。
⑪ 友達と楽しく生活する中できまりの大切さに気付き、守ろうとする。
⑫ 共同の遊具や用具を大切にし、皆で使う。
⑬ 高齢者をはじめ地域の人々などの自分の生活に関係の深いいろいろな人に親しみをもつ。

(ウ) 内容の取扱い

上記の取扱いに当たっては、次の事項に留意する必要がある。

① 保育士等との信頼関係に支えられて自分自身の生活を確立していくことが人と関わる基盤となることを考慮し、子どもが自ら周囲に働き掛けることにより多様な感情を体験し、試行錯誤しながら諦めずにやり遂げることの達成感や、前向きな見通しをもって自分の力で行うことの充実感を味わうことができるよう、子どもの行動を見守りながら適切な援助を行うようにすること。
② 一人一人を生かした集団を形成しながら人と関わる力を育てていくようにすること。その際、集団の生活の中で、子どもが自己を発揮し、保育士等や他の子どもに認められる体験をし、自分のよさや特徴に気付き、自信をもって行動できるようにすること。
③ 子どもが互いに関わりを深め、協同して遊ぶようになるため、自ら行動する力を育てるとともに、他の子どもと試行錯誤しながら活動を展開する楽しさや共通の目的が実現する喜びを味わうことができるようにすること。
④ 道徳性の芽生えを培うに当たっては、基本的な生活習慣の形成を図るとともに、子どもが他の子どもとの関わりの中で他人の存在に気付き、相手を尊重する気持ちをもって行動できるようにし、また、自然や身近な動植物に親しむことなどを通して豊かな心情が育つようにすること。特に、人に対する信頼感や思いやりの気持ちは、葛藤やつまずきをも体験し、それらを乗り越えることにより次第に芽生えてくることに配慮すること。
⑤ 集団の生活を通して、子どもが人との関わりを深め、規範意識の芽生えが培われることを考慮し、子どもが保育士等との信頼関係に支えられて自己を発揮する中で、互いに思いを主張し、折り合いを付ける体験をし、きまりの必要性などに気付き、自分の気持ちを調整する力が育つようにすること。
⑥ 高齢者をはじめ地域の人々などの自分の

生活に関係の深いいろいろな人と触れ合い、自分の感情や意志を表現しながら共に楽しみ、共感し合う体験を通して、これらの人々などに親しみをもち、人と関わることの楽しさや人の役に立つ喜びを味わうことができるようにすること。また、生活を通して親や祖父母などの家族の愛情に気付き、家族を大切にしようとする気持ちが育つようにすること。

ウ 環境

周囲の様々な環境に好奇心や探究心をもって関わり、それらを生活に取り入れていこうとする力を養う。

（ア）ねらい

① 身近な環境に親しみ、自然と触れ合う中で様々な事象に興味や関心をもつ。

② 身近な環境に自分から関わり、発見を楽しんだり、考えたりし、それを生活に取り入れようとする。

③ 身近な事象を見たり、考えたり、扱ったりする中で、物の性質や数量、文字などに対する感覚を豊かにする。

（イ）内容

① 自然に触れて生活し、その大きさ、美しさ、不思議さなどに気付く。

② 生活の中で、様々な物に触れ、その性質や仕組みに興味や関心をもつ。

③ 季節により自然や人間の生活に変化のあることに気付く。

④ 自然などの身近な事象に関心をもち、取り入れて遊ぶ。

⑤ 身近な動植物に親しみをもって接し、生命の尊さに気付き、いたわったり、大切にしたりする。

⑥ 日常生活の中で、我が国や地域社会における様々な文化や伝統に親しむ。

⑦ 身近な物を大切にする。

⑧ 身近な物や遊具に興味をもって関わり、自分なりに比べたり、関連付けたりしながら考えたり、試したりして工夫して遊ぶ。

⑨ 日常生活の中で数量や図形などに関心をもつ。

⑩ 日常生活の中で簡単な標識や文字などに関心をもつ。

⑪ 生活に関係の深い情報や施設などに興味や関心をもつ。

⑫ 保育所内外の行事において国旗に親しむ。

（ウ）内容の取扱い

上記の取扱いに当たっては、次の事項に留意する必要がある。

① 子どもが、遊びの中で周囲の環境と関わり、次第に周囲の世界に好奇心を抱き、その意味や操作の仕方に関心をもち、物事の法則性に気付き、自分なりに考えることができるようになる過程を大切にすること。また、他の子どもの考えなどに触れて新しい考えを生み出す喜びや楽しさを味わい、自分の考えをよりよいものにしようとする気持ちが育つようにすること。

② 幼児期において自然のもつ意味は大きく、自然の大きさ、美しさ、不思議さなどに直接触れる体験を通して、子どもの心が安らぎ、豊かな感情、好奇心、思考力、表現力の基礎が培われることを踏まえ、子どもが自然との関わりを深めることができるよう工夫すること。

③ 身近な事象や動植物に対する感動を伝え合い、共感し合うことなどを通して自分から関わろうとする意欲を育てるとともに、様々な関わり方を通してそれらに対する親しみや畏敬の念、生命を大切にする気持ち、公共心、探究心などが養われるようにすること。

④ 文化や伝統に親しむ際には、正月や節句など我が国の伝統的な行事、国歌、唱歌、わらべうたや我が国の伝統的な遊びに親しんだり、異なる文化に触れる活動に親しんだりすることを通じて、社会とのつながりの意識や国際理解の意識の芽生えなどが養われるようにすること。

⑤ 数量や文字などに関しては、日常生活の中で子ども自身の必要感に基づく体験を

大切にし、数量や文字などに関する興味や関心、感覚が養われるようにすること。

エ 言葉

経験したことや考えたことなどを自分なりの言葉で表現し、相手の話す言葉を聞こうとする意欲や態度を育て、言葉に対する感覚や言葉で表現する力を養う。

(ア) ねらい

① 自分の気持ちを言葉で表現する楽しさを味わう。

② 人の言葉や話などをよく聞き、自分の経験したことや考えたことを話し、伝え合う喜びを味わう。

③ 日常生活に必要な言葉が分かるようになるとともに、絵本や物語などに親しみ、言葉に対する感覚を豊かにし、保育士等や友達と心を通わせる。

(イ) 内容

① 保育士等や友達の言葉や話に興味や関心をもち、親しみをもって聞いたり、話したりする。

② したり、見たり、聞いたり、感じたり、考えたりなどしたことを自分なりに言葉で表現する。

③ したいこと、してほしいことを言葉で表現したり、分からないことを尋ねたりする。

④ 人の話を注意して聞き、相手に分かるように話す。

⑤ 生活の中で必要な言葉が分かり、使う。

⑥ 親しみをもって日常の挨拶をする。

⑦ 生活の中で言葉の楽しさや美しさに気付く。

⑧ いろいろな体験を通じてイメージや言葉を豊かにする。

⑨ 絵本や物語などに親しみ、興味をもって聞き、想像をする楽しさを味わう。

⑩ 日常生活の中で、文字などで伝える楽しさを味わう。

(ウ) 内容の取扱い

上記の取扱いに当たっては、次の事項に留意する必要がある。

① 言葉は、身近な人に親しみをもって接し、自分の感情や意志などを伝え、それに相手が応答し、その言葉を聞くことを通して次第に獲得されていくものであることを考慮して、子どもが保育士等や他の子どもと関わることにより心を動かされるような体験をし、言葉を交わす喜びを味わえるようにすること。

② 子どもが自分の思いを言葉で伝えるとともに、保育士等や他の子どもなどの話を興味をもって注意して聞くことを通して次第に話を理解するようになっていき、言葉による伝え合いができるようにすること。

③ 絵本や物語などで、その内容と自分の経験とを結び付けたり、想像を巡らせたりするなど、楽しみを十分に味わうことによって、次第に豊かなイメージをもち、言葉に対する感覚が養われるようにすること。

④ 子どもが生活の中で、言葉の響きやリズム、新しい言葉や表現などに触れ、これらを使う楽しさを味わえるようにすること。その際、絵本や物語に親しんだり、言葉遊びなどをしたりすることを通して、言葉が豊かになるようにすること。

⑤ 子どもが日常生活の中で、文字などを使いながら思ったことや考えたことを伝える喜びや楽しさを味わい、文字に対する興味や関心をもつようにすること。

オ 表現

感じたことや考えたことを自分なりに表現することを通して、豊かな感性や表現する力を養い、創造性を豊かにする。

(ア) ねらい

① いろいろなものの美しさなどに対する豊かな感性をもつ。

② 感じたことや考えたことを自分なりに表現して楽しむ。

③ 生活の中でイメージを豊かにし、様々な表現を楽しむ。

(イ) 内容

① 生活の中で様々な音、形、色、手触り、動きなどに気付いたり、感じたりするな

どして楽しむ。

② 生活の中で美しいものや心を動かす出来事に触れ、イメージを豊かにする。

③ 様々な出来事の中で、感動したことを伝え合う楽しさを味わう。

④ 感じたこと、考えたことなどを音や動きなどで表現したり、自由にかいたり、つくったりなどする。

⑤ いろいろな素材に親しみ、工夫して遊ぶ。

⑥ 音楽に親しみ、歌を歌ったり、簡単なリズム楽器を使ったりなどする楽しさを味わう。

⑦ かいたり、つくったりすることを楽しみ、遊びに使ったり、飾ったりなどする。

⑧ 自分のイメージを動きや言葉などで表現したり、演じて遊んだりするなどの楽しさを味わう。

(ウ) 内容の取扱い

上記の取扱いに当たっては、次の事項に留意する必要がある。

① 豊かな感性は、身近な環境と十分に関わる中で美しいもの、優れたもの、心を動かす出来事などに出会い、そこから得た感動を他の子どもや保育士等と共有し、様々に表現することなどを通して養われるようにすること。その際、風の音や雨の音、身近にある草や花の形や色など自然の中にある音、形、色などに気付くようにすること。

② 子どもの自己表現は素朴な形で行われることが多いので、保育士等はそのような表現を 受容し、子ども自身の表現しようとする意欲を受け止めて、子どもが生活の中で子どもらしい様々な表現を楽しむことができるようにすること。

③ 生活経験や発達に応じ、自ら様々な表現を楽しみ、表現する意欲を十分に発揮させることができるように、遊具や用具などを整えたり、様々な素材や表現の仕方に親しんだり、他の子どもの表現に触れられるよう配慮したりし、表現する過程を大切にして自己表現を楽しめるように工夫すること。

(3) 保育の実施に関わる配慮事項

ア 第１章の４の（２）に示す「幼児期の終わりまでに育ってほしい姿」が、ねらい及び内容に基づく活動全体を通して資質・能力が育まれている子どもの小学校就学時の具体的な姿であることを踏まえ、指導を行う際には適宜考慮すること。

イ 子どもの発達や成長の援助をねらいとした活動の時間については、意識的に保育の計画等において位置付けて、実施することが重要であること。なお、そのような活動の時間については、保護者の就労状況等に応じて子どもが保育所で過ごす時間がそれぞれ異なることに留意して設定すること。

ウ 特に必要な場合には、各領域に示すねらいの趣旨に基づいて、具体的な内容を工夫し、それを加えても差し支えないが、その場合には、それが第１章の１に示す保育所保育に関する基本原則を逸脱しないよう慎重に配慮する必要があること。

4 保育の実施に関して留意すべき事項

(1) 保育全般に関わる配慮事項

ア 子どもの心身の発達及び活動の実態などの個人差を踏まえるとともに、一人一人の子どもの気持ちを受け止め、援助すること。

イ 子どもの健康は、生理的・身体的な育ちとともに、自主性や社会性、豊かな感性の育ちとがあいまってもたらされることに留意すること。

ウ 子どもが自ら周囲に働きかけ、試行錯誤しつつ自分の力で行う活動を見守りながら、適切に援助すること。

エ 子どもの入所時の保育に当たっては、できるだけ個別的に対応し、子どもが安定感を得て、次第に保育所の生活になじんでいくようにするとともに、既に入所している子どもに不安や動揺を与えないようにすること。

オ 子どもの国籍や文化の違いを認め、互いに尊重する心を育てるようにすること。

カ 子どもの性差や個人差にも留意しつつ、性別などによる固定的な意識を植え付けることがないようにすること。

(2) 小学校との連携

ア 保育所においては、保育所保育が、小学校以降の生活や学習の基盤の育成につながることに配慮し、幼児期にふさわしい生活を通じて、創造的な思考や主体的な生活態度などの基礎を培うようにすること。

イ 保育所保育において育まれた資質・能力を踏まえ、小学校教育が円滑に行われるよう、小学校教師との意見交換や合同の研究の機会などを設け、第１章の４の（２）に示す「幼児期の終わりまでに育って欲しい姿」を共有するなど連携を図り、保育所保育と小学校教育との円滑な接続を図るよう努めること。

ウ 子どもに関する情報共有に関して、保育所に入所している子どもの就学に際し、市町村の支援の下に、子どもの育ちを支えるための資料が保育所から小学校へ送付されるようにすること。

(3) 家庭及び地域社会との連携

子どもの生活の連続性を踏まえ、家庭及び地域社会と連携して保育が展開されるよう配慮すること。その際、家庭や地域の機関及び団体の協力を得て、地域の自然、高齢者や異年齢の子ども等を含む人材、行事、施設等の地域の資源を積極的に活用し、豊かな生活体験をはじめ保育内容の充実が図られるよう配慮すること。

第３章 健康及び安全

保育所保育において、子どもの健康及び安全の確保は、子どもの生命の保持と健やかな生活の基本であり、一人一人の子どもの健康の保持及び増進並びに安全の確保とともに、保育所全体における健康及び安全の確保に努めることが重要となる。

また、子どもが、自らの体や健康に関心をもち、心身の機能を高めていくことが大切である。このため、第１章及び第２章等の関連する事項に留意し、次に示す事項を踏まえ、保育を行うこととする。

1 子どもの健康支援

(1) 子どもの健康状態並びに発育及び発達状態の把握

ア 子どもの心身の状態に応じて保育するために、子どもの健康状態並びに発育及び発達状態について、定期的・継続的に、また、必要に応じて随時、把握すること。

イ 保護者からの情報とともに、登所時及び保育中を通じて子どもの状態を観察し、何らかの疾病が疑われる状態や傷害が認められた場合には、保護者に連絡するとともに、嘱託医と相談するなど適切な対応を図ること。看護師等が配置されている場合には、その専門性を生かした対応を図ること。

ウ 子どもの心身の状態等を観察し、不適切な養育の兆候が見られる場合には、市町村や関係機関と連携し、児童福祉法第２５条に基づき、適切な対応を図ること。また、虐待が疑われる場合には、速やかに市町村又は児童相談所に通告し、適切な対応を図ること。

(2) 健康増進

ア 子どもの健康に関する保健計画を全体的な計画に基づいて作成し、全職員がそのねらいや内容を踏まえ、一人一人の子どもの健康の保持及び増進に努めていくこと。

イ 子どもの心身の健康状態や疾病等の把握のために、嘱託医等により定期的に健康診断を行い、その結果を記録し、保育に活用するとともに、保護者が子どもの状態を理解し、日常生活に活用できるようにすること。

（3）疾病等への対応

ア 保育中に体調不良や傷害が発生した場合には、その子どもの状態等に応じて、保護者に連絡するとともに、適宜、嘱託医や子どものかかりつけ医等と相談し、適切な処置を行うこと。看護師等が配置されている場合には、その専門性を生かした対応を図ること。

イ 感染症やその他の疾病の発生予防に努め、その発生や疑いがある場合には、必要に応じて嘱託医、市町村、保健所等に連絡し、その指示に従うとともに、保護者や全職員に連絡し、予防等について協力を求めること。また、感染症に関する保育所の対応方法等について、あらかじめ関係機関の協力を得ておくこと。看護師等が配置されている場合には、その専門性を生かした対応を図ること。

ウ アレルギー疾患を有する子どもの保育については、保護者と連携し、医師の診断及び指示に基づき、適切な対応を行うこと。また、食物アレルギーに関して、関係機関と連携して、当該保育所の体制構築など、安全な環境の整備を行うこと。看護師や栄養士等が配置されている場合には、その専門性を生かした対応を図ること。

エ 子どもの疾病等の事態に備え、医務室等の環境を整え、救急用の薬品、材料等を適切な管理の下に常備し、全職員が対応できるようにしておくこと。

2 食育の推進

（1）保育所の特性を生かした食育

ア 保育所における食育は、健康な生活の基本としての「食を営む力」の育成に向け、その基礎を培うことを目標とすること。

イ 子どもが生活と遊びの中で、意欲をもって食に関わる体験を積み重ね、食べることを楽しみ、食事を楽しみ合う子どもに成長していくことを期待するものであること。

ウ 乳幼児期にふさわしい食生活が展開され、適切な援助が行われるよう、食事の提供を含む食育計画を全体的な計画に基づいて作成し、その評価及び改善に努めること。栄養士が配置されている場合は、専門性を生かした対応を図ること。

（2）食育の環境の整備等

ア 子どもが自らの感覚や体験を通して、自然の恵みとしての食材や食の循環・環境への意識、調理する人への感謝の気持ちが育つように、子どもと調理員等との関わりや、調理室など食に関わる保育環境に配慮すること。

イ 保護者や地域の多様な関係者との連携及び協働の下で、食に関する取組が進められること。また、市町村の支援の下に、地域の関係機関等との日常的な連携を図り、必要な協力が得られるよう努めること。

ウ 体調不良、食物アレルギー、障害のある子どもなど、一人一人の子どもの心身の状態等に応じ、嘱託医、かかりつけ医等の指示や協力の下に適切に対応すること。栄養士が配置されている場合は、専門性を生かした対応を図ること。

3 環境及び衛生管理並びに安全管理

（1）環境及び衛生管理

ア 施設の温度、湿度、換気、採光、音などの環境を常に適切な状態に保持するとともに、施設内外の設備及び用具等の衛生管理に努めること。

イ 施設内外の適切な環境の維持に努めるとともに、子ども及び全職員が清潔を保つようにすること。また、職員は衛生知識の向上に努めること。

（2）事故防止及び安全対策

ア 保育中の事故防止のために、子どもの心身の状態等を踏まえつつ、施設内外の安全点検に努め、安全対策のために全職員の共通理解や体制づくりを図るとともに、家庭や地域の関係機関の協力の下に安全指導を行うこと。

イ 事故防止の取組を行う際には、特に、睡眠中、プール活動・水遊び中、食事中等の場面では重大事故が発生しやすいことを踏まえ、子どもの主体的な活動を大切にしつつ、施設内外の環境の配慮や指導の工夫を行うなど、必要な対策を講じること。

ウ 保育中の事故の発生に備え、施設内外の危険箇所の点検や訓練を実施するとともに、外部からの不審者等の侵入防止のための措置や訓練など不測の事態に備えて必要な対応を行うこと。また、子どもの精神保健面における対応に留意すること。

4 災害への備え

(1) 施設・設備等の安全確保

ア 防火設備、避難経路等の安全性が確保されるよう、定期的にこれらの安全点検を行うこと。

イ 備品、遊具等の配置、保管を適切に行い、日頃から、安全環境の整備に努めること。

(2) 災害発生時の対応体制及び避難への備え

ア 火災や地震などの災害の発生に備え、緊急時の対応の具体的内容及び手順、職員の役割分担、避難訓練計画等に関するマニュアルを作成すること。

イ 定期的に避難訓練を実施するなど、必要な対応を図ること。

ウ 災害の発生時に、保護者等への連絡及び子どもの引渡しを円滑に行うため、日頃から保護者との密接な連携に努め、連絡体制や引渡し方法等について確認をしておくこと。

(3) 地域の関係機関等との連携

ア 市町村の支援の下に、地域の関係機関との日常的な連携を図り、必要な協力が得られるよう努めること。

イ 避難訓練については、地域の関係機関や保護者との連携の下に行うなど工夫すること。

第4章 子育て支援

保育所における保護者に対する子育て支援は、全ての子どもの健やかな育ちを実現することができるよう、第1章及び第2章等の関連する事項を踏まえ、子どもの育ちを家庭と連携して支援していくとともに、保護者及び地域が有する子育てを自ら実践する力の向上に資するよう、次の事項に留意するものとする。

1 保育所における子育て支援に関する基本的事項

(1) 保育所の特性を生かした子育て支援

ア 保護者に対する子育て支援を行う際には、各地域や家庭の実態等を踏まえるとともに、保護者の気持ちを受け止め、相互の信頼関係を基本に、保護者の自己決定を尊重すること。

イ 保育及び子育てに関する知識や技術など、保育士等の専門性や、子どもが常に存在する環境など、保育所の特性を生かし、保護者が子どもの成長に気付き子育ての喜びを感じられるように努めること。

(2) 子育て支援に関して留意すべき事項

ア 保護者に対する子育て支援における地域の関係機関等との連携及び協働を図り、保育所全体の体制構築に努めること。

イ 子どもの利益に反しない限りにおいて、保護者や子どものプライバシーを保護し、知り得た事柄の秘密を保持すること。

2 保育所を利用している保護者に対する子育て支援

(1) 保護者との相互理解

ア 日常の保育に関連した様々な機会を活用し子どもの日々の様子の伝達や収集、保育所保育の意図の説明などを通じて、保護者との相互理解を図るよう努めること。

イ 保育の活動に対する保護者の積極的な参加は、保護者の子育てを自ら実践する力の向上に寄与することから、これを促すこと。

（2）保護者の状況に配慮した個別の支援

ア 保護者の就労と子育ての両立等を支援するため、保護者の多様化した保育の需要に応じ、病児保育事業など多様な事業を実施する場合には、保護者の状況に配慮するとともに、子どもの福祉が尊重されるよう努め、子どもの生活の連続性を考慮すること。

イ 子どもに障害や発達上の課題が見られる場合には、市町村や関係機関と連携及び協力を図りつつ、保護者に対する個別の支援を行うよう努めること。

ウ 外国籍家庭など、特別な配慮を必要とする家庭の場合には、状況等に応じて個別の支援を行うよう努めること。

（3）不適切な養育等が疑われる家庭への支援

ア 保護者に育児不安等が見られる場合には、保護者の希望に応じて個別の支援を行うよう努めること。

イ 保護者に不適切な養育等が疑われる場合には、市町村や関係機関と連携し、要保護児童対策地域協議会で検討するなど適切な対応を図ること。また、虐待が疑われる場合には、速やかに市町村又は児童相談所に通告し、適切な対応を図ること。

3 地域の保護者等に対する子育て支援

（1）地域に開かれた子育て支援

ア 保育所は、児童福祉法第４８条の４の規定に基づき、その行う保育に支障がない限りにおいて、地域の実情や当該保育所の体制等を踏まえ、地域の保護者等に対して、保育所保育の専門性を生かした子育て支援を積極的に行うよう努めること。

イ 地域の子どもに対する一時預かり事業などの活動を行う際には、一人一人の子どもの心身の状態などを考慮するとともに、日常の保育との関連に配慮するなど、柔軟に活動を展開できるようにすること。

（2）地域の関係機関等との連携

ア 市町村の支援を得て、地域の関係機関等との積極的な連携及び協働を図るとともに、子育て支援に関する地域の人材と積極的に連携を図るよう努めること。

イ 地域の要保護児童への対応など、地域の子どもを巡る諸課題に対し、要保護児童対策地域協議会など関係機関等と連携及び協力して取り組むよう努めること。

第５章 職員の資質向上

第１章から前章までに示された事項を踏まえ、保育所は、質の高い保育を展開するため、絶えず、一人一人の職員についての資質向上及び職員全体の専門性の向上を図るよう努めなければならない。

1 職員の資質向上に関する基本的事項

（1）保育所職員に求められる専門性

子どもの最善の利益を考慮し、人権に配慮した保育を行うためには、職員一人一人の倫理観、人間性並びに保育所職員としての職務及び責任の理解と自覚が基盤となる。

各職員は、自己評価に基づく課題等を踏まえ、保育所内外の研修等を通じて、保育士・看護師・調理員・栄養士等、それぞれの職務内容に応じた専門性を高めるため、必要な知識及び技術の修得、維持及び向上に努めなければならない。

（2）保育の質の向上に向けた組織的な取組

保育所においては、保育の内容等に関する自己評価等を通じて把握した、保育の質の向上に向けた課題に組織的に対応するため、保育内容の改善や保育士等の役割分担の見直し等に取り組むとともに、それぞれの職位や職務内容等に応じて、各職員が必要な知識及び技能を身につけられるよう努めなければならない。

2 施設長の責務

(1) 施設長の責務と専門性の向上

施設長は、保育所の役割や社会的責任を遂行するために、法令等を遵守し、保育所を取り巻く 社会情勢等を踏まえ、施設長としての専門性等の向上に努め、当該保育所における保育の質及び職員の専門性向上のために必要な環境の確保に努めなければならない。

(2) 職員の研修機会の確保等

施設長は、保育所の全体的な計画や、各職員の研修の必要性等を踏まえて、体系的・計画的な 研修機会を確保するとともに、職員の勤務体制の工夫等により、職員が計画的に研修等に参加し、その専門性の向上が図られるよう努めなければならない。

3 職員の研修等

(1) 職場における研修

職員が日々の保育実践を通じて、必要な知識及び技術の修得、維持及び向上を図るとともに、保育の課題等への共通理解や協働性を高め、保育所全体としての保育の質の向上を図っていくためには、日常的に職員同士が主体的に学び合う姿勢と環境が重要であり、職場内での研修の充実が図られなければならない。

(2) 外部研修の活用

各保育所における保育の課題への的確な対応や、保育士等の専門性の向上を図るためには、職場内での研修に加え、関係機関等による研修の活用が有効であることから、必要に応じて、こうした外部研修への参加機会が確保されるよう努めなければならない。

4 研修の実施体制等

(1) 体系的な研修計画の作成

保育所においては、当該保育所における保育の課題や各職員のキャリアパス等も見据えて、初任者から管理職員までの職位や職務内容等を踏まえた体系的な研修計画を作成しなければならない。

(2) 組織内での研修成果の活用

外部研修に参加する職員は、自らの専門性の向上を図るとともに、保育所における保育の課題を理解し、その解決を実践できる力を身に付けることが重要である。また、研修で得た知識及び技能を他の職員と共有することにより、保育所全体としての保育実践の質及び専門性の向上につなげていくことが求められる。

(3) 研修の実施に関する留意事項

施設長等は保育所全体としての保育実践の質及び専門性の向上のために、研修の受講は特定の職員に偏ることなく行われるよう、配慮する必要がある。また、研修を修了した職員については、その職務内容等において、当該研修の成果等が適切に勘案されることが望ましい。

索引

数字

アルファベット

あ行

か行

さ行

た行

な行

は行

ま行

や行

ら・わ行

監修者プロフィール

■ 汐見 稔幸（しおみ としゆき）

1947年大阪府生まれ。2017年度まで白梅学園大学・同短期大学学長。現在は、東京大学名誉教授・白梅学園大学名誉学長。

専門は教育学、教育人間学、保育学、育児学。自身も 3 人の子どもの育児を経験。保育者による本音の交流雑誌『エデュカーレ』編集長でもある。持続可能性をキーワードとする保育者のための学びの場「ぐうたら村」村長。NHK E-テレ「すくすく子育て」など出演中。

＜最近の保育・幼児教育関係の主な著書＞
『保育者論』、『よく分かる教育原理』、『〈平成30年施行〉保育所保育指針 幼稚園教育要領 幼保連携型認定こども園教育・保育要領 解説とポイント』（以上、ミネルヴァ書房）、『汐見稔幸　こども・保育・人間』『教えて！汐見先生 マンガでわかる「保育の今、これから」』（学研）、『さあ、子どもたちの「未来」を話しませんか：2017年告示 新指針・要領からのメッセージ』（小学館）、『こどもの「じんけん」、まるわかり』（共著）（ぎょうせい）、『新時代の保育のキーワード　乳幼児の学びを未来につなぐ12講』（小学館）、『教えから学びへ；教育にとって一番大切なこと』（河出新書）、『汐見先生と考える　子ども理解を深める保育のアセスメント』（中央法規出版）など。

著者プロフィール（保育士試験対策委員会）

■ 林 薫（はやし かおる）

科目「子どもの食と栄養」担当。白梅学園大学で「子どもの食と栄養論」、「子どもの食と栄養」「家庭」などの教鞭をとる。専門は小児栄養学。白梅学園大学子ども学部子ども学科教授。

■ 柴田 賢一（しばた けんいち）

科目「保育原理」「保育実習理論-保育所における保育と実習／保育者論」担当。常葉大学にて「保育内容総論Ⅰ」「教育原理」「教育学」「教育実習指導」を担当。常葉大学保育学部保育学科教授。

■ 釜田 史（かまた ふみと）

科目「教育原理」担当。愛知教育大学教育学部准教授。

■ 加藤 洋子（かとう ようこ）

科目「社会的養護」「保育実習理論-児童福祉施設における保育と実習」担当。聖心女子大学教授。教育学科において児童家庭福祉、社会的養護等の教鞭をとる。

■ 笹氣 真歩（ささき まほ）

科目「保育実習理論-音楽に関する技術」担当。きらら音楽学院講師。弘徳学園東北こども福祉専門学校非常勤講師。演奏団体「ドレミファピアチェーレ」を立ち上げ参加型クラシックコンサート活動も行う。共著に『テーブルリトミック』（笹氣出版印刷）がある。

■ 松村 弘美（まつむら ひろみ）

科目「保育実習理論-造形に関する技術／言語に関する技術」担当。プランニング開・アトリエ自遊楽校（http://p-kai.com）。アトリエ自遊楽校で子どもの造形・表現活動に携わっている。学校法人三幸学園非常勤講師。社会福祉法人遊創の森理事長。

Book Design　ハヤカワデザイン　早川 いくを　高瀬 はるか
カバー・本文イラスト　はった あい
DTP　BUCH+

●会員特典データのご案内

「リズム譜で出題されやすい曲一覧」
「保育実習理論」の科目で出題されるリズム譜について、出題されやすい曲を一覧にしてまとめています。

ダウンロードURL：https://www.shoeisha.co.jp/book/present/9784798187235

※ 会員特典データのダウンロードには、SHOEISHA iD（翔泳社が運営する無料の会員制度）への会員登録が必要です。詳しくは、Webサイトをご覧ください。
※ 会員特典データに関する権利は著者および株式会社翔泳社が所有しています。許可なく配布したり、Webサイトに転載することはできません。
※会員特典データの提供は予告なく終了することがあります。あらかじめご了承ください。

福祉教科書
保育士 完全合格テキスト 下 2025年版

2024年 8月29日 初版第1刷発行

著　　者　保育士試験対策委員会
監 修 者　汐見 稔幸
発 行 人　佐々木 幹夫
発 行 所　株式会社 翔泳社（https://www.shoeisha.co.jp）
印刷・製本　日経印刷 株式会社

本書へのお問い合わせについては、viiiページに記載の内容をお読みください。

造本には細心の注意を払っておりますが、万一、乱丁（ページの順序違い）や落丁（ページの抜け）がございましたら、お取り替えいたします。03-5362-3705までご連絡ください。

ISBN978-4-7981-8723-5　Printed in Japan